KB163238

로드 짐 2

Lord Jim

세계문학전집 117

로드 짐 2

Lord Jim

조지프 콘래드

이상옥 옮김

민음사

일러두기

1) 『로드 짐』은 특이한 서술 형식으로 쓰인 소설이다. 1~4장은 이른바 전지적(全知
的) 작가에 의해 서술되며, 5~35장은 작가가 말로라는 이야기꾼의 이야기를 듣고 옮
긴 형식이다. 그리고 마지막 36~45장은 작가가 말로의 기록 문서를 얻어서 옮긴 형식
이다.

2) 따라서 5장부터 마지막 장까지는 대부분이 따옴표 안에 수록되어 있다. 말로의
이야기와 기록문은 낫표(「 」) 속에 담겨 있고, 그 속의 인용문은 큰따옴표(" ")에, 그
리고 다시 그 속의 인용문은 작은따옴표(' ')에 담겨 있다.

3) 다만 말로의 이야기는 길게 계속되므로 자연히 여러 단락으로 나뉘어 있는데 단
락마다 낫표로 열기만 하고 닫지는 않았다. 닫는 낫표(」)는 말로가 숨을 돌리기 위
해 이야기를 중단하는 경우와 장이 끝나는 부분에서만 사용했다. 이러한 영어의 구
두법 방식을 그대로 채택한 것은 물론 말로의 이야기가 계속되고 있다는 것을 독자
들에게 상기시키기 위해서다.

차례

작가의 노트

21장

「자네들은 아마 파투산이라는 곳을 들어 본 적이 없을걸 세.」여송연에 조심스럽게 불을 붙이느라 한동안 침묵을 지키 던 말로가 이야기를 계속했다. 「하지만 상관없어. 밤이면 우리 를 향해 몰려오는 많은 천체 중에도 인류가 들어 보지 못한 것들이 허다하지 않은가. 천체는 인류의 활동 영역 밖에 있고 천문학자들을 제외하고 어느 누구에게도 세속적 중요성을 띠 고 있지 않아. 천문학자들이야 천체의 구성, 중량, 행로 및 운 행의 불규칙성이나 빛의 탈선 따위에 대해 유식한 말을 하고 봉급까지 받는 사람들이니까 말하자면 일종의 과학계의 호사 가들이라고 할 수 있지. 파투산의 경우도 마찬가지야. 그곳은 바타비아에 있는 정부 내부에서 알 만한 직원에게나 언급되고 있고 특히 그곳의 비행이나 탈선이 관심사가 되고 있지 않나 싶어. 그리고 상업에 종사하고 있는 사람들 중 아주 소수에 게나 그 이름이 알려져 있었거든. 그렇지만 아무도 그곳에 가 본 사람이 없고, 몸소 가고 싶어 하는 사람은 하나도 없을 거 야. 내가 생각하기에, 그건 마치 천문학자가 먼 천체로 파견되 는 데 대해서 강하게 반대하는 거나 마찬가지겠지. 먼 천체에 나간다면, 이 지상에서 받는 보수와 관계없이, 그는 낯선 천 체 풍경 때문에 곤혹을 겪게 될 테니까. 하지만 천체나 천문학 자들은 파투산과 아무 관계가 없어. 그곳으로 가게 된 사람은 짐이었으니까. 내가 자네들이 이해해 주길 바라는 것은 스타 인이 짐을 어떤 5등성으로 보내도록 주선했다 하더라도 그 변 화가 파투산으로 가는 경우에 비해 더 클 수는 없었을 거라 는 점이야. 그는 이 지상에서 자기가 맛본 실패와 겪게 된 평 판을 모조리 등지고 떠났으며, 자기의 상상력을 발휘할 수 있 도록 전혀 새로운 조건이 갖추어져 있는 곳을 찾아간 셈이지. 그건 전적으로 새롭고 주목할 만한 조건이었는데 그는 주목할 만한 방식으로 그 새 조건들을 휘어잡을 수가 있었어.

「스타인은 파투산에 대해서 어느 누구보다 더 많이 알고 있 었어. 정부의 관계자들보다도 더 많이 알고 있지 않았나 싶어. 그가 나비 사냥을 다니던 시절이나 혹은, 훗날 그의 고칠 수 없는 버릇대로, 상업을 음식 만들 듯이 하며 기름진 요리에다 로맨스를 조금 섞어서 맛을 내려 하던 시절에 그곳에 가 보았 음이 틀림없어. 말레이 군도가 아직도 원래의 암흑 상태에 있 을 때, 그러니까 원주민의 도덕적 계몽을 위해서, 그리고 뭐라 할까, 보다 큰 수익을 올리기 위해서 빛과 전등까지 들어가기도 전에, 그는 이미 거의 모든 곳을 찾아가 보았던 거야. 우리가 짐에 대한 이야기를 나누고 난 다음 날 아침 조반상에서 내가 "그로 하여금 땅속으로 20피트쯤 기어 들어가 거기 머물게 해야겠다."고 하던 가엾은 브라이얼리의 말을 인용하자, 그는 파투산을 언급하더군. 그는 마치 희귀한 곤충을 바라보듯 주의 깊게 관심을 보이며 날 쳐다보았어. "그것도 가능한 일이지." 그가 커피를 마시며 말했어. "어떻게든 그를 매장해 버리는 거야." 내가 설명했지. "물론 그러고 싶은 사람은 없겠지만, 그의 됨됨이를 보면 그게 최선이거든." "그래. 그는 젊어." 스타인은 숙고하고 있더군. "현존하는 가장 젊은 인간이지." 나는 그 젊다는 말에 동의했어. "좋다고! 파투산이 있어." 그는 계속 같은 어조로 중얼거리고 있었어……. "게다가 지금은 그 여인도 죽었고." 그는 영문 모를 소리를 덧붙이더군.

「물론 나는 그 이야기는 몰라. 언젠가 과거에 파투산이 모종의 죄악이니 범법이니 불운이니 하는 것들을 매장하는 무덤으로 이용된 일이 있을 거라는 추측을 할 수 있을 뿐이지. 스타인을 의심할 수는 없어. 일찍이 그에게 있었던 유일한 여인은 그가 늘 '내 공주 아내'라고 부르거나 혹은 드물게나마 수다스러워질 경우에는 '내 에머의 어미'라고 부르기도 했던 그 말레이 여인뿐이었거든. 그가 파투산과 관련해서 언급했던 여인이 누군지 나로서는 말할 수가 없어. 그러나 그의 여러 가지 언급을 근거로 나는 그녀가 홀란드인과 말레이인 사이에서 태어나서 교육을 받은 미모의 소녀였음을 알 수 있었지. 그녀에게는 비극적이랄까 아니면 그저 가련하다고 해야 할 내력이 있었는데 그중에서도 가장 고통스러운 부분은 홀란드 식민지에 있던 어느 상사의 서기였던 말라카 지역 포르투갈인과의 결혼이었음이 분명해. 스타인의 이야기에서 내가 추측한 것은 이 사내가 뭐라 단정할 수는 없지만 아주 여러 모로 고약하게 변변치 못한 인간이었다는 사실이야. 스타인이 그를 스타인 상사의 파투산 주재 지배인으로 임명한 것도 오직 그의 아내를 위해서였지. 그러나 상업적으로는 그 조처가, 적어도 상사를 위해서는, 성공적이지 못했어. 이제 그 여인이 죽었기 때문에 스타인은 다른 주재원을 그곳에 두고 싶었던 거야. 코넬리우스라는 이름을 가진 그 포르투갈인은 능력으로 보아 자기는 더 높은 지위에 오를 자격이 있으므로 더 나은 대우를 받아야 하는데도 푸대접 받는다고 여기고 있었어. 그래서 이 짐이라는 사람을 보내 그와 교대하게 하자는 것이었어. "하지만 코넬리우스가 그곳을 떠날 것 같지는 않군." 스타인이 말했어. "그건 내 알 바가 아니지. 오직 그 여인을 위해서만 내가…….하지만 딸이 하나 남아 있다는 것을 생각해서, 그가 원한다면 옛집에서 살게 할 작정이네."

「파투산은 어떤 원주민이 다스리는 나라의 한 벽지였어. 그중에서 가장 큰 정착촌도 파투산이라 불려지고 있었지. 바다에서 강을 따라 약 40마일쯤 들어오면 최초의 가옥들이 보이고 거기서는 평평한 수림 위로 두 개의 가파른 산이 서로 바짝 붙어 솟아 있는 것을 볼 수 있어. 그 산들은 어떤 엄청난 타격을 받고 쪼개져 깊은 균열로 분리되어 있는 것처럼 보이더군. 사실 그 두 봉우리 사이의 골은 좁은 협곡에 불과했고,

정착촌에서 보면 불규칙하게 생긴 원추형 산이 두 개로 갈라진 후 반쪽씩 약간 떨어진 채 기울어지고 있는 듯했어. 내가 짐을 찾아갔을 때 그는 원주민 스타일로 지은 멋진 집에서 살고 있었는데, 만월이 지나 사흘째 되는 날 밤에 그의 집 앞 공지에서 바라보니 달은 정확히 이 두 산 뒤에서 솟더군. 처음으로 확산한 달빛은 그 두 덩어리의 산을 진한 검정색 물체로 부각시켰고, 이내 거의 완벽한 원반처럼 보이는 달이 불그레한 색을 띠면서 균열의 측면 사이로 미끄러지듯이 솟은 후 결국은 그 꼭대기 위로 떠올랐는데, 그 광경은 마치 무덤을 가르고 도망쳐 나와서 점잖게 기세를 부리는 것 같더군. "놀라운 효과죠." 내 옆에서 짐이 말하더군. "볼 만한 광경이 아닙니까?"

「이 물음을 던지며 개인적으로 자랑하는 기색이 보이기에, 자기가 그 특이한 광경을 조율하는 데 일조를 한 것처럼 말하는구나 싶어 나는 그만 미소를 짓고 말았지. 그는 파투산에서 참으로 많은 것을 조율하고 있었는데, 모두 달이나 별의 운행만큼이나 그의 능력으로는 통제하기가 어려워 보이는 일들이었거든.

「생각할 수도 없는 일이었어. 스타인과 나는 오직 짐이 거치적거리지 않도록 치워 버려야겠다고 마음먹고 별 생각 없이 그에게 그런 역할을 맡겼는데 그 역할의 특성이 바로 그러했던 거야. 그가 스스로의 생존 방식에 거치적거리지 않게 해주어야겠다는 뜻이었음을 이해해 주기 바라. 그게 우리의 주목적이긴 했지만, 나에게 약간의 영향을 준 다른 하나의 동기가 있었을 것임을 자인해야겠어. 나는 얼마 동안 귀국하려고 했거든. 그래서 떠나기 전에 나는 내 스스로 의식하고 있던 것 이상으로 그에게서 손을 떼고 싶어 했는지도 몰라. 손을 떼고 싶었다는 말을 자네들은 알아듣겠지. 내가 귀국을 준비하고 있었는데 거기서 그는 안개 속에 짐을 지고 헐떡이는 사내처럼 그 비참한 고민거리며 허깨비 같은 주장을 내세우며 날 찾아왔던 거야. 나는 그의 정체를 명확하게 본 적이 없다고 말해야겠어. 내가 그를 마지막으로 본 후 오늘에 이르기까지도 그를 분명하게 본 적이 없거든. 하지만 내가 그를 이해하지 못하면 못할수록 나는, 인간의 삶에서 불가분의 일부를 이루고 있는 의혹의 이름으로 그에게 더더욱 매이고 있었던 거야. 나는 내 자신에 대해서도 그만큼 더 알고 있지는 못했어. 그런데, 다시 말하거니와 나는 귀국 예정이었어. 내가 돌아가려던 고국이 아주 먼 곳에 있었기 때문에 그랬겠지만, 그곳의 모든 벽난로 대석(臺石)들은 마치 하나의 대석으로 되어 있어서 가장 하천한 사람까지도 그 난롯가에 앉아서 쉴 권리가 있을 것처럼 느껴지더군. 우리는 수천 명씩 이 지구의 표면을 헤매고 다니는데 바다 건너에서 명성을 얻는가 하면, 돈을 벌기도 하고 혹은 겨우 빵이나 얻어먹으며, 더러는 이름을 날리는가 하면, 전혀 알려지지 않은 채 끝나기도 해. 그러나 내가 보기에는 우리 각자에게 귀국은 결산을 하러 가는 것과 같아. 우리는 우리의 상사(上司)들이며 친척들이며 친구들을 만나기 위해 돌아가므로, 말하자면 우리가 복종하는 사람들과 사랑하는 사람들을 만나러 가는 셈이지. 이런 사람들을 가지지 못한 사람들, 이를테면 가장 자유롭고 외롭고 무책임하고 모든 인간

관계를 상실한 사람들까지도, 다시 말해서 고국이라는 말에서 정다운 얼굴이나 귀에 익은 목소리를 떠올릴 수 없는 사람들까지도, 고국의 땅속에, 하늘 아래, 공기 속에, 골짜기에, 그리고 언덕 위에, 들판에, 물속에, 나무숲 속에 살고 있는 정령(精靈)을 만나야 하는데 그 정령은 곧 말없는 친구요, 심판자요, 영감의 고취자이기도 하지. 뭐니 뭐니 해도, 그 환희를 얻고, 그 평화를 숨쉬고, 그 진실과 대면하기 위해서는 우리가 맑은 의식을 가지고 귀국해야 해. 이 모든 것이 자네들에게는 감상주의에 불과한 것으로 보일지도 몰라. 그리고 사실 우리에게 익숙한 정서의 표면 안쪽을 의식적으로 들여다볼 의지나 능력을 갖춘 사람은 거의 없어. 우리가 사랑하는 소녀들이며 우러러보는 사람들이며 정감, 우정, 기회, 쾌락 따위야 있겠지. 하지만 우리가 결백한 손으로 그런 보답을 만져야지 그렇지 않으면 그게 손에 들어올 때 가랑잎이나 가시로 변할지도 모른다는 것이 엄연한 사실이야. 내가 생각하기로는, 자기네 것이라고 부를 수 있는 노변(爐邊)이나 애정의 대상이 없는 외로운 사람들, 다시 말해 어떤 거처를 찾아가지 못하고 겨우 고국으로 돌아가서 와해되었으되 영원하고 불변하는 그 땅의 정령이나 대면하는 사람들이 있는데, 바로 이런 사람들이야말로 그 땅과 그 정령이 가혹할 수 있으며, 구원의 힘이 될 수도 있고, 우리의 신의와 복종을 요구하는 세속적 권리가 은혜일 수도 있다는 것을 가장 잘 이해하고 있지. 아무렴! 우리 중에서는 그걸 이해할 수 있는 사람이 거의 없지만 우리 모두가 느끼고는 있어. 나는 예외 없이 '모두'가 그걸 느낀다고 말하고 싶은데, 왜냐하면 그걸 느끼지 못하는 사람들이야말로 하찮은 인간이기 때문이야. 풀잎 하나하나가 대지에서 제자리를 잡고 거기서 생명력이며 힘을 끌어들인다면, 똑같이 인간도 대지에 뿌리를 내리고 거기서 자기의 생명과 더불어 신앙까지 끌어들이며 살지. 나는 짐이 얼마만큼 이해하고 있었는지 몰라. 하지만 그가 이런 진실 혹은 환상의 요구를 느꼈으며 그것도 혼란스럽게 강력히 느끼고 있었다는 걸 나는 알고 있어. 그걸 진실이라 부르든 환상이라 부르든 상관없어. 그 차이는 별로 없으며, 있다 해도 별 의미가 없으니까. 중요한 것은 그가 어떤 식으로 느끼느냐에 따라 그의 값어치가 정해진다는 거야. 그는 고국으로 돌아가지 못하게 되어 있었어. 갈 수가 없었지, 영원히 가지 못하게 되어 있었어. 그가 그런 생각을 그림 그리듯이 나타낼 수 있었다면 그는 그런 생각에 전율했을 것이고 주위의 사람들까지 전율케 했을 거야. 그는 자기 나름으로 충분한 표현력이 있었지만 그럴 사람은 아니었어. 귀국 생각을 할 때면, 그의 몸은 절망적으로 굳어져서 꼼짝하지 못했고, 턱을 숙이고 입술을 내밀었으며, 찌푸린 얼굴에서 그 파랗고 솔직한 눈은 어두운 표정을 지었는데 마치 무언가 견딜 수 없고 무언가 불쾌한 것과 마주친 것처럼 보였지. 숱이 많은 머리카락이 모자처럼 덮고 있던 그의 딱딱한 두개골 속에 상상력이 들어 있었던 거야. 나에게도 상상력이 있었더라면 오늘날 내가 짐에 대해서 좀 더 자신 있게 말할 수 있었을 테지만 내게는 그런 것이 없었어. 그러므로 사지가 멀쩡한 채로 내가 귀국한다면 도버 해변의 하얀 절벽 위로 솟은 대지의 정령이 내

어린 동생을 어떡하고 혼자 돌아오느냐고 물을 것이라는 생각을 마음속에 떠올렸다는 말은 할 생각이 없어. 내가 그런 잘못을 저지를 수는 없었지. 세상에는 아무도 찾으려 하지 않는 이들이 있는 법인데 짐이 바로 그런 사람이었음을 나는 아주 잘 알고 있었거든. 나는 짐보다 더 훌륭한 사람들이 퇴출당하거나 자취를 감추거나 완전히 사라지면서도 사람들의 호기심이나 슬픔을 조금도 유발하지 않는 경우를 보아왔던 거야. 대규모 사업체를 지배하는 자에게나 어울리는 대지의 정령은 수많은 사람들의 운명에 대해서는 관심이 없는 법이지. 낙오자들만 딱하다니까. 우리는 서로 뭉쳐 있을 때만 존재할 수 있거든. 어떻게 보면 그는 낙오했고 무리 속에 매달려 있지 못했던 거야. 하지만 그는 그걸 강하게 의식하고 있었고 바로 이 점이 그를 애절해 보이게 했어. 마치 한 인간이 비교적 치열한 삶을 살수록 그의 죽음이 한 그루 나무의 죽음보다 더 감동적으로 비치게 하는 것과 같다고 할까. 나는 우연히 그의 가까이에 있었고 그렇게 우연히 그에게 감동했던 거야. 그것뿐이지. 나는 그가 앞으로 어떻게 퇴출당할 것인가에 대해 관심을 가지고 있었거든. 가령 그가 술에 의지해서 살게 된다면 나에게는 가슴 아픈 일이 되었을 거야. 이 세상은 너무 좁기 때문에 장차 어느 날 흐리멍덩한 눈에 부어오른 얼굴을 하고 행색이 누추한 떠돌이가 내 앞에 불쑥 나타나서 캔버스 천으로 만든 바닥이 닳아 없어진 신을 신고 팔꿈치 주변에 누더기를 펄럭이면서 옛 친분을 들먹이며 5달러만 빌려달라고 하면 어떡하나 하고 나는 두려워하고 있었어. 이런 허수아비 같은 자들이 그 점잖았던 과거로부터 나타나서 거칠고도 거리낌 없는 목소리와 반쯤 외면하고 있는 건방진 눈초리로 무섭게 으스대는 꼴을 자네들은 보았을 거야. 우리의 삶에서 인간적 결속이 중요하다고 믿는 사람들에게 이런 만남의 괴로움은 회개하지 않고 죽는 사람을 지켜보는 사제의 괴로움보다도 더 클 거야. 사실, 그 당시에 그와 나를 두고 내가 예상할 수 있었던 유일한 위험은 그것뿐이었지. 하지만 나는 내 자신의 상상력의 결여도 믿을 수 없었어. 사태가 내 상상력으로는 예측할 수도 없는 방향으로 더 악화될 수도 있었거든. 그는 자기의 상상력이 풍부하다는 것을 내가 잊지 못하도록 했는데, 상상력이 풍부한 사람들은 마치 자기네를 불안정하게 삶에 묶어 두는 밧줄이 다른 사람의 밧줄보다 더 길기라도 한 것처럼 어떤 방향으로든 더 멀리 나갈 수 있는 법이야. 실제로 그러하지. 술에 빠지기도 해. 이런 두려움을 가지고서 내가 그의 사람됨을 너무 깎아내리고 있었는지도 몰라. 내가 어떻게 알 수 있었겠나? 스타인마저 짐은 로맨틱하다는 말밖에 하지 못했는데. 나는 그저 그가 우리들 중의 한 사람이라는 사실만 알고 있었을 뿐이야. 그가 로맨틱해서 어쩌자는 것일까? 그에 대해서는 할 이야기가 별로 없기 때문에 나는 자네들에게 내 자신의 본능적 느낌이나 혼란한 생각만 잔뜩 늘어놓고 있는 거야. 나에게 그는 존재했고, 그가 자네들에게 존재할 수 있는 것은 어쨌든 나를 통해서만 가능하지. 나는 짐의 손을 잡고 나와서 자네들에게 보여 주고 있어. 내 범속한 두려움은 근거 없는 것이었을까? 말하지 않겠네. 지금도 말은 하지 않겠어. 자네들이 더 잘 알지도 모를 일이야. 게임의 대부분을 보는 사람은 구경꾼이라는 속담도 있지 않은가. 어쨌든 그런 두려움은 불필요했지. 그는 퇴출당하지 않았어. 전혀 그렇지 않았어. 오히려 그는 놀랍게도 잘 해내고 있었지. 주사위처럼 똑바로 구르면서 탁월한 모습으로 잘 해내고 있었는데 그야말로 그가 약동할 수 있을 뿐만 아니라 제자리를 지킬 수도 있다는 증거였지. 그건 내가 한몫을 맡았던 일에서 거둔 성공이므로 나도 기뻐할 만한 일이었어. 그러나 나는 기대하고자 했던 만큼 기쁘진 않아. 나는 그의 돌진이 그를 안개 속에서 이끌어 냈느냐고 나 자신에게 물어보고 싶어. 안개 속에서 아주 크게 부각되지는 않아도 윤곽을 드러낸 채 흥미 있게 떠도는 듯했던 그는 그 대오(隊伍) 속의 미천한 자리나마 안타깝게 찾아 헤매는 낙오자의 모습이었거든. 게다가 아직도 최종적인 판단은 내려지지 않았고 어쩌면 영영 내려지지 않을 거야. 충분한 발언이야말로 우리가 일생 동안 말을 더듬으며 노리는 유일한 지속적 의도임이 분명하지만, 사람의 일생이란 그런 발언을 하기에 너무 짧지 않은가? 만약에 최종 판단이 내려질 수만 있다면 하늘과 땅을 진동케 할 수도 있겠지만, 나는 그런 판단에 대한 기대를 이미 포기해 버렸어. 우리의 사랑, 욕구, 믿음, 회한, 굴종, 반항 등에 대해 우리가 최종적인 말을 할 수 있는 시간은 영영 없을 거야. 하늘과 땅을 진동하게 해서도 안 된다고 생각해. 적어도, 하늘과 땅 어느 것에 대해서도 아주 많은 것을 알고 있는 우리가 그걸 진동케 해서야 안 되지. 짐에 대해서 내가 내릴 최종 판단은 몇 마디 되지 않을 거야. 나는 그가 위대함을 성취했다는 것을 인정하지만, 그것을 이야기할 때, 아니 오히려 그걸 들을 때, 그 위대함은 왜소해지고 말걸. 솔직히 말해서, 내가 불신하는 것은 내 말이 아니고 자네들의 마음이지. 자네들이 육신을 살찌우느라 그만 상상력을 굶주리게 했다는 두려움만 없다면 나는 달변으로 이야기를 할 수도 있을 거야. 내가 자네들을 무례하게 대하고 싶지는 않아. 아무런 환상도 가지지 않고, 그래서 안전하게 살고, 그래서 이득도 보고, 그래서 멍청하게 지내는 것은 존경받을 만한 일이지. 그러나 자네들도 한때는 삶의 강렬함이나 자질구레한 일들의 충격 속에서 자아내어진 매혹적인 빛 같은 것을 체험했을 거야. 그 빛은 싸늘한 돌을 때려서 만들어 낸 섬광처럼 경이롭지만, 딱하게도 너무 단명한 법이야.」

22장

　「사랑, 명예, 사람들의 신임을 얻고 그것을 자랑하고 거기서 힘을 얻는 것 등은 영웅담의 소재로 알맞지. 우리의 마음은 그런 성공의 겉모습이나 보고 감명을 받지만, 짐이 거둔 성공에는 아무런 겉모습도 없었어. 30마일에 걸친 숲이 무관심한 바깥세상으로부터 그의 세계를 단절하고 있었고, 해안에서 하얀 파도가 부서지는 소리가 그의 명성을 전하는 목소리를 압도해 버렸으니까. 문명의 흐름은, 마치 파투산 북쪽 100마일 되는 어떤 돌출부에서 갈라진 듯이, 그 고장의 평원이며 골짜기며 오래된 수목이며 오래된 인류를 고립 상태로 버려둔 채 동쪽과 남동쪽으로 가지를 뻗었으니, 세차게 삼킬 듯이 흐르는 두 강줄기 사이에 보잘것없이 허물어져 가는 한 작은 섬을 남겼다고나 할까. 옛 항해 자료집에서 우리는 그 지역의 이름을 꽤 자주 마주칠 수 있어. 17세기 무역업자들은 후추를 구하기 위해 그곳을 찾아갔거든. 제임스 1세[1] 시절에 홀란드와 영국 모험가들의 가슴에서 후추에 대한 정열은 사랑의 불길처럼 불타는 듯했으니까. 그들이야 어딘들 가지 못했을까! 한 자루의 후추를 손에 넣기 위해서라면 서로 목을 벨 수도 있었고 보통 때는 소중하게 다루던 자기네 영혼까지도 저버렸을걸. 욕망이라는 괴이한 고집이 그들로 하여금 온갖 형태의 죽음을 무릅쓰게 했었지. 미지의 바다를 찾아가서, 지긋지긋하고도 기이한 병에 걸리고, 부상하고, 사로잡히고, 굶주리고, 역병과 절망에 시달렸으니. 그게 그들을 위대하게 했던 거야. 정녕! 그게 그들을 영웅적으로 만들었어. 불굴의 죽음이 노소를 막론하고 많은 목숨을 세금 걷듯이 앗아가는데도 교역을 갈망하고 있던 그들의 모습은 처량해 보이기만 했지. 단지 탐욕 때문에 인간이 그처럼 집요한 목표에 매달릴 수 있고 그처럼 맹목적으로 끈질긴 노력과 희생을 할 수 있었다는 건 참으로 믿기 어려울 지경이야. 사실 자기네의 육신과 목숨을 내어놓고 모험을 감행한 사람들은 작은 보답을 위해 가진 것을 모두 걸기도 했지. 고국에 살고 있는 사람들에게 부(富)가 흘러들 수 있도록 그들은 먼 나라의 바닷가에서 자기네 뼈가 하얗게 표백하며 뒹구는 것도 감수했던 거야. 그들에 비해 시련을 덜 겪고 있는 우리 후배들에게 그들이 위대해 보이는 것은 그들이 무역의 역군이었기 때문이 아니고 오히려 정해진 운명의

---

1) 1603년부터 1625년까지 재위한 영국의 왕.

도구가 되어 내면의 목소리와 핏속에 고동치는 충동과 미래에 대한 꿈의 명령에 복종하며 미지의 땅으로 진출했기 때문이야. 그들은 경이로운 사람들이었고 경이로운 것들을 행할 태세였음을 인정해야 해. 그들은 고통을 겪으면서, 바다의 형세속에서, 이상한 나라의 풍습 속에서, 그리고 화려한 통치자들의 영광 속에서 그 경이로움을 흡족하게 기록하고 있었어.

「파투산에서 그들은 많은 후추를 찾아냈고 술탄의 호화로움과 슬기를 보고 감명을 받기도 했지. 하지만 어떻게 된 셈인지, 백 년 동안 교역이 성쇠(盛衰)를 겪은 뒤에 그 지역은 점차로 무역권에서 탈락하고 있는 것 같아. 아마도 후추가 끝장났던 게지. 그 사정이야 어떻든, 오늘날엔 아무도 그곳에 관심이 없어. 영광은 끝났고, 술탄은 왼손에 엄지손가락이 둘이나 달린 백치인가 하면, 비참한 백성들로부터 착취한 불확실하고 변변찮은 그의 재정수입을 많은 숙부들이 빼돌리고 있었지.

「이건 물론 내가 스타인으로부터 들은 이야기야. 그는 그 사람들의 이름을 내게 말해 주었고 각자의 일생과 성품에 대해서도 짤막하게 묘사해 주었거든. 그는 원주민 국가에 대한 정보를 관변 보고서 못지않게 많이 가지고 있었는데 그의 정보가 훨씬 더 재미있었어. 그는 마땅히 알고 있어야 했으니까. 그는 많은 지역과 거래하고 있었는데, 예를 들어 파투산 같은 곳에서는 홀란드 당국의 특별 허가 아래 거래소를 두고 있는 유일한 업체가 바로 그의 상사였던 거야. 홀란드 정부는 그의 자유재량을 신임하고 있었고 그가 온갖 모험을 무릅쓴다는 것도 이해하고 있었어. 그가 고용한 사람들도 그걸 이해하고 있었지만, 보아하니 그는 그런 모험이 그들에게 보람 있는 일이 되게 하고 있었어. 그날 아침 조반상에서 그는 모든 것을 솔직하게 털어놓더군. 그는 마지막 소식을 접한 지가 십삼 개월째라고 정확히 말하면서, 자기가 알고 있는 한 그곳에서는 삶과 재산이 전적으로 불안한 상태에 있는 것이 오히려 정상적이라는 거였어. 파투산에는 여러 적대 세력이 있었는데, 그중의 하나는 라자 알랑이었지. 그는 술탄의 숙부들 중에서도 가장 간악한 자로서 강을 지배하고 있었고 착취와 절도를 일삼는가 하면, 이주하고 싶어도 이주할 수 없이 전적으로 무방비 상태에 있던 현지 태생의 말레이족들을 거의 멸종할 정도로 깔아뭉개고 있었어. 스타인은 "그 사람들은 이주할 곳이 없었고 이주할 수단도 없었지."라고 말하더군. 그들은 그곳을 떠나고 싶어 하지도 않음이 분명했어. 너무 높아서 지나다닐 수도 없는 산으로 둘러싸여 있던 그 지역이 명문 출신들의 손에 들어가 있었고, 그들은 그 라자를 알고 있었어. 그는 그들의 왕가 출신이었거든. 훗날 나도 그를 만나 볼 기회가 있었어. 그는 누추하고 체구가 작고 지쳐 빠진 늙은이로서 간악한 눈빛에 우둔한 말씨였고 두 시간마다 아편 환(丸)을 삼키더군. 그는 일상적 범절을 거역하고, 거친 노끈 같은 머릿단을 싸지 않은 채 더럽고 쭈글쭈글한 얼굴로 쏟아져 내리게 하고 있었어. 부족들을 접견할 때 그는 허물어진 곳간처럼 보이는 홀 안에 세워 놓은 일종의 좁은 무대 위로 기어오르곤 했는데, 홀의 마루에 깔려 있는 썩은 대나무 틈 사이로 내려다보면 몇 피트쯤 아래쪽에 더미더미 쌓여 있는 폐물과 쓰레기가 보이기도 했지. 내가 짐을 대동하고 그를 예방했을 때 그는 그곳에서 그런 식으로 우리를 맞더군. 그 방에는 약 마흔 명의 사람들이 있었고, 아래쪽의 넓은 뜰에는 아마 그 세 배쯤 되는 사람들이 보였어. 우리 뒤에서는 사람들이 밀치거니 중얼대거니 하면서 끊임없이 들락거리고 있었지. 야한 실크 옷을 입은 몇몇 젊은이가 멀찍이 떨어져서 눈을 부라리고 있었지. 대부분의 사람들은 노예들이거나 미천한 종복들이었는데 재와 흙탕물로 더럽혀진 거친 천의 사롱만 걸쳤을 뿐 거의 벗은 몸이더군. 짐은 속을 헤아릴 수 없는 인상적인 모습이었는데 나는 이처럼 심각하고 침착한 그의 모습을 본 적이 없었어. 얼굴이 검은 사람들 사이에서 하얀 복장에다 금발의 머릿단을 번쩍이고 있던 그의 건장한 모습은, 매트로 벽을 두르고 이엉으로 지붕을 덮은 그 침침한 홀의 닫힌 덧창 틈새로 조금씩 스며들어 온 햇빛을 독차지하고 있는 것처럼 보이더군. 그는 마치 인종이 다를 뿐만 아니라 본질까지 다른 사람처럼 보이더라니까. 그가 카누를 타고 강을 올라오는 것을 그들이 보지 못했더라면 아마도 그가 구름 위에서 땅으로 내려왔다고 생각했을 거야. 하지만 그는 물이 새는 통나무 카누가 뒤집힐까 봐 두 무릎을 모으고 단정히 앉아 있었어. 그는 내가 빌려 준 주석 상자에 앉아 있었는데 무릎에는 헤어질 때 내가 선물한 해군용 권총을 놓고 있었지. 그런데 그는 하늘의 뜻이 개입한 결과인지, 아니면 그 자신답게 무언가 잘못 생각한 결과인지, 그것도 아니면 그저 본능적인 슬기 덕분인지, 늘 그 권총을 장전하지 않은 채 들고 다니기로 작정하고 있었어. 그는 그런 행색으로 파투산강을 거슬러 올라갔던 거야. 세상에 그보다 더 산문적이고, 더 불안전하고, 더 드러나게 심드렁하고, 더 외로운 광경은 볼 수 없었을 거야. 참으로 이상한 일이거니와, 이 모든 것에는 숙명적인 데가 있어서, 그가 무슨 행동을 하든, 도망자의 표정과 아무 생각 없이 충동적으로 모든 것을 버리고 미지의 세계로 뛰어드는 사람의 표정을 띠게 했어.

「지금 내 주목을 가장 끄는 것도 정확히 말해 바로 그 심드렁함이었어. 스타인과 나는, 좀 은유적으로 말해서, 우리가 그를 끌고 가서 격식이라는 건 조금도 갖추지 않고 그를 담 너머로 밀어 넣으면서도 그쪽에서 어떤 일이 벌어지게 될는지 분명히 알지 못했거든. 그 순간 나는 그저 그가 사라져 주길 바랐을 뿐이니까. 스타인의 특성이기도 했지만, 그에게는 감상적(感傷的) 동기가 있었어. 그는 그간 잊지 않고 있던 오래된 빚을 갚으려 했고, 그것도 빚진 내용 그대로 갚고 싶어 했던 것 같아. 사실 일생 동안 그는 영국 제도(諸島)에서 온 사람이면 누구에게나 각별히 다정하게 대해 왔어. 그에게 은혜를 베풀었던 고인은 그 이름까지 알렉산더 맥닐[2]이었을 정도로 스코틀랜드인이었던 게 사실이야. 짐은 트위드강[3]에서 남쪽으로 멀리 떨어진 곳에서 태어났지만, 6~7000마일이나 떨어진 곳에서 보기에는, 그레이트브리튼[4]이 실제로 작아지지 않으면서도 아주 멀리 떨어져 있는 것처럼 보이므로, 영국인들

---

2) 전형적인 스코틀랜드 가성(家姓) 중의 하나.
3) 스코틀랜드와 잉글랜드의 경계를 이루는 강 이름.
4) 잉글랜드, 스코틀랜드 및 웨일스를 망라하는 섬의 이름.

이 보기에도 그 세부적 차이가 중요성을 잃은 것처럼 보이는 법이야. 스타인의 심경은 이해해 줄 만했어. 그리고 그가 넌지시 보여준 의도가 너무나 관대해서 나는 그에게 당분간 그 의도를 숨겨 달라고 진심으로 요청했지. 나는 사사로운 이득에 대한 고려가 짐에게 영향을 주도록 허용되어서는 안 되며 그런 영향을 끼칠 위험이 있을 경우 그걸 무릅써서는 안 된다고 생각했거든. 우리는 또 다른 종류의 현실을 다루어야만 했어. 그에게는 피신처가 필요했으므로 위험이라는 대가를 치르고라도 피신처가 그에게 제공되어야 했을 뿐 그 이상은 필요하지 않았던 거야.

「다른 모든 점에 대해서는 내가 그에게 아주 솔직히 털어놓았어. 나는 그 일에 따르는 위험에 대해서, 당시 내가 믿고 있던 대로 과장하기까지 했으니까. 사실, 나는 그 위험을 올바로 과장하지는 못했던 셈이야. 파투산에서의 첫날이 그의 마지막 날이 될 뻔했거든. 만약에 그가 그처럼 무모하지 못했고 또 자기 자신에 대해 그처럼 무자비하지 못해서 그만 권총에 실탄 장전을 하는 지경에 이르렀더라면 첫날 죽었을 테니까. 그가 은신할 곳에 대한 우리의 소중한 계획을 내가 펼치자 이미 지쳐 있던 그의 질긴 체념이 점차로 경악, 흥미, 궁금증을 거쳐 결국 소년다운 열의로 대체되던 것을 지금까지도 나는 기억하고 있어. 그야말로 그가 꿈꾸고 있던 기회였거든. 그는 도대체 자기에게 아무런 자격도 없다고 여기고 있었어. 그는 자기가 누구 덕분에 그런 대접을 받는지 도저히 모르겠다고 말하기도 했어. 그런데 그 장본인은 스타인, 상인 스타인이었지……. 하지만 그는 물론 나에게 고맙다는 거였어. 그래서 나는 그의 말을 가로막았지. 그는 말이 또렷하지 못했고, 그의 감사 표시가 나에게는 영문 모르게 고통스럽더군. 나는 그에게 그런 기회가 생긴 데 대해 감사를 하려거든 그가 일찍이 들어본 적도 없는 한 스코틀랜드인에게 해야 할 테지만, 그는 이미 오래전에 죽었을 뿐더러 그에 관한 기억은 목소리가 우렁찼으며 거칠 정도로 정직했다는 사실밖에 남은 것이 없다고 했지. 사실 이 세상에는 짐으로부터 고맙다는 말을 들어야 할 사람이 하나도 없었어. 스타인은 자기가 젊었던 시절에 받았던 도움을 이제 한 젊은이에게로 건네주고 있을 뿐이고, 나는 짐에게 그 이름을 언급하는 것 이상은 하지 않았거든. 이 말을 듣자 그는 얼굴을 붉혔고 손가락으로 종잇조각을 비틀며 내가 늘 자기를 신임해 주었다고 겸연쩍게 말하더군.

「나는 실제로 그를 신임했음을 시인하고 나서 잠시 동안 가만히 있다가 그도 내 본보기를 따르길 바란다고 했지. "제가 선장님을 신임하지 않는다고 생각하시나요?" 그는 불안한 어투로 묻더니, 먼저 그 신임을 겉으로 드러내 보여야 하는가 보다고 중얼거리더군. 그러고 나서 얼굴이 밝아진 그는 목소리를 높이며 내가 자기를 신임한 것을 후회하지는 않을 것이라느니 어쩌니 하고 말했어.

「"오해하지 말게." 내가 말을 가로챘어. "내가 후회하고 안하고는 자네 힘으로 되지 않아." 후회는 없었을 거야. 혹시 후회가 있어도 그건 전적으로 내 문제일 테니까. 한편 나는 그에게 이번 조처는, 아니 이번 실험은, 그 자신이 하는 일임을 분명히 이해해 주길 바랐어. 그건 그의 책임일 뿐 다른 누구의 책임도 아니라고 말이야. "왜요? 왜." 그는 말을 더듬더군. "바로 이 일이야말로 제가……." 내가 그에게 바보처럼 굴지 말라고 간청했더니 그는 전보다 더 어리둥절하더군. 그는 자신의 삶을 견딜 수 없게 만들고 있었던 거야……. "그렇게 생각하시나요?" 그가 마음이 어지러운 듯이 묻더니 얼마 후에 자신 있게 말하더군. "하지만, 저는 잘 해내고 있었답니다. 안 그런가요?" 그를 상대로 화를 낸다는 건 불가능했어. 나는 미소를 짓지 않을 수 없었고, 옛날에는 그런 식으로 사는 사람들이 결국은 밀림 속의 은둔자로 되어 가곤 했다고 말해 주었어. 그랬더니 그는 "은둔자라뇨!" 하며 매혹적 충동을 보이며 논평하더라니까. 그는 물론 밀림을 개의치 않는다고 했어……. 듣기 반가운 소리라고 내가 말했지. 밀림은 그가 찾아갈 곳이었고, 그곳이 아주 활기 있는 곳임을 알게 될 것이라고 나는 장담했어. 그랬더니 그는 "네, 네."라고 열의를 보이며 말하더군. 나는 그가 바깥세상으로 나가 문을 닫아걸고 싶어 하지 않느냐고 굽힘 없이 계속 따졌지. 그가 말을 가로채면서 "제가요?"라고 했을 때 지나는 구름 그림자 같은 기이한 어둠이 머리에서 발끝까지 그를 감싸고 있었어. 그는 놀라울 정도로 자기표현을 잘 하고 있었던 거야. 참으로 놀라웠다고! "제가요?" 그가 쓸쓸하게 다시 말하더군. "제가 그 일로 많은 소동을 벌인 건 아니죠. 저는 버텨 낼 수 있다고요. 다만, 젠장! 문은 어느 쪽에 있나요?" …… "좋다네. 나가게." 내가 참견했지. 나는 그가 나가고 나면 보복 삼아 문을 닫아 버릴 것이라는 엄숙한 약속이라도 할 수 있었지. 그의 운명이 어떠하든 무시되었을 테니까. 왜냐하면 그 지역은 모든 썩은 상태에도 불구하고 아직은 간섭할 시기가 성숙하지 않았다고 판단되었기 때문이야. 그가 일단 그곳으로 들어가고 나면, 바깥세상 사람들에게는 그가 존재한 적이 없었던 것처럼 여겨지게 되어 있었지. 그가 딛고 설 것이라고는 두 발바닥밖에 없었을 것이고, 게다가 자기가 딛고 설 땅부터 손수 찾아내야만 했을 테니까. "존재한 적이 없었다? 바로 그거야, 젠장!" 그는 혼잣말로 중얼댔어. 내 입술을 응시하던 그의 눈이 반짝이더군. 만약 그가 파투산으로 가는 조건을 충분히 이해했다면 당장에 마차를 타고 스타인의 집으로 가서 그의 최종 지시를 받는 것이 좋겠다고 하며 나는 말을 맺었어. 내가 말을 미처 끝내기도 전에 그는 방에서 훌쩍 나가 버리더군.」

23장

「이튿날 아침까지 그는 돌아오지 않았어. 그는 붙잡혀서 만찬과 숙박까지 하고 왔던 거야. 스타인 씨같이 놀라운 사람은 일찍이 없었다는 거였어. 그의 주머니에는 코넬리우스에게 보내는 편지가 들어 있었지. "면직될 예정이었던 바로 그 사내지요."라고 설명할 때 짐의 기고만장하던 기분이 순간적으로 가라앉더군. 그러고 나서 그는 원주민들이 사용하는 은반지 하나를 기분 좋게 보여 주었는데 얄팍하게 닳았지만 아직 무늬를 양각한 흔적들이 희미하게 드러나 있었어.

「그 반지는 도라민이라는 늙은이에게 짐을 소개하자는 것이었지. 도라민은 원주민 우두머리들 중 한 사람인데 스타인 씨가 그 많은 모험을 하던 지역에서 친구로 사귀던 중요한 인물이었다는 거야. 스타인 씨는 그를 '전우'라고 불렀는데, 전우란 좋은 말이 아니냐고도 하더군. 그리고 스타인 씨는 영어를 놀랍게도 잘했는데, 다른 모든 곳을 제쳐 두고 하필 셀레베스에서 영어를 배웠다니 참으로 우스운 일이라는 거였어. 그는 별난 어투로 영어를 지껄였는데 입천장을 통한 콧소리 발음이 눈에 띄지 않더냐고도 하더군. 그 도라민이라는 녀석이 스타인에게 반지를 주었던 거야. 마지막으로 헤어지던 날 그들은 선물을 교환했거든. 말하자면 영원한 우정을 기약하자는 것이었지. 짐은 그걸 멋진 일이라고 여겼으며, 나에게 그렇게 생각하지 않느냐고 묻더군. 그 모하메드인가 뭔가 하는 사람이 살해되었을 때 두 사람은 목숨아 날 살려라고 그 지역을 도망쳐 나와야만 했었다는 거야. 나는 물론 그 이야기를 죄다 알고 있었지. 짐은 그게 지독히 수치스러운 일처럼 보이지 않냐고 물었어…….

「점심시간이 되어서야 날 찾아온 짐은 이런 식으로 이야기를 늘어놓으며 손에 나이프와 포크를 든 채 접시 위의 음식은 잊어버리고 있었지. 그의 표정은 약간 상기되었고 눈에는 침침한 빛이 여러 겹 짙어졌는데 그건 그가 흥분하고 있다는 증거였어. 짐은 그 반지가 일종의 신임장이므로 도라민이 자기를 위해 최선을 다할 것이라고 하면서, "책에서나 읽을 수 있는 이야기 같잖아요."라고 하며 재미있어 하더군. 어떤 일이 벌어졌을 때 스타인 씨가 도라민의 목숨을 구해 주었는데 그건 순수한 우연이었다고 스타인 씨는 말하더라는 거야. 그러나 짐 자신은 스타인 씨야말로 그런 우연이라면 찾아다니면서라도 할 사람이라는 의견이었어. 그건 중요하지 않아. 우연히 했건 일삼아 했건 그런 일이면 그에게 크게 도움이 되었을 테니까. 그 비렁뱅이 늙은이가 그간 실성하지나 않았길 바란다고 하며, 스타인 씨도 그건 알 수 없다고 하더라는 거야. 일 년이 넘도록 아무 소식도 없었고, 부족들은 저희끼리 온갖 소동을 끝없이 벌이고 있는데다가 강의 물길도 폐쇄되었다는 거였어. 짐은 꽤 난처한 상황이기는 하지만 걱정 없다고 하면서 자기가 어떻게 해서든 틈새를 찾아 들어갈 수 있을 거라고 하더군.

그가 들뜬 기분으로 떠드는 것이 인상적이었지만 나는 겁이 날 지경이 되었어. 그는 마치 유쾌한 고생길을 기약하는 긴 휴가를 떠나기 전날 밤의 아이처럼 말이 많았는데, 어른이 그런 심적 상태에 빠진다는 것이 어쩐지 놀랍고 약간은 광기를 띠어 위태롭고 불안전해 보이기까지 하더라니까. 그는 식사를 하기 시작했는데 먹었다기보다는 무의식적으로 삼키고 있었다고 해야 더 옳았을 거야. 나는 그에게 좀 신중하게 생각하라고 간청하고 싶은 심경이었는데, 그때 그는 나이프와 포크를 내려놓더니 접시 주위에서 무언가를 찾기 시작하더군. 그는 내 반지! 반지! 반지가 어디 갔어?…… 아, 여기 있었군…… 하면서 그 큼직한 손으로 반지를 움켜잡더니 주머니가 안전한지 하나씩 더듬어 보고 있었어. 젠장, 이걸 잃어서는 안 되지. 그는 심각한 표정으로 반지를 쥔 주먹을 뚫어지게 바라보는 것이었어. 그래! 이놈의 것을 목에 걸고 다녀야겠군! 그러더니 그는 즉시 면사 구두끈처럼 생긴 노끈을 끄집어내어 반지를 목에 걸 준비를 하기 시작하는 거였어. 그렇지 이러니까 되는군! 혹시 운수 나쁘게도……. 그는 마치 내 얼굴을 처음 보듯

대하더니 조금 꿋꿋해지더군. 그는 순박하고 엄숙한 어조로 자기가 그 증표를 얼마나 중요시하는지 나는 모를 거라고 했어. 그 증표는 친구를 의미했고 친구를 갖는다는 건 좋은 일이라는 거야. 그도 그걸 조금은 알고 있었던 거야. 그는 내 쪽으로 의미심장하게 고개를 끄덕였지만, 내가 부인하는 손짓을 하기도 전에 손으로 얼굴을 고이고 한동안 가만히 앉아 생각에 잠긴 채 식탁보에 떨어진 빵 부스러기를 만지작거리고 있었지…… "문을 꽝 닫는다고요! 잘 표현하셨어요." 그는 소리를 지르더니 벌떡 일어나서 방 안을 오락가락했는데, 그때 어깨와 머리의 형세며 그 무모하고도 고르지 못한 발걸음은 그가 고백인지 해명인지를 하면서 오락가락하던 날 밤을 생각나게 하더라니까. 그러나 그날 아침에는 자신의 작은 구름에 가려진 채, 바로 그 슬픔의 원인에서도 위안을 끌어낼 수 있는 모든 무의식적 미묘함을 보이며 내 앞에서 생생하게 서 있었던 거야. 그 기분은 늘 같고, 같으면서도 다른 것이었어. 마치 오늘은 같은 눈, 같은 걸음, 같은 충동으로 우리를 올바른 길로 인도하다가도 내일이면 가망 없는 그릇된 길로 인도하기도 하는 변덕스러운 친구 같았다고나 할까. 그의 걸음걸이는 자신 있었고, 검은 눈은 안정을 잃은 채 방에서 무엇인가를 찾고 있었지. 그가 신고 있던 구두에 결함이라도 있었는지 한쪽 걸음이 다른 쪽 걸음보다도 더 크게 울렸는데, 마치 그의 걸음 속에 보이지 않는 절룩거림이 있다는 기이한 인상을 주더라니까. 그는 한쪽 손을 바지 주머니 속 깊이 집어넣은 채 갑자기 다른 손을 머리 위로 젓고 있었어. "문을 꽝 닫는다고요." 그가 소리치더군. "저는 그러길 기다리고 있었습니다. 하지만 아직은 제가 보여 드릴 것이……. 제가요……. 저는 무슨 놈의 일이건 맞설 태세가 되어 있거든요……. 저는 그걸 꿈꾸고 있었다고요…… 젠장! 여기서 벗어나는 거예요. 젠장! 드디어 행운을 맞았지요……. 두고 보세요. 저는 기어이……."

「그는 아무것도 겁나지 않는다는 듯이 머리를 쳐들더군. 그래서 뜻밖에도 나는 그를 알게 된 후 처음이요 마지막으로 그에게 진저리가 났음을 고백해야겠어. 무엇 때문에 그토록 허세를 부린단 말인가. 그는 우스꽝스럽게 팔을 저으면서 뚜벅뚜벅 방 안을 걸어 다니고 있었고 이따금 옷 속에 반지가 잘 있는지 확인하기 위해 가슴을 더듬기도 하더군. 교역소(交易所)의 서기로 임명된 사람이, 그것도 교역이라고는 별로 없는 지역으로 가게 된 사람이 그토록 기고만장하다니 도대체 어쩌겠다는 것이었을까? 어찌하여 세상을 향해 덤빌 테면 덤벼 보라는 듯한 자세를 보인단 말인가? 그건 어떤 사업에 접근하는 사람의 올바른 마음가짐이 아니었어. 그 자신뿐만 아니라 어느 누구에게도 바르지 못한 마음가짐이라고 내가 말했지. 그는 날 굽어보며 가만히 서 있더군. 조금도 차분해지지 않은 채 미소를 지으며 그는 나더러 그렇게 생각하느냐고 묻더군. 그 미소 속에서 나는 갑자기 무언가 건방진 기색을 간파한 듯했어. 나는 그보다 스무 살이나 더 먹었는데, 젊음이야 늘 건방진 법이지. 젊음은 그 자체의 권리요 필요성이기도 하니까. 젊음은 그 자체를 주장해야 하고 이 의혹으로 가득한 세상에서는 모든 주장이 도전이요 건방짐으로 비치기도 하니까. 그는 먼 구석까지 갔다가 되돌아왔는데, 비유적으로 말해, 나를 찢어버리고 말 듯한 기세였어. 이렇게 말한 것은 내가, 그에게 무한히 친절했던 내가, 나까지도, 그에게 불리하게도, 그간 벌어졌던 일을 기억하고 있었기 때문이야. 그런데 다른 사람들, 그러니까, 이—이 세상 사람들의 경우는 어떠했을까? 그러니 그가 벗어나고 싶어 했고, 벗어나고자 했고, 또 바깥세상에 가서 머물고자 했던 것도 놀랄 일은 아니지! 그런데도 내가 올바른 마음가짐이니 뭐니 하고 있었으니!

「"기억을 하는 쪽은 내가 아니요 이 세상도 아니라네." 내가 소리를 질렀어. "기억은 자네가 하고 있는 거야. 자네가."

「그는 조금도 움츠리지 않고 열띤 어조로 말했어. "모든 것을, 모든 사람, 모든 사람을 잊어야죠……." 그의 목소리가 가라앉더군. "선장님만 제외하고 말입니다."

「"잊어야지. 도움이 된다면 나까지도 잊게나." 나도 목소리를 낮추어서 말했어. 그 후에 우리는 마치 지쳐 빠진 듯이 한동안 말을 잊고 나른하게 있었지. 그러고 나서 그는 차분한 어조로 말을 시작하더군. 스타인 씨가 그에게 파투산에 가거든 자기가 살 새 집을 짓기 전에 한 달쯤 기다리면서 거기서 체류할 수 있는지부터 알아보라고 지시했으며 그래야 '공연한 경비 지출'을 피할 수 있다고 했다는 거야. 스타인은 우스운 표현을 하고 있었지 뭔가. '공연한 경비 지출'이라니 재미있는 말이었지. 체류하겠느냐고? 그야 물론이지. 짐은 그곳을 고수하겠다고 했으니까. 그러니 그를 들여보내 주기만 하면 된다는 거였지. 그는 책임지고 거기서 체류할 것이고, 결코 거기서 나오지는 않았을 거니까. 체류하기란 아주 쉬웠을 거니까.

「"무모한 소리는 하지 말게." 그의 위협적인 어조에 불안해진 내가 말했어. "거기서 오래 살다 보면 돌아오고 싶어질걸세."

「"무엇 때문에 돌아온단 말입니까?" 그가 벽에 걸린 시계의 문자판을 응시하면서 얼이 빠진 듯이 묻더군.

「나는 한동안 가만히 있었지. "그러면 영영 돌아오지 않겠다는 건가?" 내가 물었어. "결코 돌아오지 않겠습니다." 그는 나를 쳐다보지도 않고 꿈을 꾸듯이 거듭 말했어. 그러더니 갑자기 활기를 띠면서 "맙소사! 2시나 되었군요. 4시에 출항해야 하는데!"라고 말하더군.

「그건 사실이었어. 스타인 소유의 쌍돛대 범선 한 척이 그날 오후에 서쪽으로 떠날 예정이었고 짐은 그 배를 타라는 지시를 받았지만 출항을 지체시키라는 명령은 하달되지 않았던 거야. 스타인이 잊었던 것 같아. 내가 내 배에 승선하는 동안 그는 서둘러 떠날 채비를 했고, 외항으로 가는 도중에 내 배에 들르겠다는 약속도 했지. 따라서 그가 황급히 나타났을 때 그는 손에 작은 가죽 가방을 하나 들고 있었어. 그것으로는 안 될 것 같아서 나는 그에게 낡은 주석 트렁크를 하나 주었지. 방수가 되는 가방이라고들 했지만 적어도 방습은 되었을 거야. 그는 밀을 담은 자루를 비우듯이 가죽 가방의 내용물을 그저 쏟아 냄으로써 옮겨 담기를 끝내더군. 쏟아질 때 보니까 책이 세 권 있었는데, 두 권은 검은 표지였고 녹색과 금색으로 장정된 두툼한 책은 반 크라운[44]짜리 셰익스피어 전집이더군. "자네가 이걸 읽는가?" 내가 물어보았지. "네, 기분을 돋우는 데는 이보다 더 좋은 책이 없거든요." 그는 급히 말했어. 나는 그가 셰익스피어를 좋아한다는 말에 감명 받았지만, 그걸 화제로 이야기를 할 시간이 없었어. 무거운 권총 한자루와 작은 탄환 상자 두 개가 선실 탁자 위에 놓여 있었지. "이걸 가지고 가게." 내가 말했지. "자네가 거기 체류하는 데 도움이 될 걸세." 내 입에서 떨어진 이 말이 그에게는 무척 암담한 의미를 띨 수 있다는 것을 알았어. "자네가 그곳으로 들어가는 데 도움이 될지도 모른다는 뜻이야." 내가 후회하며 고쳐 말했어. 그러나 그는 의미의 모호한 치이에 대해 신경을 쓰지 않더군. 그는 고맙다는 말을 헤프게 쏟아 놓은 후 뛰어나가면서 어깨 너머로 돌아보며 작별 인사를 했어. 배의 측면에서 그가 보트꾼들에게 가자고 말하는 소리가 들리더군. 선미 쪽의 창을 통해 내다보니 보트가 고물의 돌출부 아래를 돌고 있었어. 그는 보트 속에서 몸을 앞으로 숙이고 있었는데 그의 목소리와 몸짓 때문에 보트꾼들은 격앙되어 있더군. 그가 권총을 손에 들고 있는 게 마치 보트꾼들의 머리를 겨누고 있는 것 같았거든. 네 명의 자바인들의 겁에 질린 표정과 모습을 내 눈앞에서 앗아 가던 그 미친 듯한 노 젓기 동작을 나는 영영 잊을 수 없을 거야. 내가 돌아서니 두 상자의 탄환이 선실 탁자에 그대로 놓여 있었어. 그는 그걸 잊고 떠났던 거야.

「나는 즉시 선장 전용 보트에 인원을 배치하라고 했어. 그

---

5) 영국에서 1960년대까지 유통되던 2실링 6펜스(8분의 1파운드)짜리 은화. 혹은 "반크라운판(版)"이라는 뜻으로 쓰였을 수도 있다.

러나 짐의 보트꾼들은 그 광인이 보트에 타고 있는 한 자기네 목숨이 실오라기 하나에 매달려 있는 것처럼 위태롭다는 생각을 하며 뛰어나게 박자를 맞추어 노를 저었기 때문에 내가 앞 보트까지의 거리를 미처 반도 가지 못해서 짐은 이미 배의 갑판 난간을 타 넘고 있었고 그의 상자도 위로 올라가고 있었어. 쌍돛대 범선의 돛은 모두 풀어져 있었고 가장 큰 돛은 이미 펼쳐져 있더군. 내가 그 배의 갑판을 디디고 섰을 때 권양기가 막 덜커덕거리기 시작했어. 작은 체구의 단정한 선장은 나이가 마흔쯤 되는 혼혈인이었고 청색 플란넬 수트를 입고 있었는데 눈은 생기가 돌고 둥근 얼굴은 레몬 껍질 색깔이었지. 그는 두툼하고 어두운 입술 양쪽으로 숱이 엷은 검은 콧수염을 늘어뜨린 채 능글맞게 나타나더군. 그는 자만심에 찬 명랑한 겉모습이었지만 알고 보니 근심 걱정이 많은 인물이었어. 짐이 잠시 선실로 내려간 사이에 내 말에 대답하면서 그는 "그럼요. 파투산이지요."라고 말했어. 그는 짐을 파투산강의 하구까지만 데리고 갈 뿐 강을 '상승하는 일'은 결코 없을 것이라고 하더군. 그의 유창한 영어는 마치 광인이 편찬한 사전에서나 나올 만한 말로 되어 있었어. 그는 만약에 스타인 씨가 자기더러 강을 '상승'하길 원한다 하더라도 자기는 '상품의 안전을 위해 경건하게' 반대했을 것이라고 하더군. 지금 생각하면 그는 '경건하게'라는 말을 '존경을 표하며'라는 뜻으로 쓴 것 같으나, 그 진의야 누가 알겠나. 만약에 자기의 반대 의견이 무시된다면 그는 '그만두는 사직원'[45]이라도 제출했을 것이라고 말하더군. 그는 자기 배가 파투산을 마지막으로 찾은 것이 십이 개월 전이었는데, 코넬리우스 씨가 교역을 '실망적인[7] 것으로 되게 한다'는 조건으로 라자 알랑 씨와 '주요 인구들'에게 '많은 염보 돈을 주어 달랬지만' 그의 배가 강을 따라 내려오는 동안 사뭇 숲으로부터 '무반응한[8] 측'의 총격을 받았다고 했어. 그 사태가 선원들로 하여금 '신체의 노출로부터[9] 은신처에 가만히 숨어 있게' 했고, 그 결과로 배가 거의 모래톱에 좌초해서 '인간의 행위를 초월해서[10] 파멸할 뻔했다'고 하더군. 그때 겪은 일에 대한 분노 섞인 불쾌감과 스스로 귀를 기울이며 심취하던 자신의 유창한 영어에 대한 자랑스러움—이 두 가지 감정이 그 넓고 바보 같은 얼굴을 독차지하겠다고 서로 다투고 있는 듯하더군. 그는 나를 향해 상을 찌푸리거니 반색을 하거니 하면서 자기의 어구 선택이 나에게 미치는 부정할 수 없는 효과를 만족스럽게 지켜보더라니까. 어두운 찌푸림이 조용한 바다 위로 날쌔게 번져나갔고, 앞돛대의 중간 돛을 펴고 대장(大檣)의 밑가름대를 중앙에 장착한 그 쌍돛대 범선은 바람이 잔잔하여 어찌할 바를 몰라 당황하는 것 같더군. 그는 이를 갈면서 계속 말하기를, 라자 알

6) 여기서 말로는 상대방 선장의 영어에서 장황한 반복 어투 및 의도된 뜻과는 다른 것을 의미하는 잘못된 어구 사용(Malapropism)의 예를 여럿 지적하고 있으나 우리말로 옮기기가 쉽지 않다.
7) '유망한'이라는 뜻으로 말하려 한 듯하다.
8) '무책임한(irresponsible)'이란 말 대신에 '무반응한(irresponsive)'을 잘못 쓴 예.
9) '총탄에 사지가 노출되지 않도록'이라는 뜻으로 쓴 듯하다.
10) '인간의 힘으로는 어떻게 해 볼 수 없게'라는 뜻으로 쓰려 한 듯하다.

랑은 '웃기는[11] 하이에나'라고 했지만, 나로서는 그가 도대체 하이에나를 무엇으로 여기고 있는지 상상할 수가 없더라니까. 한편 다른 어떤 자에 대해서는 '악어의 무기'[12] 보다도 몇 배나 더 거짓되다고 하더군. 뱃머리 쪽에서 움직이고 있던 선원들을 지켜보면서 그는 수다를 떨었고 파투산 지역을 '오랫동안 개전의 정이 없이 삶[13]'으로써 탐욕스러워진 짐승들의 우리'에 비유하더군. 내 생각으로는 '처벌받지 않으며 비행을 저지른다.'는 뜻의 말을 하려 했던 것 같아. 그는 '자신을 고의로 강도 짓에 결부되도록 드러낼[14]' 생각은 없다고도 했어. 선원들이 닻걸이로 닻을 끌어올리는 동안 길게 계속되던 불평은 끝났고 그는 목소리를 낮추더군. '파투산이라면 이제 아주 너무 많이 신물이 난다고요.' 그는 힘을 주며 결론을 내렸어.

　내가 나중에 들으니, 그는 파투산에서 함부로 처신하다가 그만 등나무 줄기로 만든 올가미를 목에 걸고 라자의 집 앞 진창 한복판에 박힌 기둥에 묶여 있었다더군. 그는 하루 낮의 대부분과 온 밤을 그런 불쾌한 상태로 보내야 했지만, 그게 일종의 농담으로 의도되었을 거라고 믿을 근거는 얼마든지 있지. 내 생각에, 그는 그때의 끔찍했던 기억을 잠시 동안 떠올

---

11) 여기서는 '웃기는(laughable)'이 아니라 '웃고 있는 듯한(laughing)' 혹은 '이빨을 드러내고 있는(grinning)'이라는 뜻으로 말하려 했던 듯하다.
12) 거짓됨이나 위선을 가리키는데 흔히 사용되는 영어의 관용어구 '악어의 눈물(crocodile tears)'을 잘못 쓴 사례인 듯하다.
13) 말로는 '처벌받지 않고 비행을 저지르는 것(impunity)' 대신에 '개전의 정이 없음(impenitence)'이라는 뜻의 낱말을 잘못 썼다고 말하고 있다.
14) '자신이 강도 당하게 고의로 노출시킬 생각은 없다'의 뜻으로 쓴 듯하다.

리는 듯하더니, 선미 쪽으로 키를 잡으러 가던 사람에게 싸움을 하듯 말을 걸었어. 그는 감정을 죽이고 다시 내 쪽을 향해 이치에 닿게 말하더군. 그는 짐을 바투 크링에 있는 강어귀까지 데리고 가는데, "내적으로 위치되어 있는" 파투산은 거기서 30마일이라고 하더군. 그때까지 유창하게 말하던 그가 이제는 지치고 지겨운 신념의 어조로 바꾸어, 자기 눈에는 짐이 이미 '시신과 닮은 형상'이라고 말했어. "뭐라고요? 무슨 말씀이세요?" 하고 내가 물었지. 그는 놀랄 만큼 포악한 태도로 등 뒤에서 칼을 찌르는 시늉을 완벽하게 해내더리고. "추방자의 시신같이 되었다."는 뜻이라고 그는 설명했는데. 그때 그가 보인 밉살스럽게 잘난 척하는 태도는 사람들이 스스로 영리하게 굴었다고 상상한 뒤에나 나타낼 만한 그런 태도였어. 그의 뒤에서 짐은 나를 향해 말없이 미소를 짓고 있었는데, 내가 놀라서 소리를 지르지 못하도록 한쪽 손을 들어 제지하고 있었지.

「그 혼혈인이 잔뜩 잘난 척하며 명령을 내리고 있는 동안, 그리고 돛가름대가 끼익 소리를 내며 흔들리고 무거운 밑가름대가 옮겨지는 동안, 짐과 나는 주범(主帆)이 바람을 막아 주는 쪽에 단둘이 서서 손을 맞잡고 마지막 인사를 서둘러 나누고 있었어. 내 마음은 그의 운명에 대한 관심에 늘 따라다니던 멍한 불만에서 해방되더군. 그 혼혈인이 조리 없이 지껄이던 말이 스타인의 조심스러운 말보다도 더 실감나게 짐의 앞길에 놓인 끔찍한 위험들을 부각시켜 주었어. 우리의 교제에 늘 따라다니던 격식이 그 순간 우리의 대화에서 사라져 버리더군. 나는 그를 '이 사람아'라고 불렀던 것 같고, 그는 감사의 표시로 무슨 말을 하던 끝에 '올드 맨'[15]이라는 호칭을 나에게 갖다 붙였는데, 마치 내 나이에다 자기가 당면할 위험을 대비시키면 우리가 나이나 감정 면으로 더욱 동등해진다고 여기는 듯했지. 우리 사이에는 실감나고 심오한 친밀의 순간이 찾아왔는데, 그 순간은 무언가 영원하고 구원적인 진실이 흘낏 보이듯이 별안간 찾아왔다가 사라졌어. 그는 우리 둘 중에서 자기가 더 성숙한 사람인 것처럼 내 걱정스러운 마음을 무마하려 애를 쓰더군. "괜찮아요. 괜찮다고요." 그는 감정을 섞어서 빠른 어조로 말했어. "조심하겠다고 약속을 드릴게요. 네, 어떤 위험한 짓도 하지 않겠습니다. 위험한 짓이라면 결코 하지 않을 겁니다. 물론 안 하지요. 오래 버티면서 살게요. 걱정하지 마세요. 젠장! 그 무엇도 날 건드리지 못할 것 같은 기분이 드는군요. 정말이지, 첫출발부터 행운이라고요. 제가 이 멋진 기회를 망치지는 않을 겁니다⋯⋯." 멋진 기회라더군! 그래, 멋지긴 멋졌지. 하지만 기회란 인간이 만들어 내는 대로 되는 법이니, 내가 어떻게 알겠어? 그가 말한 대로, 나마저, 나마저도, 그를 상대로 해서는 늘 그의—그의 불행만 기억하고 있었으니까. 사실 그러했다고. 그런데 그에게 최선의 길은 떠나는 것이었거든.

「내 보트가 그 쌍돛대 범선의 후미 쪽으로 내려갔고, 나는 그가 지는 햇살을 받으면서 선미에 떨어져 서서 머리 위로 모

_____

15) 선장이나 상사를 친근하게 부르는 말.

자를 높이 들고 있는 모습을 보았어. "선장님께선 소식을 듣게 될 겁니다."라는 희미한 고함 소리가 들리더군. 자기에 대한 소식이라고 했는지 아니면 자기가 보낼 소식이라고 했는지 나로서는 분간할 수 없더군. 자기에 대한 소식이라고 했었음이 틀림없어. 그의 발아래쪽 바다에 비치는 햇살이 너무 눈부셔서 나는 그의 모습을 분명하게 볼 수 없더군. 나는 도대체 그를 분명하게 보지 못하고 말 운명이었다니까. 하지만 그의 모습을 아무리 보아도 그 떠벌이 혼혈인이 말한 대로 '시신과 닮은 형상'이 아니었음을 단언할 수 있다네. 잘 익은 호박의 생김새와 색상을 연상시키던 그 작은 못난이의 얼굴이 짐의 팔꿈치 아래쪽으로 내밀고 있는 것도 보이더군. 그도 또한 무언가를 아래로 누르려는 듯이 팔을 들고 있었어. 불행의 암시가 현실화되지 않기를!」

24장

「그 후 거의 이 년이 지나서 나는 파투산의 해안을 보게 되었는데, 침침한 직선 해안이 연무 낀 대양과 마주하고 있는 곳이야. 붉은 오솔길들은 나지막한 절벽을 덮고 있는 덤불과 덩굴의 암녹색 잎 아래로 폭포가 되어 흘러내리는 녹물처럼 보이더군. 여러 강줄기가 모이는 하구에 습지 평원이 펼쳐져 있고, 광대한 숲 너머로 거친 청색 봉우리들이 보이는 곳이야. 그 앞바다에는 허물어지고 있는 검은 형상의 섬들이 파도에 깨진 성벽의 잔재처럼 보였고 언제까지나 햇살이 비치는 연무 속에 서 있었지.

「그 하구의 바투 크링 지류(支流) 입구에는 어민들의 마을이 하나 있어. 오랫동안 폐쇄되어 있던 그 강이 마침 열려 있었어. 그래서 내가 타고 간 스타인의 소형 스쿠너 범선은 세 차례의 밀물을 이용해서 강을 소급해 올라갔는데 '그 무반응한 측'으로부터 단 한 차례의 일제사격도 받은 적이 없었지. 일종의 도선사(導船士) 노릇을 하러 배에 탔던 그 어촌의 늙수그레한 촌장 말을 믿을 수 있다면, 그런 총격 상황은 이미 옛 역사에 속하는 이야기로 되어 있었던 거야. 그는 자기가 두 번째로 만난 백인이라는 나에게 자신 있게 말했고, 이야기의 대부분은 그가 처음 만났던 백인에 관한 것이었어. 그는 그 백인을 투안 짐[16]이라고 불렀는데, 짐을 언급하는 그의 어조는 친근함과 경외심이 기이하게 섞여 있어서 주목할 만하더군. 그 어촌 사람들은 짐의 특별 보호를 받고 있었는데, 그것은 곧 짐이 아무런 악의도 품고 있지 않았다는 뜻이었지. 짐은 나에게 자기에 관한 이야기를 듣게 될 것이라고 미리 말해 주었지만, 그건 완벽한 진실이었어. 그날 나는 그에 관한 이야기를 듣고 있었으니까. 그가 강의 상류로 올라가는 것을 도와주기 위해서 조수가 정해진 시간보다도 두 시간이나 빨리 만조로 바뀌었다는 이야기가 이미 나돌고 있었어. 그 수다스러운 늙은이가 몸소 카누를 조종했는데, 그 현상을 보고 놀랐던 거야. 게다가 모든 영광은 그의 가족에게 있었어. 그의 아들과 사위가 노를 젓고 있었지만 그들은 경험이 없는 애송이들이라 그가 그 놀라운 사실을 지적해 줄 때까지도 카누의 속도에 주목하지 않고 있었거든.

---

16) '투안(tuan)'은 말레이-인도네시아어에서 영어 낱말 'lord' 혹은 'master'에 해당하는 말인데, 존칭어로는 'Mr.' 혹은 'Sir'처럼 쓰인다. 이 소설의 제목 'Lord Jim'은 'Tuan Jim'을 영어로 번역한 것이다.

「짐이 그 어촌에 온 것은 하나의 축복이었어. 그러나 우리 많은 사람들에게 그렇듯이, 그들에게도 그 축복은 여러 가지 공포를 앞세우고 찾아왔던 거야. 마지막 백인이 그 강을 찾은 후 하도 여러 세대가 지났기 때문에 백인에 대해 구전되어 오던 이야기 자체가 이미 사라지고 없었거든. 그래서 자기네들 앞에 내려와서 파투산으로 데려가 달라고 완강하게 요구하던 그 백인의 출현은 그들을 혼란케 했어. 그의 주장은 놀랄 만했고, 그의 너그러움도 이만저만 의심스럽지가 않았거든. 도대체 들어본 적이 없는 요구였고, 전례가 없었던 거야. 라자는 그 요구에 대해 뭐라고 할 것인가? 그가 그들에게 무슨 짓을 하게 될 것인가? 그날 밤이 거의 다 지나도록 마을 사람들은 상의했다는 거야. 하지만 그 이방인의 분노에서 나오게 될 즉각적인 위험이 너무 커 보였기 때문에 결국 그들은 부실한 통나무 카누 한 척을 대령했던가 봐. 카누가 떠나자 아낙네들은 슬픔의 비명을 질렀고. 겁이 없는 노파 하나는 그 이방인을 저주하기까지 했다는 거야.

「카누에서 그는 앞서 말한 주석 상자에 앉아 장전하지도 않은 권총을 무릎에 두고 있었어. 그는 경계하며 앉아 있었는데 세상에 경계하는 일보다 사람을 더 피곤하게 하는 건 없는 법이야. 이런 모습으로 그는 그 땅으로 들어갔고 장차 내륙에 있는 푸른 봉우리들에서 물결이 하얀 띠를 이루고 있는 해안에 이르기까지 자기의 명성을 떨치게 되어 있었어. 바다에서는 파도가 애를 쓰며 솟구쳤다가 가라앉고 사라졌다가는 다시 솟아올라 마치 인간의 생존경쟁을 연상시켰지만, 강이 처음으로 구부러지는 지역을 지나자 그는 바다를 볼 수 없었고 그 대신 숲을 마주하게 되었지. 대지에 깊이 뿌리를 내린 채 꼼짝 않고 서 있던 숲은 태양을 향해 솟아오르며 그늘지고 줄 기찬 전통 속에서 영속하고 있어서 마치 생명 자체처럼 보였 어. 그리고 그의 기회는 동양의 신부처럼 베일을 쓰고 그의 곁 에 앉아서 주인의 손이 그 베일을 걷어 올리기를 기다리고 있 는 것 같았지. 그 역시 어느 그늘지고 줄기찬 전설의 상속인이 아니었던가! 하지만 그는 나에게 그 카누를 타고 있던 때만큼 자기가 의기소침하고 피곤했던 적은 없었다고 말하더군. 그가 감히 자기 자신에게 허용할 수 있었던 동작은 두 발 사이에서 떠다니던 반쪽 코코넛 껍질을 살그머니 잡고 조심스럽게 억제 된 손놀림으로 배에 고인 물을 퍼내는 일 뿐이었어. 그는 주 석 상자의 뚜껑이 앉아 있기에는 너무 딱딱하다는 걸 알게 되 었지. 그는 영웅다운 건강을 누리고 있었지만, 강을 올라가는 동안 현기증의 엄습을 몇 차례나 겪었고 이따금 한번씩 태양 이 자기의 등에 돋아나게 하는 물집이 얼마나 클까 혼몽한 마 음으로 생각해 보기도 했어. 심심풀이 삼아 그는 앞을 내다 보며 물가에 놓인 진흙 투성이 물체가 통나무인지 악어인지 를 알아맞혀 보려고도 했지. 그러나 얼마 되지 않아 그는 그것 도 그만두어야 했어. 재미가 없었던 거야. 늘 악어로 판명되었 기 때문이지. 그중 한 마리가 물장구를 치며 강물로 뛰어들어 카누를 전복할 뻔한 적도 있었어. 그러나 그런 흥분도 곧 끝나 고 말았지. 길게 펼쳐진 텅 빈 기슭에서 한 무리의 원숭이들 이 강둑으로 내려와서 그가 지나가는 것을 보고 모욕이라도 주려는 듯이 소란을 벌이는 것을 보고 그는 아주 고맙게 여겼다는 거야. 그는 일찍이 어느 누가 성취한 것보다도 더 순수한 위대함을 향해서 그런 식으로 접근하고 있었던 거야. 그는 무엇보다도 해가 지기를 고대하고 있었고, 노를 젓던 세 사람은 짐을 라자에게 인계할 준비를 하고 있었어.

「"제가 피로해서 멍청해졌거나 아니면 혹시 얼마 동안 졸고 있었던 거 같아요."그가 말하더군. 그가 가장 먼저 알게 된 것은 타고 있던 카누가 강둑에 와 닿는 것이었대. 이내 그는 자기가 숲을 벗어났으며, 높다란 곳에 처음으로 집들이 보였고, 왼쪽으로는 방책(防柵)이 있었고, 노를 젓던 사람들이 낮은 땅 위로 뛰어내리더니 도망치기 시작한다는 것 등을 알게 되었어. 그도 본능적으로 뒤따라 내렸지. 처음에 그는 어떤 영문 모를 이유로 자기가 버림받았다는 생각을 했다는 거야. 그러나 그는 흥분한 고함 소리를 들었고, 어떤 문이 활짝 열리자 많은 사람들이 자기 쪽으로 쏟아져 나오더라는 거야. 그와 동시에 무장한 사람들을 가득 태운 배 한 척이 강에 나타나서 그가 타고 온 카누 옆에 나란히 멈추면서 그의 퇴로를 차단했어.

「"너무 놀란 나머지 제가 전혀 냉정을 지킬 수 없었다고 해도 당연하겠죠? 만약에 그 권총이 장전되어 있었다면 누군가를 쏘았을 겁니다. 아마 두세 명을 죽이고 저도 끝장이 났겠죠. 그러나 장전되어 있지 않았다고요……." "왜 그랬는가?" 내가 물었어. "어차피 그 모든 백성들을 상대로 싸울 순 없잖아요. 게다가 제가 목숨을 겁내는 듯한 꼴로 그들을 찾아올 순 없었지요." 이렇게 말하며 그가 내게 던진 눈길에는 질기게도 속상해하는 희미한 빛이 보이더군. 나는 약실(藥室)이 비어 있다는 것을 그 사람들이 알 리가 만무했다는 걸 지적하려다가 그만두었어. 그가 자기 나름대로 좋게 생각하도록 내버려두어야 했거든. "어쨌든 장전되어 있지 않았다고요." 그는 기분 좋게 같은 말을 반복했어. "그래서 저는 가만히 서서 그들에게 왜 그러느냐고 물었지요. 그 물음에 그들은 말문이 막힌 것 같았어요. 그 도적 중의 몇 놈이 내 상자를 가지고 가는 게 보입디다. 내일 보시게 될 겁니다만, 다리가 긴 늙은 악한 카심이 제 쪽으로 뛰어나오더니 라자가 날 보고 싶어 한다고 수선을 떨더군요. 제가 '좋습니다'라고 말했지요. 저도 라자를 만나고 싶었거든요. 그래서 그 문을 거쳐 안으로 들어갔고, 그래서, 그래서—제가 이렇게 여기에 살아 있게 된 거랍니다." 그는 웃더니 갑자기 어조에 강세를 두면서 "그래서 가장 잘된 것이 무언지 아세요?"라고 묻더군. "말씀드리죠. 저를 없애 버렸더라면 결국 이 지역이 손해를 봤을 거라는 사실이죠."

「앞서 말한 바로 그날 저녁에 그는 자기 집 앞에서 내게 그런 말을 했어. 그러니까 우리가 두 봉우리 사이의 틈새로 마치 무덤에서 나와 승천하는 영혼처럼 달이 떠오르는 것을 지켜본 후였지. 그 달은 죽은 태양의 망령처럼 싸늘하고 파리하더군. 그 빛 속에는 어딘지 유령의 기미가 돌고 있었어. 그 빛은 해체된 영혼의 냉랭함이랄까 그 불가사의한 미스터리를 띠고 있었거든. 뭐니 뭐니 해도 우리가 의지해서 살아야 하는 건 햇빛이고, 이 햇빛과 달빛 사이의 관계는 소리와 메아리 사이의 관계에 비유될 수 있지. 그래서 그 기조(基調)가 조롱이나 슬픔이냐와는 상관없이, 달빛은 우리를 오도하고 혼란에 빠뜨린다니까. 어쨌든 우리 인간의 영역이라 할 수 있는 모든 형태의 물질에서 달빛은 그 실질적 내용을 빼앗는 반면에 오직 그림자들에게만 불길한 현실감을 더해 주지. 그래서 우리 주위에서 그 그림자들은 아주 실감이 나더군. 하지만 내 옆에 서 있던 짐은 아주 강건해 보였고, 이 세상의 무엇도, 심지어 달빛의 신비한 힘까지도, 내 눈앞에서 그에 대한 실감을 빼앗을 수가 없는 듯했어. 그는 암흑의 힘의 공세를 받고도 살아남았기에 아마 이 세상의 어떤 것도 그를 건드릴 수 없었을 거야. 모든 것은 고요했고, 모든 것은 잠잠했으며, 강물 위에서도 달빛은 마치 웅덩이에서처럼 잠들어 있었어. 마침 만조 시간이었는데, 강물의 흐름이 그쳐 버린 그 부동의 순간은 이 세상에서 잊혀져 있던 그 구석진 곳의 철저한 고립 상태를 강조하고 있었어. 잔물결이나 반짝거림도 없이 드넓게 빛나던 강물을 따라 밀집해 있던 가옥들은 서로 밀치면서 마치 한 줄로 선 은색 또는 회색의 막연한 형상들이 검은 그림자 덩어리들과 섞여서 강물을 딛고 서 있는 듯했는데, 유령처럼 생기 없는 강에서 물을 마시려 밀어닥치는 형체 없는 짐승 떼의 허상처럼 보였다고나 할까. 여기저기 대나무로 지은 벽 안에서 반짝이는 붉은 빛은 인간의 애정이며 안식이며 휴식을 의미하는 살아 있는 섬광처럼 따뜻해 보였어.

「그는 이 작고 따뜻한 불빛이 하나씩 꺼지는 것을 자주 지켜보았으며, 사람들이 자기가 보는 앞에서 내일의 안전에 대한 자신감을 가지고 잠자리에 드는 것을 즐겨 바라보곤 했다고 고백하더군. "이곳은 평화롭지요?" 그가 물었어. 그가 뒤이어 했던 말은 답변이 아니었지만 의미는 심장했어. "이 집들을 좀 보세요. 저를 신임하지 않는 집이 하나도 없다고요. 정말이지! 제가 이곳에서 버텨 낼 것이라 말하지 않았습니까. 어느 사내건 아낙이건 아이건 붙잡고 물어보세요……." 그는 말을 멈추더군. "어쨌든 저는 이제 괜찮답니다."

「그가 결국 그걸 알아낸 모양이라고 내가 재빨리 말했지. 나는 그걸 확신하고 있었다고 덧붙이기도 했지. 그는 머리를 흔들었어. "그러셨나요?" 그는 내 팔꿈치 윗부분을 가볍게 누르더군. "네, 그렇다면, 바로 보셨던 거죠."

그의 나직한 탄사에는 환희와 자랑, 그리고 거의 경외라고 할 만한 것이 들어 있었어. "정녕!" 그는 소리쳤어. "그게 저에게 무엇을 의미하는지 생각해 보세요." 그는 다시 내 팔을 눌렀어. "그런데도 선장님께선 제가 떠날 생각을 하느냐고 물으셨지요. 맙소사! 떠난다니요! 특히 스타인 씨의 의도를 제게 전해 주시고도 그런 걸 묻나요?……. 떠난다니! 왜요? 그건 바로 제가 두려워하던 거라고요. 그건 말이에요─죽는 것보다도 더 어려운 일일 겁니다. 떠나지 않아요. 맹세코 떠나지 않습니다. 웃지 마세요. 매일 눈을 뜰 때마다 저는 제가 신임 받고 있으며 아무에게도 권리가 없다는 느낌을 확인하곤 합니다. 아시겠나요? 떠난다니! 어디로 간답니까? 무엇 때문에 간답니까? 무엇을 얻겠다고 간답니까?"

내가 그를 찾아간 주된 목적은 스타인의 의도를 그에게 전하는 데 있다는 걸 말해 주었어. 스타인은 당장에 주택과 거래 상품들을 짐에게 제공하되 거래가 완벽히 규칙적으로 합당하게 이루어질 수 있도록 쉬운 조건으로 제공하려 했거든. 처음에 그는 콧방귀를 뀌며 성질을 부리더군. "그 까다로운 성미는 좀 버리게나!" 나는 고함을 질렀어. "스타인이 해 주는 것이 아니야. 자네 스스로 성취한 것을 자네에게 주는 것이라니까. 그리고 어떤 경우든 자네가 저 세상에 가서 맥닐을 만나게 될 날에 대비해서 할 말이나 마련해 두라고. 그리고 그런 일이 가까운 장래에는 없길 바라네……." 그는 내 설득에 굴복하지 않을 수 없었어. 왜냐하면 그 모든 정복, 신임, 명성, 우정, 사랑 같은 것들은 그를 지배자로 만든 동시에 사로잡힌 몸으로 만들기도 했기 때문이야. 그는 저녁의 평화로움이며, 강물이며, 가옥들이며, 숲의 영원한 생명이며, 오랜 인류의 삶이며, 대지의 비밀이며, 그 자신 마음속의 자랑 등을 소유주의 눈으로 바라보고 있었어. 그러나 실은 그런 것들이 그를 사로잡고 있었으며 그의 마음속 깊숙한 생각까지, 가장 미미한 피의 고동까지, 그의 마지막 숨결까지 샅샅이 그들의 것으로 삼고 있었던 거야.

「그건 자랑스러워 할 만한 무엇이었어. 그 흥정의 엄청난 가치에 대해서는 확신이 서지 않았지만 나 또한 그 덕분에 자랑스러워지더군. 그건 놀라웠어. 나는 그의 대담성에 대해서는 별로 생각하지 않았어. 이상한 일이지만, 나는 그걸 대수롭잖게 여겼거든. 마치 그게 지나치게 인습적인 것이어서 문제의 핵심을 이룰 수는 없는 것처럼 말이야. 나는 그가 보여 준 다른 재주에 더 큰 감명을 받았어. 그는 낯선 상황에 대한 장악력이라든지 그런 사고 영역에서의 지적 경각심이 자기에게 있음을 증명해 보였던 거야. 게다가 대응 태세까지 갖추고 있었지. 놀라운 일이야. 그런데 마치 좋은 품종의 사냥개에게 예민한 후각이 갖추어지듯이 그 모든 것이 그에게 갖추어져 있었거든. 그는 달변은 아니었어. 하지만 그 체질적 과묵에는 위엄이 있었고 그의 눌변에도 고도의 진지함이 있었거든. 그에게는 질기게 얼굴을 붉히는 버릇이 여전히 남아 있었어. 그러나 이따금 낱말 하나 또는 문장 하나가 그의 입에서 새어 나와서 자기에게 재생의 확신을 주었던 그 과업에 대해 얼마나 깊이 얼마나 엄숙히 느끼는지 보여 주곤 했어. 바로 그런 이유에서 그는 일종의 격렬한 이기심과 경멸적인 애정을 가지고 그 땅과 백성들을 사랑하고 있는 것 같더군.」

25장

「"제가 사흘 동안 붙잡혀 있던 곳이 바로 여기랍니다." 우리가 라자를 방문하던 날 퉁쿠 알랑의 식솔들이 겁에 질려 소동을 벌이고 있던 뜰을 천천히 지나고 있을 때 짐이 나에게 속삭이더군. "추잡한 곳이죠? 제가 배고파 죽겠다고 소란을 떨지 않으면 먹을 것도 주지 않더군요. 기껏 작은 접시에 담은 쌀밥과 튀긴 물고기 한 마리였는데 그 고기는 가시고기보다 별로 더 크지 않더라니까요. 망할 자식들! 젠장! 이 냄새 고약한 울 속에서 제가 배가 고파 어슬렁거리고 있을 때면 이 못난이들이 내 코밑에 상판대기를 들이밀곤 했습니다. 선장님께서 주셨던 그 멋진 권총은 그들이 달라기에 대번에 주어 버렸죠. 그까짓 것이야 없어져서 잘되었지요. 장전되지 않은 총을 들고 돌아다녀 봐야 바보처럼 보였을 테니까요." 그 순간 우리는 라자 앞으로 오게 되었고, 짐은 자기를 한때 잡아 가두고 있던 사람 앞에서 아무 굽힘 없이 엄숙해지며 경의를 표했어. 오! 참으로 볼만하더군! 지금도 그때를 생각하면 웃음이 나온다니까. 하지만 내게는 인상적이기도 했지. 그 평판 나쁜 늙은이 퉁쿠 알랑은 두려움을 금치 못하고 있었어. 그는 자기의 열띤 젊은 시절에 대한 이야기를 하곤 했지만 영웅은 아니었거든. 그가 한때 포로로 잡고 있던 짐을 대하는 태도에는 아쉬움에 젖은 신임이 드러나 있었어. 정말이지, 짐은 가장 미움받아야 할 곳에서조차 신임받고 있었던 거야. 그들이 주고받은 대화에서 내가 알아듣기로는, 짐이 설교를 통해 현안 문제를 고쳐나가고 있었던 거야. 가난한 마을 사람 몇몇이 쌀과 교환할 몇 조각의 고무와 밀랍을 가지고 도라민의 집으로 가던 도중에 매복한 강도들에게 빼앗기고 말았다는 거였어. "도적은 바로 도라민이야." 라자가 소리를 지르더군. 진동하는 분노가 그 늙은이의 연약한 몸속으로 들어가는 듯했어. 그는 매트 위에서 흉하게 몸을 비틀거니, 손발로 제스처를 해 보이거니, 무력한 분노의 화신처럼 보이던 헝클어진 더벅머리를 위로 치켜들거니 하더군. 우리 주위에는 온통 턱을 떨어뜨리고 노려보는 눈초리뿐이더라니까. 짐이 입을 열었어. 얼마 동안 그는 단호하고 냉정한 어조로 그 어느 누구도 자기 자신과 자식들의 식량을 정직하게 구하는 행위를 제지받아서는 안 된다는 내용의 말을 장황하게 늘어놓더군. 그의 상대는 손을 두 무릎에 얹어놓고 고개를 숙인 채 마치 작업 중인 재단사처럼 앉아서 눈 위로 흘러내리는 머리카락 사이로 짐을 노려보고 있었어. 짐이 말을 마쳤을 때는 대단한 정적이 지배하고 있었지. 누구 하나 감히 숨조차 쉬려 하지 않는 듯했어. 아무도 소리를 내지 못하고 있는데 라자가 가볍게 한숨짓고 나서 머리를 들고 위를 쳐다보며 재빨리 말하더군. "여러분은 들었을 것이다. 앞으로는 그런 짓을 더 이상 하지 말아야 한다." 사람들은 깊은 침묵으로 이 명령을 받아들이더군. 꽤나 덩치가 큰 사내 하나가 어떤 하급 시종의 손에서 놋쇠 쟁반에 담긴 두 잔의 커피를 받아 들더니 우리에게 주었어. 라자의 신임을 받고 있음이 분명한 그자는 뼈가 불거진 아주 검고 넓은 얼굴에 이지적인 눈을 하고 있었으며 명랑하게 잘난 척하는 태도였는데, 나중에 알고 보니, 사형 집행자라는 거야. "마시지 않아도 됩니다." 짐이 재빨리 중얼대더군. 처음에 그 의미를 몰라서 나는 그를 쳐다보기만 했지. 그는 넉넉히 한 모금을 마신 후 왼손에 잔받이를 든 채 침착하게 앉아 있었어. 그 순간 나는 지독히도 속이 상하더군. 나는 그에게 정답게 미소를 지으면서 속삭였지. "무엇 때문에 자네는 이런 바보 같은 위험에다 날 노출시키는 건가?" 그가 아무 내색도 하지 않고 있는 동안 나는 물론 커피를 마셨는데 아무 일도 없었어. 그 직후에 우리는 자리를 떠났지. 우리가 그 이지적이고 명랑한 사형 집행자의 호송을 받으면서 보트를 향해 뜰을 지나가고 있는 동안 짐은 미안하다고 하더군. 물론 위험의 가능성은 거의 없었다고 하면서. 개인적으로 자기는 독살 당할 걱정을 조금도 하지 않는다는 거였어. 그럴 가능성은 아주 요원했다는 거야. 그는 자기가 위험한 인물이라기보다는 한없이 쓸모 있는 인물로 여겨지고 있다느니 어쩌니 하고 나에게 자신 있게 말하더군. "하지만 라자는 자네를 지독히 무서워하고 있던걸. 그건 누가 봐도 알 수 있다고." 나는 이렇게 주장하며 약간 심통을 부리고 있었고 혹시나 모종의 끔찍한 복통이 시작될 최초의 기미라도 보이지 않을까 걱정스럽게 경계하고 있었음을 자인하네. 나는 지독히도 기분이 상했던 거야. "제가 이곳에서 잘 지내면서 현재의 위치를 보전하려면 그 정도의 위험은 감수해야 합니다." 그가 보트에서 내 옆자리에 앉으면서 말했어. "적어도 한 달에 한 번은 그런 위험을 겪죠. 많은 사람들이 제가 그렇게 하리라 믿고 있답니다. 그들을 위해서죠. 저를 무서워한다고요? 바로 그겁니다. 제가 그의 커피를 두려워하지 않고 마시기 때문에 그가 절 무서워할 가능성이 아주 높다니까요." 그러고 나서 그는 방책의 북쪽 벽 중의 한 곳을 가리켰는데 그곳에 박힌 몇몇 말뚝의 뾰족한 끝부분은 훼손되어 있더군. "여기가 바로 파투산에서 사흘째 되던 날 제가 울타리를 타 넘은 곳이랍니다. 아직도 새 말뚝을 박지 않았군요. 뛰어넘는 재주가 상당하죠?" 잠시 뒤에 우리는 어떤 진창의 수로 입구를 지나게 되었어. "이곳은 제가 두 번째로 뛰어넘기를 한 곳입니다. 저는 얼마쯤 달려오던 끝에 이 수로를 뛰어넘으려 했지만 건너편에 미치지 못한 거예요. 그래서 이곳에서 도망치지 못하나 보다고 생각했죠. 허우적대다가 신을 잃었어요. 진창 속에 박힌 채 망할 놈의 긴 창에 찔리게 된다면 얼마나 참담할까 혼자 생각하고 있었답니다. 그 수렁 속에서 몸부림치면서 얼마나 진저리가 났던지 지금도 기억이 생생하군요.

무언가 썩은 것을 물어뜯은 것처럼 진저리가 나더라고요."

「그게 그때의 상황이었던가 봐. 그의 기회는 그의 옆에서 함께 뛰고 있었고, 그 수로를 넘다가 진창 속에서…… 언제까지나 베일에 가려진 채 허우적거리고 있었던 거야. 당장에 단검에 찔려 강물에 던져질 운명에서 그를 구해 준 것이 있다면 그것은 그가 난데없이 출현했다는 사실뿐임을 자네들은 알겠는가. 그들은 그를 붙잡고 있었지만, 어떤 유령이나 망령이나 불길한 조짐을 붙잡고 있는 거나 다름없었던 거야. 그게 무얼 의미했을까? 어떻게 해야 할까? 너무 늦어서 그와 화해할 수 없을까? 더 지체 없이 그를 죽이는 것이 낫지 않을까? 죽이면 무슨 일이 일어날 건가? 못난 늙은이 알랑은 불안감 때문에, 그리고 마음을 정하기가 어려워서 거의 미칠 지경이었지. 회의는 몇 번이나 중단되고 말았고, 그의 자문관들은 헐레벌떡 문간으로 달려가서 베란다로 나갔다는 거야. 전해지는 이야기로는, 그중의 하나가 베란다에서 15피트쯤 되어 보이는 마당으로 뛰어내리다가 다리에 골절상을 입기도 했다더군. 그 파투산의 통치자는 괴이한 습성을 가지고 있었는데, 그중의 하나는 열띤 토론이 벌어질 때마다 잘난 척하며 광상(狂想)적인 표현을 쓰는 것이었지. 그러다 점차 더 흥분하게 되면 그는 손에 단검을 들고 앉아 있던 자리를 훌쩍 벗어나곤 했다는 거야. 하지만 이런 식의 중단을 제외한다면, 짐의 운명에 대한 심사숙고는 밤낮 계속되고 있었던가 봐.

「한편 그는 뜰에서 오락가락하고 있었는데, 그를 피하는 사람들이 있는가 하면, 눈을 부라리는 사람들도 있었나 봐. 그러나 거기서 그는 모든 사람들의 감시를 받았고 어쩌다 도끼를 든 녀석이 그에게 덤벼드는 날이면 꼼짝 못하고 당할 수밖에 없는 판이었어. 그는 허물어진 작은 창고를 잠자리로 썼는데, 오물과 썩은 물건들이 풍기는 악취가 무척 역겨웠지만 식욕만은 잃지 않았던 것 같아. 거기서 고생을 하는 동안 그는 늘 배가 고팠다는 거야. 이따금 회의에서 대표로 보낸 바보 떠벌이가 그에게 달려와서 달콤한 목소리로 "홀란드 사람들이 이 나라를 빼앗으러 오는 겁니까? 백인께서는 강을 다시 내려가실 생각입니까? 이런 보잘것없는 지역에 무슨 목적으로 오셨나요? 라자께서는, 백인께서 시계를 수리할 줄 아는지 알고 싶어 하십니다." 같은 놀라운 질문들을 던지곤 했던가 봐. 사람들은 실제로 뉴잉글랜드에서 만든 니켈 시계를 그에게 가져오기까지 했어. 그래서 견딜 수 없는 권태에서 벗어나기 위해 그는 그 자명종을 움직이게 해 보려고 애를 쓰기까지 했다는 거야. 자기가 처한 극단적 위험에 대한 진정한 인식이 그의 마음에 떠올랐던 것도 그가 자기 창고에서 이런 식으로 일에 열중하고 있을 때였음이 분명해. 그는 그 시계를 '뜨거운 감자처럼' 내려놓고 밖으로 뛰어나갔지만 무엇을 할 것이며 무엇을 할 수 있을 것인지는 조금도 알 수는 없었다는 거야. 그는 그저 자기의 처지가 견디기 어렵다는 것만 알고 있었거든. 그는 아무 목적도 없이 어슬렁거리다가 몇 개의 기둥에 의지해서 곧 무너질 듯이 서 있는 일종의 작은 곳간 너머까지 가게 되었고, 방위용 울타리에 부서진 말뚝이 있음을 눈여겨보게 되었던가 봐. 그래서 당장에 그는, 그 어떤 정신적 과정이나 정서적 동요도 없이 마치 한 달 동안 숙성시켜 온 계획을 실천에 옮기듯이 도망치기 시작했던 거야. 그는 도망칠 기회를 잡기 위해 아무 관심도 없다는 듯이 걸어 나왔는데, 주변을 살펴보니 어떤 고위층 인사가 있었고 두 명의 창잡이가 그의 옆에서 시중을 들며 무슨 일이냐고 물어보려고 하더라는 거야. 그는 바로 그 고위층의 '코밑에서' 달려나갔고 '새처럼' 울타리를 타 넘어 그 뒤쪽에 내려앉았는데 떨어질 때 받은 충격에 전신의 뼈가 흔들리는가 하면 머리가 쪼개지는 것 같더라는 거야. 그는 순간적으로 벌떡 일어났고, 그 당시엔 아무것도 생각하지 않았다고 했어. 그가 기억하고 있는 것이라고는 고함 소리 뿐이었다니까. 파투산 어귀의 집들이 400야드 전방에 있었나 봐. 그는 그 수로를 보고 기계적으로 속도를 더 냈다는 거야. 그의 발아래로 대지는 뒤로 날아가는 듯했겠지. 그는 마지막 마른 땅을 딛고 뛰어올라 자신이 허공을 날고 있는 걸 느꼈지만 곧 부드럽고 찐득찐득한 진흙 바닥에 선 채로 꽂히면서 아무런 충격도 느끼지 못했다는 거야. 그가 말한 대로 '정신을 차리게 되었던' 것은 다리를 움직여 보려고 했으나 움직일 수 없다는 것을 알게 되었을 때였지. 그래서 그는 '망할 놈의 긴 창'을 생각하고 있었어. 사실, 방책 안에 있던 사람들이 대문으로 뛰어가서 선착장으로 내려간 후 보트를 타고 돌출부를 돌아와야 한다는 것을 생각한다면, 그는 생각한 것 이상으로 멀리 앞서고 있었던 거야. 게다가 마침 조수가 빠졌기 때문에 비록 수로가 건조하지는 않다고 해도 물은 없었고, 따라서 얼마 동안은 먼 곳에서 날아올 총탄만 아니라면 그가 모든 것으로부터 안전했었지. 그의 앞쪽으로 6피트쯤 떨어져 높은 곳에 단단한 땅이 있었어. "저는 어차피 거기서 죽어야 할 것이라고 생각했습니다." 그가 말했어. 그는 팔을 내밀어 필사적으로 무엇이건 움켜잡으려 했지만 싸늘하게 번쩍이는 무서운 진창만 턱에 이르도록 가슴 쪽으로 끌어모으고 있었을 뿐이야. 자기가 생매장 당하고 있는 것처럼 느낀 그는 주먹으로 진흙을 훑으면서 미친 듯이 헤쳐 나갔어. 진흙은 머리와 얼굴을 덮었고 눈을 가리는가 하면 입에도 들어왔겠지. 라자의 뜰이 갑자기 생각났는데 자기가 오래전에 아주 행복하게 지내던 곳 같더라는 거야. 그곳으로 되돌아가서 다시 그 시계나 수리하고 있었으면 좋겠다고 생각했나 봐. 시계 수리를 생각했다는 거야. 그는 애를 쓰고 있었지. 흐느끼며 헐떡이면서 엄청나게 애를 썼고, 안구가 터져 눈이 멀게 될지도 모를 정도로 애를 썼지. 결국 그 노력은 어둠 속에서 하나의 힘찬 절정을 이루며 땅을 갈라놓았고 그의 사지는 해방되었던 거야. 그는 자기가 힘없이 둑을 오르고 있는 것을 느꼈고, 단단한 땅에 몸을 죽 펴고 누워서 빛이며 하늘을 보고 있었어. 그러자 잠이 들 것 같다는 일종의 행복한 생각이 찾아오더라는 거야. 그는 자기가 실제로 잠이 들었다는 말을 강조하려 했어. 아마도 1분간, 어쩌면 20초 동안 아니면 1초 동안 잠이 들었던가 봐. 그러나 그는 격렬한 발작을 하듯 놀라며 잠에서 깨어났던 일을 분명하게 회고하더군. 그는 한동안 가만히 누워 있다가 머리에서 발끝까지 진창이 된 채 일어나면서 자기는 사방으로 몇백 마일에 걸쳐 유일한 인간이며, 사냥꾼에게 쫓기는 짐승처럼 어느 누구로부터도 도움이나 동정이나 연민을 기대할 수 없는 외로운 처지라는 생각을 했다는 거야. 그는 동네 어귀의 집들에서 미처 20야드도 떨어져 있지 않았어. 그를 다시 한번 놀라게 한 것은 겁에 질린 나머지 아이를 데리고 필사적으로 도망치려고 하던 한 아낙의 비명이었어. 그는 양말 바람으로 곧장 내닫기 시작했는데 진창을 뒤집어쓰고 있어서 전혀 인간과 닮은 형상이라고 할 수가 없었겠지. 그는 그 촌락 지역을 반이 넘도록 달려가고 있었는데, 비교적 날쌘 아낙들은 좌우로 도망했고, 동작이 느린 사내들은 그저 하던 일을 놓고 턱을 떨어뜨린 채 돌로 변해 버린 듯이 제자리에 남아 있었겠지. 그는 날아다니는 공포처럼 되어 있었던 거야. 어린 아이들이 목숨아 날 살려라고 도망치다가 배를 깔고 엎어진 채 발을 허우적거리고 있는 광경도 보였다고 했어. 그는 방향을 선회하여 두 채의 집 사이로 언덕을 올라간 후 벌목한 나무로 만든 바리케이드를 필사적으로 타 넘었다는 거야. 그 당시 파투산에서는 단 일주일도 전투 없이 지나는 일이 없었거든. 그가 어떤 울타리를 뚫고 옥수수 밭으로 들어가니까 겁을 먹은 소년 하나가 그에게 막대기를 던지더라는 거야. 그는 어쩌다 어떤 오솔길로 들어가게 되었고 결국은 몇몇 놀란 사내들 앞으로 뛰어들게 되었지. 헐떡이던 그는 숨을 돌리며 "도라민! 도라민!"이라고 외쳤어. 그는 언덕 꼭대기까지 반은 끌려가다시피 또 반은 몰리다시피 하며 올라가던 일이라든지, 종려와 과일나무들로 둘러싸인 넓은 울안에서 어떤 체구가 큰 사내와 마주친 일을 기억해 내더군. 사람들이 최대한 소요를 벌이며 흥분하고 있는 가운데 그 덩치 큰 사내는 한 의자에 우람하게 앉아 있었나 봐. 짐은 반지를 찾으려고 진흙 투성이의 옷 안을 뒤지다가, 갑자기 그 자리에 쓰러져서 반듯이 누우면서 도대체 누가 자기를 때려눕혔을까 의아해하고 있었어. 사람들은 그를 놓아주었을 뿐인데 그 스스로 혼자 서 있을 수가 없었던 거야. 언덕 아래쪽에서는 산발적인 총성이 들렸고, 촌락의 여러 지붕 위에서는 둔탁한 놀람의 함성이 들렸어. 하지만 그는 안전했어. 도라민의 사람들은 문에 바리케이드를 치고 있었고 그의 목구멍으로 물을 넘기고 있었거든. 부산하게 움직이며 동정심을 보이던 도라민의 늙은 아내는 날카로운 목소리로 딸들에게 명령을 내리고 있었지. "그 늙은 아낙은 제가 마치 자기의 아들인 것처럼 소동을 벌이고 있었던 겁니다." 짐이 조용하게 말했어. "사람들은 저를 거대한 침대에 눕혔는데 그게 바로 그녀의 공식 저택 침대였다고요. 그녀는 분주하게 드나들며 자기의 눈을 훔치면서 제 등을 쓰다듬어 주더군요. 제가 가엾어 보였던 게 틀림없었어요. 저는 통나무 토막처럼 거기 누워 있었는데 얼마 동안이나 그러고 있었는지는 모르겠군요."

「그는 도라민의 늙은 아내를 아주 좋아하는 것 같았어. 그녀 또한 어머니처럼 짐을 좋아하고 있었지. 그녀의 암갈색 얼굴은 둥글고 부드러웠는데 온통 잔주름투성이였고, 크고 밝은 빨간 입술은 열심히 베텔 잎을 씹고 있는가 하면, 눈은 불안정했으나 껌벅이며 호의적이었어. 그녀는 자기 딸이며 하녀며 노예 소녀 같은 맑은 갈색 피부의 젊은 여인들에게 바쁘게 꾸짖거나 끊임없이 명령을 내리면서 계속 움직이고 있더군. 그 사람들의 가정이 어떤 곳인지 자네들도 잘 알겠지. 일반적으로 차이를 찾아보기가 불가능하다니까. 그녀는 몸이 가늘었고, 보석 장식의 걸쇠로 앞부분을 고정시키고 있던 풍만해 보이는 겉옷마저도 어쩐지 빈약해 보이는 효과를 내고 있었지. 그녀의 검은 맨발은 중국인의 솜씨로 만든 노란 짚신을 신고 있었어. 나는 그녀가 지극히 숱이 많은 긴 회색 머리카락을 양쪽 어깨 너머로 흩날리면서 여기저기 뛰어 다니는 것을 본 적이 있어. 그녀는 순박하면서도 기민하게 말했고, 명문 출신으로서 괴짜요 독단적인 데가 있었지. 오후가 되면 그녀는 남편의 맞은편에 있는 아주 널찍한 안락의자에 앉아서 훤하게 터져 있는 벽을 통해 보이는 넓은 정착지와 강물을 응시하곤 했어.

「그녀는 어김없이 두 발을 숨긴 채 앉아 있었지만, 반듯하게 앉아 있던 늙은 도라민은 평야에 자리 잡은 산처럼 당당했지. 그는 나코다[17]라는 상인 계층 출신에 불과했지만 사람들이 그에게 바치는 경의와 그의 풍채에서 나오는 위엄은 아주 인상적이었어. 그는 파투산에서 둘째가는 세력의 우두머리였거든. 셀레베스에서 이주해 온 사람들이 여러 해 전에 그를 지배자로 뽑았던 거야. 그들은 모두 예순 가족이었는데 딸린 식솔이니 뭐니 합하면 '단검으로 무장한 사내' 200명쯤은 불러 모을 수 있는 집단이었지. 그 부족 사람들은 이지적이고 기업적인데다 복수심까지 있었지만, 다른 말레이 부족에 비해 더 드

---

17) nakhoda. 말레이 원주민 선박의 선장 혹은 선주를 가리키는 말.

러나게 용기가 있었고 압제를 받으면 참지 못했어. 그들은 라자를 반대하는 세력을 형성했는데, 물론 통상을 둘러싼 시비가 있었지. 주로 통상 때문에 파당 간에 싸움이 벌어졌고 촌락의 이곳저곳을 연기와 불길 그리고 총성과 비명으로 가득 채우는 갑작스러운 사태가 벌어지곤 했었지. 마을이 불타고 사내들이 라자의 방책 안으로 끌려가서 살해되거나 고문을 당하는 이유도 라자가 아닌 다른 사람들과 통상을 한 죄 때문이었어. 짐이 도착하기 며칠 전에도 그 어촌에 살던 몇몇 가장(家長)들이 셀레베스에서 온 장사꾼에게 팔 식용 새 둥지를 수집했다는 혐의로 라자의 창잡이들에게 쫓기다가 절벽에서 추락사했는데, 그 후에 마을은 짐의 특별 보호를 받게 되었지. 라자 알랑은 그 나라의 유일한 통상인으로 자처했고 그 독점권을 깨는 죄에 대한 벌은 죽음이었거든. 하지만 그가 생각하는 통상은 가장 흔한 형태의 강도 행위와 다르지 않았어. 그의 잔혹함과 탐욕은 비겁함과 맥을 같이하고 있기도 했고. 그래서 그는 셀레베스인들의 조직화된 힘을 두려워하고 있었어. 다만, 짐이 오기까지는, 그가 가만히 있을 정도로 겁을 내지는 않고 있었을 뿐이야. 그는 자기 부하들을 통해 그들을 공격했고, 딱하게도 자기 자신을 의롭다고 여겼어. 그러다 아랍계 혼혈인 떠돌이가 한 사람 나타나자 상황은 복잡하게 얽히게 되었지. 내가 알기로, 그 사람은 순수히 종교적인 이유에서 내지에 사는 부족들(짐은 그들을 부쉬족이라 부르더군.)을 선동해서 봉기케 한 후 쌍둥이 산 중의 한쪽 정상에 요새를 만들고 정착하고 있던 중이었어. 그는 양계장을 노리는 매처럼 파투산 고을을 굽어보고 있었지만 이미 평지를 황폐화한 후였지. 사람들이 떠나 버린 마을의 가옥들은 맑은 강 둔덕에 박힌 시커 멓게 변한 기둥 위에서 썩어갔고, 벽을 가리고 있던 풀잎이며 지붕을 씌우고 있던 잎을 한 조각씩 물 위로 떨어뜨리고 있었는데, 그 자연적 퇴락의 기이한 효과는 마치 뿌리가 고사병(枯死病)에 걸린 식물이 죽어가는 모습 같았어. 파투산의 두 세력은 자기네 중의 어느 쪽을 이 분파에서 가장 약탈하고 싶어 하는지 모르고 있었지. 라자는 그쪽과 미미하게 내통하고 있었어. 그래서 부기스족 정착자들 중의 몇몇 사람은 끝없이 계속되는 불안한 삶에 지친 나머지 그쪽을 불러들이자는 방향으로 거의 기울고 있었어. 그들 중 젊은이들은 견디다 못해 '셰리프 알리와 그의 부쉬족을 얻어서 라자 알랑을 그 지역에서 몰아내자'는 조언을 하기도 했거든. 도라민이 그들의 생각을 억누르려고 했지만 쉽지 않았던가 봐. 그는 늙어 가고 있었고, 비록 그의 영향력이 줄지는 않았으나, 사태는 그의 통제에서 벗어나고 있었던 거야. 이런 상황이었을 때 짐이 라자의 방책에서 도망쳐 나와 부기스 정착지의 우두머리 앞에 나타나서 반지를 제시했으니, 말하자면 그 지역 사회의 핵심 속으로 받아들여졌다고 할 수 있겠지.」

26장

「도라민은 내가 만난 그의 종족 중에서 가장 주목할 만한 사람이었어. 말레이인치고 그의 몸집은 대단히 컸지만, 그저 비대해 보이기만 한 건 아니야. 그는 당당했고 우람했으니까. 꼼짝 않고 앉아 있는 그 체구는 채색 비단과 황금 자수(刺繡) 같은 화려한 옷감으로 지은 옷을 걸쳤고, 큰 머리에는 붉은색과 금색의 두건을 두르고 있었지. 크고 납작하고 둥근 얼굴에는 주름과 고랑이 보였고 두 가닥 깊이 파인 반원형 주름살이 사납고 벌름한 콧구멍 양쪽에서 시작되어 두툼한 입술을 감싸고 있었어. 한편 그의 목을 보면 황소 같았고 골이 파인 넓은 이마는 오만하게 응시하는 눈을 덮고 있었어. 이런 특징들이 형성한 그의 전체적 모습을 한번 본 사람이라면 결코 잊을 수 없었을 거야. 일단 자리 잡고 앉으면 그는 팔다리를 거의 움직이지 않았는데, 동요를 모르는 그 정태(靜態)야말로 위엄의 과시처럼 보이기도 했지. 그는 목소리를 높인 적이 한번도 없다는 거야. 그러나 거칠고 우렁찬 중얼거림은 마치 가볍게 가려진 채 멀리서 들려오는 소리 같았어. 그가 걸을 때는 허리까지 아무것도 입지 않은 채 하얀 사롱만 두르고 뒷머리에 검은 두건을 쓴 작고 강건해 보이는 사내 둘이 그의 팔꿈치를 부축했는데, 그들은 그를 편히 앉히고 나면 다시 일어서고자 할 때까지 의자 뒤에 서 있었어. 일어나고 싶을 때 그가 힘이 든다는 듯이 천천히 고개를 좌우로 돌리면 그들은 그의 겨드랑을 잡고 일어서는 걸 도와주었어. 그런 동작에도 불구하고 그에게 신체적 장애가 있었던 건 아냐. 오히려 그와 반대로, 그 모든 무거운 동작은 어떤 강력하고도 신중한 힘의 표현 같더라니까. 공적인 사안에 대해서는 그가 처와 상의하는 것으로 널리 알려져 있었지만, 내가 아는 한, 두 사람이 말을 한마디나마 주고받는 것을 들은 사람은 하나도 없어. 그들이 넓게 트여 있는 벽 옆에서 격식을 갖추고 앉아 있을 때에는 늘 침묵이 흘렀으니까. 그들이 저녁 햇살을 통해 내려다볼 수 있는 것은 멀리 보라색이나 자주색으로 뻗어 있는 산맥에 이르도록 물결치며 어둡게 잠들어 있는 암녹색 바다 같은 광대한 수림 지대였어. 그들은 또 은을 때려서 만든 거대한 S자를 연상시키며 구불구불 흐르는 빛나는 강물이며, 양쪽 강둑을 따라 갈색 리본처럼 줄을 지어 서 있는 가옥들이며, 비교적 가까운 나무 꼭대기 위로 솟아올라 마을을 덮어 버릴 듯하던 쌍둥이 봉우리도 볼 수 있었지. 두 사람은 놀라울 정도로 대조를 이루고 있었어. 여인은 몸이 가볍고 연약하고 깡마르고 날쌔서 조금은 마녀처럼 보였고 휴식 중에도 모성애적인 까다로움을 보이는 편이었지만, 그녀를 마주 보고 앉아 있는 거구의 육중한 사내는 바위로 대충 깎아놓은 인물 같아서 그 부동자세 속에는 무언가 도량이 넓으면서도 무자비한 데가 있었지. 그런데 이 두 노인의 아들은 아주 뛰어난 젊은이였다고.

「그들은 아들을 늦게 얻었던 거야. 어쩌면 그가 보기만큼 젊지는 않을 수도 있어. 사내 나이 열여덟에 한 가족의 아버지가 되기도 하는 사회에서는 스물네다섯을 그리 젊은 나이라 할 수는 없지. 그의 부모가 존경 어린 시종들에게 둘러싸인 채 격식을 갖추고 앉아 있는 방에는 고급 매트가 깔려 있고 흰 천이 높다란 천장을 장식하고 있었는데 그가 그 큰 방에 들어오면 똑바로 도라민에게로 가서 그가 근엄하게 내미는 손에 키스를 한 후 모친 쪽으로 건너가서는 그 의자 옆에 서 있곤 했어. 부모가 그 아들을 우상처럼 생각했다고 말할 수도 있을 거야. 하지만 나는 그들이 아들에게 공공연한 시선을 던지는 걸 본 적이 없어. 사실 그 모든 것들은 공적인 기능 수행이었던 거야. 그 방에는 늘 많은 사람들이 들끓고 있었어. 만나고 헤어질 때의 엄격한 격식, 그리고 몸짓, 표정과 속삭임으로 표현하는 깊은 경의는 뭐라고 형언할 수 없을 지경이었지. "그건 구경거리가 될 만하지요." 우리가 되돌아가는 길에 강을 건널 때 짐이 나에게 말하더군. "책에나 나올 만한 백성들이죠?" 그가 기분 좋게 말했어. "그런데 그 다인 와리스[57]라는 아들은 제 평생에서 가장 좋은 친구랍니다. 물론 선장님은

빼놓고요. 스타인이 훌륭한 '전우'라고 부를 만한 사람입니다. 저는 운이 좋았어요. 제가 막판에 그들 사이로 굴러든 것은 운이 좋았다고요." 그는 고개를 숙이고 명상에 잠겼다가 다시 정신을 차리며 덧붙였어.

「"물론 저는 그 행운을 맞아 가만히 있고 싶지 않았습니다, 오히려 저는……" 그는 잠시 말을 멈추더군. "그게 절 찾아오는 것 같았거든요." 그가 중얼댔어. "저는 대번에 해야 할 일이 무언가를 알게 되었다고요……."

「그 기회가 그를 찾아온 걸 의심할 수는 없었어. 당연한 일이겠지만 그것은 전쟁을 통해서 찾아왔지. 왜냐하면 그에게 생기게 된 권세는 평화를 성취할 수 있는 힘이기도 했기 때문이야. 너무나 빈번히 힘이 정당화될 수 있는 것도 오직 그런 의미에서만 가능하니까. 그가 자기의 길을 즉시 찾아냈다고는 생각하지는 말게. 그가 도착했을 때 부기스족 공동체는 가장 위태로운 처지에 있었거든. "그들은 모두 겁을 먹고 있었습니다." 그는 나에게 말했어. "제가 보기에는 라자와 그 떠돌이 셰리프 사이에서 그들이 한 사람씩 험한 꼴을 보지 않으려면 당장에 무슨 조처든 취해야 했음이 분명한데도 저마다 겁만 먹고 있더라고요." 그걸 그저 보고만 있어서야 아무 소용도 없었지. 그래서 자기가 할 수 있는 일을 생각하게 되자 그는 공포와 이기심이라는 벽을 뚫고 주민들의 내키지 않는 마음속으로 그 생각을 밀어 넣어야만 했고, 결국 밀어 넣는 데 성공했

---

18) 말레이어로 '후계자' 또는 '상속인'이라는 뜻.

어. 하지만 그런 생각만으로는 아무것도 아니었지. 그걸 실현할 수단까지 생각해 내야 했으니까. 결국 그는 그 수단을 생각해 냈는데 대담한 계획이었어. 하지만 계획만으로는 그의 과업이 반밖에 이루어지지 않았던 셈이야. 당치도 않은 은밀한 이유로 겁을 먹고 뒷걸음질치던 수많은 사람들에게 그는 자기의 자신감을 고취해야만 했어. 그는 바보 같은 시기심을 해소하는 한편 설복을 통해 온갖 종류의 불신도 씻어 버려야만 했으니까. 도라민의 권위와 그 아들의 불같은 정열이 무게를 실어 주지 않았다면 그는 실패하고 말았을 거야. 그 뛰어난 젊은 이 다인 와리스가 가장 먼저 그를 신임해 주었어. 그들 사이의 우정은 갈색 인종과 백인 사이에 생겨날 수 있는 일종의 기이하고 심오하면서도 희귀한 것이었는데, 그런 우정 속에서는 인종 간의 차이 자체가 모종의 신비한 공감적 요소를 통해 두 사람을 더욱 가깝게 끌어당기는 듯했지. 다인 와리스에 대해서 백성들은 '백인처럼 싸우는 법을 아는 사람'이라고 하며 자랑스럽게 여기고 있었어. 그건 사실이야. 그에게는 백인 같은 용기가 있었는데 그건 공공연히 드러내는 용기였어. 뿐만 아니라 그에게는 유럽적인 정신도 있었지. 그처럼 우리는 이따금 그런 것들과 마주치게 되는데, 기대하지 않은 데서 우리에게 익숙한 사상적 성향이라든지 명료한 비전이라든지 집요한 목표라든지 이타주의의 색채를 보고는 놀라기도 하니까. 체구는 작았으나 놀라울 정도로 균형 잡힌 몸매의 다인 와리스는 자랑스러운 몸가짐이며 세련되고 편안한 태도며 투명한 불꽃 같은 성미를 가지고 있었어. 그 거무튀튀한 얼굴과 크고 검은 눈은 행동할 때는 표현적이었지만 휴식 중에는 생각에 잠긴 듯했지. 그는 침묵을 좋아하는 편이었는데, 확고한 눈초리, 아이러니한 미소, 정중하고 사려 깊은 태도는 그에게 막대한 이지력과 힘이 간직되어 있음을 암시하는 듯했어. 흔히 표면적인 것에만 관심이 있는 서구인들의 눈앞에서 이런 것들은 기록되지 않은 세월 동안 신비로움이 드리워 있던 그곳 사람들과 그 땅의 숨겨진 가능성을 펼쳐 보여 준다니까. 그는 짐을 신임했을 뿐만 아니라 이해하기까지 했으리라고 나는 확신해. 내가 그에 대한 이야기를 하는 것은 그가 나를 사로잡았었기 때문이야. 내가 이런 표현을 쓸 수 있을지 모르겠으나, 그에게는 통렬한 평정심이 있었고 짐의 소망에 대한 이지적 공감도 있었는데, 그런 것들이 내게 호소해 왔던 거야. 나는 우정의 근원을 바라보고 있는 기분이었어. 짐이 선도했다면 다인 와리스는 자기의 선도자를 사로잡고 있었던 거지. 사실 선도자 짐은 어떤 면으로 보아도 사로잡힌 몸이었거든. 그 땅, 그 백성, 우정 및 애정이 질투심을 가진 듯이 짐의 육신을 보호하고 있었으니까. 날이면 날마다 짐의 기이한 자유를 얽어매고 있던 사슬에 쇠고리가 하나씩 늘어나고 있었어. 날마다 내가 그 이야기를 더 많이 듣게 될수록 나는 그걸 더욱더 확신하게 되었지.

「그 이야기라고 했었나? 그 이야기를 들었고말고. 걸어 다니면서, 야영지에서 나는 그 이야기를 들었어. 그는 나로 하여금 눈에 보이지도 않는 사냥감을 찾듯이 온 지역을 샅샅이 뒤지고 다니게 했거든. 나는 두 봉우리 중의 하나에서 마지막 100피트를 손과 무릎으로 기다시피 오른 후에 그 이야기의 많은 부분을 들었어. 우리가 마을을 찾아다닐 때마다 자발적으로 우리를 추종하던 사람들의 호송을 받았는데 그들은 언덕 중턱의 평평한 곳에서 야영을 하고 있었고, 바람 한 점 없이 고요한 저녁에 나무가 타면서 내는 연기가 아래쪽에서 올라와서 어떤 엄선된 향료의 냄새처럼 우리의 코를 찔렀어. 목소리도 올라왔는데 명확하고 실체 없이 맑기만 해서 경이롭게 들리더군. 짐은 벌목해서 눕혀놓은 나무 등치에 앉아서 파이프를 끄집어내더니 피우기 시작했어. 새로 풀과 덤불이 돋아나고 있었는데, 한 가시나무 가지 뭉치 아래에는 토루(土壘)의 흔적이 보이더군. "모든 것은 여기서 시작되었지요." 생각에 잠겨 길게 침묵하던 그가 말했어. 음침한 절벽에서 200야드 떨어져 있던 건너편 언덕 위에는 까맣게 변한 높은 말뚝 한 줄이 남아서 셰리프 알리가 세운 난공불락의 진지의 잔재를 여기저기 을씨년스럽게 보여 주고 있더군.

「하지만 그 진지는 함락되었지. 그건 그의 아이디어였어. 그는 도라민의 낡은 대포들을 언덕 정상에 설치했는데, 7파운드짜리 포탄을 발사하는 두 문의 녹슨 철제 대포와 오스트레일리아 산의 많은 소형 놋쇠 대포였어. 놋쇠 대포는 부의 상징이기도 했지만, 무모하게 그 포구에 장전할 경우 실탄을 약간의 거리까지 쏘아 보낼 수도 있었지. 문제는 그걸 그 정상까지 끌어올리는 일이었어. 그는 밧줄을 어디다 고정했는지 보여 주었고, 속을 파낸 통나무 토막을 뾰쪽한 말뚝에 끼워 돌림으로써 조잡하게나마 케이블을 감아올리는 장치를 즉흥적으로 고안해 냈다고 설명하는가 하면, 파이프의 대통으로는 토루의 윤곽을 그려 보이더군. 그 마지막 100피트가 가장 힘든 곳이었어. 그는 스스로 그 성패의 책임을 졌던 거야. 그는 전투원들이 밤새도록 열심히 작업하도록 유도했고, 온 비탈에 일정한 간격으로 큰 불이 밝혀졌어. "하지만 이 위쪽에서는 인양 작업반이 어둠 속에서 뛰어다녀야만 했지요." 그가 설명했어. 정상에서 그는 사람들이 비탈에서 개미처럼 작업하는 것을 보았고, 그날 밤 자신도 청설모처럼 황급히 오르내리면서 작업선상에서 지도와 격려와 감시를 하고 있었어. 늙은 도라민은 안락의자에 탄 채 그 언덕을 올라갔지, 사람들이 그를 비탈의 평면에 내려놓으니까 그는 큰 불빛을 받으며 앉아 있더라는 거야. "놀라운 늙은이요 진정한 족장이었습니다." 짐이 말했어. "그 작은 눈을 사납게 뜨고, 부싯돌 방아쇠가 장착된 커다란 권총을 두 자루나 무릎에 놓고 있었지요. 흑단(黑檀)에 은장식을 해서 만든 총이었는데 방아쇠가 아름다웠고 구경(口徑)이 옛날 나팔총처럼 생겼지요. 선장님께서도 아시는 그 반지를 받고 나서 스타인이 준 선물인 듯했습니다. 원래는 맥닐의 소유물이었는데 그가 그걸 어떻게 가지게 되었는지는 아무도 모르죠. 그는 거기서 마른 덤불을 태우는 불길을 등진 채 앉아 있었지만 손발을 움직이지는 않았답니다. 많은 사람들이 그의 주위에서 뛰어다니거나, 소리를 지르거나, 밧줄을 당기거나 하고 있었지만 그 늙은이는 극히 엄숙하고 당당한 자세로 앉아 있었다고요. 만약에 셰리프 알리가 그 몹쓸 선원들을 풀어 우리를 공격하고 제 운명을 짓밟았더라면, 도라민이 승전할 가망은 별로 없었을 겁니다. 어쨌든 그는 무엇이든 잘못될 경우에는 죽을 각오로 그곳에 올라왔던 겁니다. 틀림없어요. 그가 거기서 바위처럼 앉아 있는 것을 보고 저는 전율했습니다. 하지만 셰리프는 우리를 미쳤다고 여겼던지 우리가 어떻게 하고 있는지 살피려고 와보지도 않더군요. 아무도 그 일이 성취되리라고는 생각하지 않았거든요. 하기야 그 일을 하느라 밀고 당기면서 땀을 뻘뻘 흘리던 녀석들조차 그 일이 성취되리라고는 믿지 않았으니까요. 정말이지 그들이 믿었을 것 같지 않아요……."

「짐은 연기가 모락모락 나는 파이프를 움켜쥔 채 똑바로 서서 입술엔 미소를 머금고 소년티가 나는 눈을 반짝이고 있었어. 나는 그의 발치에 있던 나무 그루터기에 앉아 있었는데 우리 아래쪽으로는 대지가 전개되어 있었지. 햇빛을 받고도 어둑해 보이던 광대한 숲은 바다처럼 물결치고 있었고, 구불구불 흐르면서 번뜩이는 강물이며 회색 취락지가 보이는가 하면, 여기저기 숲을 터서 만든 빈터는 연이은 수목의 꼭대기들이 모여서 이룬 어두운 물결 속에 빛을 받으며 떠 있는 섬 같더라니까. 그 광대하고 단조로운 풍경 위로 무거운 암울함이 덮고 있었어. 빛은 마치 심연 속을 비추듯이 그 위를 비추고 있었으니까. 대지가 햇빛을 삼키고 있었던 거야. 다만 멀리 해안을 따라 얇은 안개 속에서 매끈하게 반질거리던 바다만이 강철 벽 안에서 하늘 쪽으로 솟아 있는 듯하더군.

「그의 역사적인 봉우리 정상에서 나는 햇빛을 받으며 그와 함께 있었어. 그는 숲과 불후의 어둠과 오래된 인간들을 지배하고 있었던 거야. 그는 대좌(臺座) 위에 세워놓은 조상(彫像)처럼 자신의 젊음을 줄기차게 지키면서, 어둠을 버리고 나와서 영원히 늙지 않는 종족에게서나 볼 수 있을 힘과 덕을 대표하고 있었지. 어찌하여 그가 나에게는 늘 상징적으로만 보였는지 알 수가 없어. 아마도 그 점이 내가 그의 운명에 관심을 가지게 된 진짜 이유일 거야. 그의 삶에 새로운 방향을 제공해 주었던 그 사건을 기억하는 것이 정확히 그에게 공평한 일이 될 수 있을지 나로서는 알 수가 없군. 하지만 바로 그 순간에 나는 아주 분명히 기억하고 있었어. 그건 빛 속의 그림자 같은 것이었으니까.」

27장

「그가 초자연적 능력을 가진 사람이라는 전설이 어느새 나돌고 있더군. 많은 밧줄을 교묘하게 이용하고 많은 사람들이 힘을 써서 신기한 장치를 하나 돌리니까, 마치 산돼지가 코로 덤불 속을 파헤치며 나아가듯이, 대포는 하나씩 숲을 가르며 천천히 올라갔다는 거야. 하지만…… 그래서 가장 슬기로운 주민까지도 머리를 저었지. 그 일에는 무언가 신비로운 데가 있었던 거야. 도대체 밧줄과 인간의 팔에 무슨 힘이 있기에 그럴 수가 있느냐는 거였지. 사물 속에는 반역적인 혼이 들어 있어서 강력한 마력이나 주문으로써 극복해야 한다는 거야. 어느 날 저녁에 나는 파투산에서 아주 존경받는 집안의 연로한 수라와 한담을 나누었는데 그가 그런 말을 하더군. 하지만 수라는 직업적인 무당이기도 했고, 사물의 완강한 혼을 진정시킬 목적으로 사방 몇 마일에 걸쳐 모든 벼의 파종과 수확에 임석하기도 했어. 그는 그걸 아주 힘든 일이라고 여기는 듯했고, 어쩌면 사물의 혼은 인간의 혼보다 더 완강할 수도 있겠지. 외곽 마을의 순진한 주민들은 짐이 대포를 한꺼번에 두 문씩 짊어지고 언덕을 올라갔다고 믿으며 말했는데, 마치 세상에서도 가장 자연스러운 일이라 여기는 듯했어.

「이 말이 나오자 짐은 성을 내며 발을 구르더니 화가 난 듯 어색하게 웃으며 소리를 지르더군. "이런 바보 같은 녀석들을 데리고 무얼 할 수 있겠습니까? 이들은 바보 같은 이야기를 하며 밤이 이슥하도록 자지 않는데, 그 거짓말이 심하면 심할수록 더 좋아하는 듯하다니까요." 그가 그렇게 화를 내는 데에서 나는 주위 환경이 그에게 끼친 묘한 영향을 찾아볼 수 있었어. 그 영향은 그가 사로잡혀 있는 상태의 한 부분이었던 거야. 그가 그런 전설을 열렬히 부인하는 꼴이 재미있어서 나는 "이보게, 나까지 그걸 믿는다고 생각하진 말게나."라고 말했어. 그는 아주 놀라며 날 바라보더니, "물론이죠. 그렇게 생각하진 않아요."라고 하면서 깔깔거리며 요란한 웃음을 터뜨리더군. "어쨌든 대포는 산정으로 올라갔고 해가 뜰 무렵에 일제히 발사되었습니다. 파편이 흩날리는 걸 보셨어야 하는데." 그가 소리쳤어. 그의 옆에선 말없이 미소를 지으며 귀를 기울이고 있던 다인 와리스가 눈까풀을 떨어뜨리며 발을 조금 질질 끌고 있었지. 대포 설치의 성공이 짐의 편 사람들에게 굉장한 자신감을 주었기 때문에 그는 과거에 전투를 경험한 적이 있는 두 명의 늙수그레한 부기스 족 사람에게 포대를 맡긴 후에 골짜기에 숨어 있던 다인 와리스와 그의 공격 부대에 합세했던 것 같아. 첫새벽에 그들은 기어오르기 시작했고, 3분의 2쯤 올라갔을 때 그들은 젖은 풀밭에 누워서 신호로 합의해 두었던 일출을 기다리고 있었어. 새벽이 재빨리 다가오는 것을 지켜보면서 그는 엄청나게 초조하고 고뇌에 찬 감정에 휩싸여 있었고, 간밤에 작업을 하며 언덕을 오르내리느라 몸이 뜨거워졌다가 이제는 싸늘한 이슬이 골수를 식히는 것을 느끼기도 했으며, 전진할 시간이 되기 전에 자기 몸이 나뭇잎처럼 떨게 될까 몹시 겁이 났다고 말했어. "제 일생에서 가장 느리게 지나간 반 시간이었습니다."라고 그는 말하더군. 차츰 그의 머리 위에는 하늘을 배경으로 한 조용한 방책이 나타났어. 비탈에 흩어져 있던 사람들은 검은 바위와 물이 뚝뚝 떨어지는 숲 속에 웅크리고 있었고, 다인 와리스는 그의 곁에 납작하게 누워 있었지. "우리는 서로 쳐다보았습니다." 짐이 자기 친구의 어깨에 정다운 손을 얹으면서 말했어. "그는 아주 명랑하게 미소를 짓고 있었어요. 그러나 저는 몸을 발작적으로 떨기 시작할까 봐 겁이 나서 감히 입술을 열려고 하지도 않았습니다. 정말이에요. 입술을 열지 않았다고요! 우리가 은폐물에 숨어 있는 동안 나는 비 오듯이 땀을 흘리고 있었어요. 짐작하시겠죠……." 그가 말했어. 그가 그 결과를 겁내지는 않았다고 했는데 나는 그 말을 믿어. 그는 오직 몸이 떨리는 것을 억제하지 못할까 봐 걱정하고 있었던 거야. 그 결과에 대해서는 상관하지 않았어. 그는 무슨 일이 있어도 그 언덕의 정상까지 올라가서 머물게 되어 있었으니까. 되돌아갈 수는 없는 일이었어. 사람들은 무언중에 그를 신임했고, 그만을 신임하고 있었던 거야! 그의 말만으로도…….

「이 대목에서 그가 말을 중단하고 날 응시하던 일이 생각나는군. "제가 알고 있는 한, 그들에게 후회할 일이 아직은 없었지요." 그가 말했어.[19] "없었고말고요. 저는 앞으로도 그럴 일이 없기를 하느님께 빕니다. 한편, 더욱 딱한 건 그들이 무슨 일을 하든 모든 일에서 제 말을 받아들이는 습성에 젖어 있었다는 거지요. 선장님께서는 모르실 겁니다. 며칠 전에는 평생 만난 적이 없는 어떤 늙은이가 몇 마일이나 떨어진 마을에서 절 찾아와서 자기가 처와 이혼해야 할 것인지를 알아보고 싶다고 했습니다. 사실이 어떻고, 엄숙한 서약이 어떻고, 뭐 그런 식이었지요……. 저로서는 믿을 수 없었어요. 선장님께서는 믿으시겠어요? 베텔 너트를 씹으며 베란다에 웅크리고 앉아 한 시간이 넘도록 한숨을 짓거니 사방으로 침을 뱉거니 하면서 장의사처럼 침통해하다가 드디어 그놈의 곤경이란 걸 실토했지요. 그런 일은 보기보다 재미가 없다고요. 그럴 땐 무어라고 해야겠습니까? 좋은 아내였냐고 물었죠. 네, 좋은 아내인데 나이가 지긋했겠죠. 놋그릇이 어쩌고 하면서 장황한 이야기를 시작하데요. 함께 산 지 십오 년인지 이십 년인

---

19) 원전의 이 대목에서 직접화법으로 인용되고 있는 짐의 이야기 속에서 주어 '그(he)'는 짐 자신인 '나(I)'를, '나(I)'는 말로를 가리키는 '선장님(you)'로 되었어야 옳다. 콘래드는 고의로 이런 혼란스런 화법을 쓰고 있는 듯한데 무슨 효과를 노렸는지 단언할 수 없다. 이 번역에서는 이를 모두 바로잡음으로써 읽는 데 혼동이 없게 했음을 밝혀 둔다.

지는 모르지만, 오래, 오래되었다더라고요. 착한 아내였는데, 젊을 때는 때리기도 했으나 많이 때리진 않았다고 했지요. 자기의 체면 때문에 때리지 않을 수 없었다는 거예요. 나이가 들더니 갑자기 그녀가 자기 여동생의 며느리에게 놋쇠 그릇을 세 개 빌려주고 나서 매일같이 큰 목소리로 남편에게 욕을 한다는 거예요. 그래서 그의 적들이 그를 비웃게 되었고 그는 온통 체면에 먹칠을 하게 되었다는 거죠. 그 그릇은 없어지고 말았는데, 그것 때문에 몹시 비난받고 있다는 거였습니다. 그 따위 이야기는 속을 헤아릴 수가 있어야죠. 집에 돌아가 있으면 제가 찾아가서 그 문제를 해결해 주겠노라고 약속했지요. 웃어넘기기야 쉽겠지만 가장 귀찮은 일이 아니겠습니까. 숲 속을 거쳐 종일 찾아가서 바보 같은 마을 사람들을 회유해서 그 사건의 진상을 파악하기 위해 또 하루를 허송해야 했으니까요. 그 일 때문에 유혈 소동이 벌어질 수도 있었죠. 변변찮은 바보들이 모두 이쪽 아니면 저쪽 편을 들게 되었고 마을 사람들의 반쪽이 무엇이든 손에 쉽게 잡히는 것을 들고 상대편을 향해 덤벼들 태세였으니까요. 정말이지. 농담이 아니라고요!…… 그놈의 농작물이나 돌보지 않고 말입니다. 물론 그에게 그놈의 놋쇠 그릇을 되찾아 주었고, 양편을 모두 진정케 했지요. 그걸 해결하는 일이 어렵지는 않았습니다. 물론 어렵진 않았어요. 이곳에서는 가장 무서운 싸움도 해결하기가 식은 죽 먹기지요. 문제는 진상을 파악하는 일입니다. 제가 모든 사람들에게 늘 공평했는지는 오늘까지도 잘 모르겠습니다. 전 그게 걱정이었지요. 그리고 주고받아야 하는 이야기도 문제였다고요. 도대체 두서가 없었으니까요. 저 같으면 그런 일을 하느니 차라리 어느 때건 20피트 높이의 방책을 공격하는 편이 낫겠습니다. 훨씬 낫지요. 주민을 상대하는 일에 비한다면 아이들 장난처럼 쉬운 일일 테니까요. 그리 오랜 시간이 걸리지도 않고요. 그런 일은 대체로 우스운 소동이랍니다. 그 바보는 제 할애비가 될 정도로 나이가 많았거든요. 그러나 다른 관점에서 볼 때 그걸 농담이라 할 수는 없었어요. 셰리프 알리를 쳐부수고 난 후에는 저의 말이 모든 것을 결정했으니까요. 그러니 책임이 엄청나게 커진 거죠." 그는 거듭 말했어. "아니, 사실, 농담이 아니라, 세 개의 썩어 빠진 그릇 대신에 세 사람의 목숨이 걸려 있었다 하더라도 마찬가지였을 겁니다……."

「그는 자기가 거둔 승전의 도덕적 효과를 이렇게 설명하더라니까. 참으로 굉장한 효과였다고. 그것은 그를 갈등에서 평화로 인도했고 죽음을 거쳐 사람들의 가장 깊숙한 내면 생활로 들어갈 수 있게 해 주었으니까. 하지만 햇빛 아래 펼쳐진 대지의 어둠은 속을 헤아릴 수 없이 영속하는 안식의 외양을 지니고 있었어. 그가 피로의 기색을 거의 드러내지 않았다는 건 참으로 놀라운 일이었어. 그의 싱싱한 젊음의 목소리는 경쾌하게 떠돌며 변하지 않은 숲의 표면 위로 지나갔는데, 마치 체내의 한기를 적당히 통제하는 일 말고는 세상에 아무 걱정도 없었던 그 이슬 맺힌 싸늘한 아침에 울리던 대포 소리 같았다고나 할까. 꼼짝하지 않는 수림의 윗부분에 첫 햇살이 번지자 무거운 포성과 함께 한쪽 언덕 정상이 하얀 초연(硝煙)으로 띠를 둘렀고, 상대편 언덕의 정상에서는 비명, 전투를 재촉하는 함성, 분노, 경악 및 고통의 소리가 터져 나왔어. 짐과 다인 와리스가 맨 먼저 방책의 말뚝에 손을 댔다는 거야. 항간에 떠도는 이야기로는 짐이 손가락을 대기만 했는데도 방책의 문이 허물어졌다는 거야. 그는 물론 그런 일은 없었다고 열심히 변명했지. 주로 그곳이 지형적으로 접근 불가능하다는 것을 셰리프 알리가 과신하고 있었기 때문에 그 방책 모두가 부실한 상태에 있었다고 짐은 열심히 설명하려 했어. 어쨌든 방책은 이미 허물어진 상태였지만 기적적으로 서로 엉겨 서 있었던 거야. 그는 바보처럼 그 방책을 어깨로 밀치고 무턱대고 안으로 들어갔지. 하지만 맙소사! 그때 다인 와리스가 아니었더라면, 얽은 얼굴에 문신까지 한 떠돌이 녀석이 짐을 창으로 찔러 마치 스타인의 딱정벌레처럼 각목에다 고정시키고 말았을 거야. 세 번째로 들어온 사람은 짐의 하인 탐 이탐이었던가봐. 이 사람은 북쪽에서 온 말레이인으로 어쩌다 파투산으로 굴러 들어오게 된 이방인인데 라자 알랑에게 붙잡혀서 그의 공용 보트 중의 하나에서 노를 저으며 지내던 사람이었지. 그는 도망칠 첫 기회를 맞자 놓치지 않았고, 부기스 정착촌에서 불안정한 피신 생활을 하며 굶다시피 하던 중, 짐에게 매달리게 되었던 거야. 그의 안색은 검었고 얼굴은 평평했으며, 불거진 눈에는 노기가 감돌고 있었어. '백인 주인'에 대한 그의 헌신 속에는 어딘지 과도하고 거의 광적인 데가 있었지. 그는 무뚝뚝한 그림자처럼 짐에게 붙어 다녔으니까. 공식 행사가 있을 경우에는 한쪽 손으로 단검의 손잡이를 잡은 그가 주인의 뒤를 따라다니면서 싸움이라도 걸듯이 무거운 눈초리로 일반 백성들이 가까이 오지 못하게 했어. 짐이 그를 자기 체제의 우두머리로 삼자 모든 파투산 사람들은 그를 영향력 있는 사람으로 존중하며 환심을 사려 했지. 그 방책을 함락시킬 때 그는 조직적 포악함을 보이며 싸움으로써 크게 수훈을 세웠어. 공격 부대가 너무 빨리 다가갔기 때문에 그곳 주둔군 사이에 공포 분위기가 조성되었음에도 불구하고, 짐의 말에 의하면, "그 방책 내부에서 오 분간의 열띤 백병전을 벌이던 중 어떤 변변찮은 바보가 나뭇가지와 마른 풀로 지은 집에 불을 붙이는 통에 우리는 그만 목숨아 날 살려라고 그 속에서 피해 나오지 않을 수 없었다."는 거였어.

「상대편은 철저히 궤멸했던 것 같아. 머리맡에서 초연이 천천히 번지는 가운데 언덕에 놓인 의자에서 꼼짝하지 않고 기다리던 도라민은 그 소식을 접하고 가슴속 깊이 끙 소리를 냈어. 그의 아들이 무사하며 추격전을 지휘하고 있다는 보고를 듣자 그는 또 다른 소리는 내지도 않고 일어서려고 혼신의 노력을 했지. 그의 시종들이 달려가서 그를 도왔고 경의를 표하며 그를 세워 놓으니까 그는 아주 위엄 있게 발을 질질 끌면서 좁은 그늘 속으로 들어가더니 하얀 시트 한 장을 푹 뒤집어쓰고 누워 잠이 들었어. 파투산에서는 사람들의 흥분이 대단했었지. 짐이 그러는데, 아직도 불이 꺼지지 않은 잿더미며 검은 재며 반쯤 타다 만 시신 같은 것들을 뒤로하고 언덕을 내려오면서 그는 강 양쪽으로 지은 가옥 사이의 빈터들이 뛰어다니는 사람들로 들끓다가 순간적으로 텅 비는 것을 여러 차례 보았다는 거야. 그의 귀에는 아래쪽에서 들려오는 굉장한 징소리와 북소리가 희미하게 들렸고. 군중의 거센 함성이 멀리서 희미하게 터지는 포효처럼 그에게 다다르고 있었지. 여러 폭의 기다란 깃발들이 갈색 지붕 사이로 날아다니는 희고 붉고 노란색의 작은 새들처럼 펄럭이고 있었어. "자네는 그 광경을 즐기고 있었겠군." 나는 공감의 정서가 격동하는 것을 느끼면서 중얼거렸어.

「"그건…… 그건 정말 대단했습니다. 대단했다고요!" 그는 두 팔을 활짝 펴면서 크게 소리 지르더군. 그 갑작스러운 동작에 나는 놀랐어. 마치 그가 햇빛과, 사색에 잠긴 듯한 숲과, 강철색 바다를 향해 가슴속의 비밀을 드러내고 있는 듯했기 때문이야. 우리의 아래쪽에서 고을은 잠든 듯이 흐르는 강의 양쪽 둑에서 완만한 곡선을 그리며 평화롭게 자리 잡고 있었어. "대단했어요!" 그는 자신만이 들을 수 있도록 속삭이면서 같은 말을 세 번이나 되풀이하더라니까.

「대단했겠지! 틀림없이 대단했을 거야. 자기의 언약에 대한 성공의 보장이라든지, 자기의 발바닥이 딛고 설 정복한 땅이라든지, 사람들의 맹목적 신임이라든지, 불에서 건져 낸 자기 자신에 대한 믿음이라든지, 자기의 성취가 주는 고립감 같은 것들이 대단했을 거라는 뜻이야. 내가 앞서 말한 대로, 이 모든 대단함도 이야기로 전달하니까 축소되고 마는군. 그가 처한 총체적이고도 철저한 고립에 대한 인상을 자네들에게 말로만 전달하기는 불가능해. 그곳에서는 어떤 의미에서든 그가 유일한 백인이었음을 나는 물론 알고 있어. 하지만 의심할 여지없는 그의 천성의 면면들이 그로 하여금 주위 환경과 너무나 밀접한 관계를 가지도록 했기 때문에 그 고립은 오직 그의 권세의 효과로만 보였을 뿐이야. 그의 고립은 그를 더 높이 보이게 했어. 그의 주변에는 그와 비교될 수 있는 것이 하나도 없었어. 그는 명성의 위대함을 잣대로 해서만 평가될 수 있는 예외적 인간으로 보였으니까. 그의 명성은 사방으로 여러 날 걸려서야 갈 수 있는 넓은 지역에 걸쳐서 가장 높은 것이었음을 알아야 해. 그 명성이 미치는 범위를 벗어나려면 오랫동안 지겹게 노를 젓거나 삿대질을 하거나 아니면 오솔길을 걸어 나가야만 했을 거야. 그것은 우리 모두가 아는 평판 나쁜 여신의 나팔 소리처럼 귀에 거슬리거나 뻔뻔스러운 명성이 아니었다고. 그 명성은 과거가 없는 그 땅의 정적과 어둠에서 성조(聲調)를 얻었으며, 거기서는 날마다 그의 말이 하나의 진리로 통하고 있었어. 또 그 명성은 탐색되지 않은 깊은 오지로 우리를 따라가며 그 정적의 성질을 얼마쯤 띠게 되고, 우리 곁에서 끊임없이 들리는가 하면, 스며들거나 멀리 번져 나가기도 했으며, 그것을 속삭이는 사람들의 입술에서는 경탄과 신비로움으로 물들기도 했지.」

28장

「패배한 셰리프 알리는 더 이상 버티지 못하고 그 지역에서 도망치고 말았어. 그간 비참하게 쫓겨 다니던 마을 사람들이 정글에서 기어 나와 퇴락해 가는 집으로 돌아왔을 때, 다인 와리스와 상의해서 촌장들을 임명한 사람은 짐이었지. 이리하여 그는 사실상 그 땅의 통치자가 되었다고. 퉁쿠 알랑으로 말하자면, 처음에 그의 두려움은 한이 없었어. 전해 오는 말에 의하면, 짐이 그 언덕을 성공적으로 공략했다는 정보를 접하자 그는 자기 접견실의 대나무 바닥에 벌렁 엎어진 채 꼼짝도 하지 않고 하루 밤낮을 보내면서 숨을 죽인 소리로 중얼거리고 있었는데 그 소리가 듣기에 너무 끔찍해서 그가 엎디고 있는 곳으로부터 창 한 자루 길이의 거리 이내로는 아무도 감히 접근하려 하지 않았다는 거야. 이미 그는 자기가 파투산에서 불명예스럽게 쫓겨나서, 버림받고, 박탈당하고, 아편도 없이, 아낙네들이나 추종자들도 거느리지 못한 채 헤매다가 처음 마주치는 사람에게 살해될 수 있는 좋은 사냥감으로 전락하게 될 자기의 신세를 마음속으로 그려 보고 있었겠지. 셰리프 알리가 당한 뒤에는 자기가 당할 차례일 텐데, 그런 악마 같은 자가 이끄는 공격을 누가 이겨 낼 수 있었을 것인가? 사실 내가 파투산을 찾아갔을 때 그가 여전히 목숨과 권위를 지니고 있었던 것도 오직 정당성에 대한 짐의 소신 덕분이었다고. 부기스족은 알랑에게 당했던 고통에 대해 지극히 보복하고 싶어 했고, 감정이 없어 보이는 도라민도 자기 아들이 파투산의 통치자가 되는 것을 보았으면 하는 희망을 품고 있었지. 우리가 만나 의견을 나누던 자리에서도 그는 그 은밀한 야망을 일부러 나에게 드러내 보이더라니까. 세상의 그 무엇도 그가 위엄 있게 경계하면서 문제에 접근하는 방식보다 더 세련될 수는 없었을 거야. 그 자신도 젊은 시절에는 힘깨나 썼지만 이제는 늙어서 지쳐 가고 있다는 말부터 시작하더군……. 그 덩치 큰 사람이 작고 거만한 눈으로 무언가 슬기롭게 캐내려는 듯한 눈초리를 던지는 걸 본 사람이라면 누구나 늙고 교활한 코끼리를 생각하지 않을 수 없었을 거야. 그의 넓은 가슴은 힘차게 규칙적으로 오르내리고 있었는데 마치 조용한 바닷물이 일렁이는 듯하더군. 자기 역시 투안 짐의 지혜를 무한히 신임한다는 거였어. 약속 하나만 받아 내면 좋겠다고 했어. 한마디면 족하다는 거였지……. 그 숨만 쉬면서 지키는 침묵이며 나직한 불만의 목소리는 힘이 빠져 버린 뇌우의 마지막 안간힘을 연상케 했어.

「나는 그 문제를 제쳐 두려고 했어. 그러나 짐에게 권세가 있다는 것이 분명했기 때문에 그러기는 어려웠지. 그 새 땅에서 그가 마음 내키는 대로 가질 수 없거나 줄 수 없는 것이라고는 하나도 없는 듯했으니까. 하지만, 거듭 말해 두거니와, 내가 주의력을 쏟으며 그의 이야기에 귀를 기울이고 있는 동안 마침내 나는 그가 자기 운명을 지배할 수 있는 단계에 아주 근접한 것처럼 보인다는 생각을 하게 되었는데 이런 생각에 비하면 그 권세는 별것도 아니었지. 도라민은 자기 나라의 장래에 대해서 걱정하고 있었고 그가 문제를 보는 시각이 내게는 인상적이었어. 대지는 하느님께서 만들어 놓은 대로 남아 있지만 백인들은 찾아왔다가 얼마 후면 떠나 버린다는 거야. 그들이 떠나고 나면, 버림받은 주민들은 그들이 언제 돌아올지도 모른다고 하더군. 백인들은 자기 나라 자기 백성을 찾아 돌아가니까 결국은 이 백인도 가 버리지 않을 거냐고 했어…… 이 대목에서 나는 우렁차게 "아니죠, 아니라고요."라고 말했는데 내가 무엇에 끌려 그런 언질을 주었는지 모르겠군. 이런 경솔한 발언이 어느 정도로 효과가 있었는지는 도라민이 내 쪽으로 얼굴을 휙 돌렸을 때 명백해졌지. 그 거칠고 깊은 주름살 속에 고정된 듯한 그의 표정이 마치 거대한 갈색 가면처럼 변하지 않는 가운데, 그는 생각에 잠긴 듯이 그것 참 좋은 소식이라고 하더니 짐이 떠나지 않는 이유를 알고 싶어하더군.

「어머니 티를 내는 작은 마녀 같이 생긴 그의 처는 건너 쪽에 앉아 있었는데 머리에는 뭔가를 쓰고 두 발을 감싼 채 그 커다란 덧창 밖을 응시하고 있더군. 나에게는 묶지 않은 회색 머리채와 높은 광대뼈와 조용히 무언가를 씹고 있는 뾰쪽한 턱이 보였을 뿐이야. 두 봉우리가 있는 곳까지 펼쳐져 있는 광대한 숲에서 눈을 떼지 않은 채 그녀는 불쌍히 여긴다는 듯한 목소리로 나에게 묻기를 짐 같은 젊은이가 고국을 떠나 그처럼 멀리 나와서 많은 위험을 겪고 있는 이유가 무엇이냐고 묻더군. 고국에 그의 가정이나 친척도 없느냐는 거였어. 아들의 얼굴을 언제까지나 기억하고 있을 늙은 모친도 없느냐고도 했어.

「나는 그런 물음에 대한 준비가 전혀 되어 있지 않았어. 그래서 뭐라 중얼대며 모호하게 머리를 흔들었을 뿐이야. 지나서 생각하니 그 곤경에서 벗어나려고 애를 쓰느라 내가 아주 딱한 모습을 하고 있었으리라는 생각이 드는군. 그러나 그 순간부터 늙은 나코다는 말이 없었어. 그는 별로 기분이 좋지 않았고, 내가 그에게 생각할 거리를 제공했음이 분명하더군. 참으로 이상하게도, 내가 파투산에서 보낸 바로 그 마지막 저녁에 나는 다시 한번 짐의 운명에 대한 그 대답할 수 없는 물음에 직면했지. 그런데 이런 이야기를 하자니 자연히 짐의 사랑 이야기를 하지 않을 수 없군.

「자네들은 그걸 자네들 스스로도 상상할 수 있는 이야기라고 여길 거야. 이런 이야기를 너무 많이 들어왔기 때문에, 우리 대부분은 이런 걸 사랑 이야기라고 여기지도 않지. 대체로 우리는 이런 걸 우연한 기회와 관련된 이야기로 여기지. 기껏

해야 열정의 에피소드이고 어쩌면 겨우 청춘과 유혹의 에피소드에 불과해서, 혹시 애정이나 회한이라는 현실을 거친다 해도, 결국은 잊혀질 운명에 있는 이야기들이지. 이런 견해는 대체로 옳고 또 아마 짐의 경우도……. 하지만 모르겠어. 정상적인 관점에서 이야기하는 것이 적절하다고 해도, 이 이야기를 하는 일은 흔히 생각하듯 그리 쉽지가 않아. 겉으로 보기에는, 이 이야기도 다른 이야기들과 아주 비슷하다고. 하지만 내가 보기에는, 그 배경에는 한 우울한 여인의 모습이 있어. 외딴 무덤에 묻혀 있는 잔인한 지혜의 허깨비 같은 그 여인은 과거에 대한 미련은 많지만 어쩌지도 못하고 입을 다문 채 지켜보고만 있는 거야. 내가 이른 아침에 산책하다가 마주쳤던 그 무덤은 형상을 갖추지 못한 갈색 흙더미였는데, 바닥에는 하얀 산호 덩어리들이 박혀서 깔끔한 경계를 이루고 있었고, 어린 나무를 쪼개어 껍질째 꽂아서 동그랗게 만든 울타리 속에 갇혀 있었지. 잎과 꽃으로 만든 화환을 가느다란 기둥의 머리 부분에 엮어 놓았는데 꽃은 싱싱하더군.

「그래서, 그 허깨비가 내 상상력에서 빚어진 것이든 아니든, 나는 어떤 경우에나 그 잊히지 않는 무덤에 관계되는 의미심장한 사실을 지적할 수 있어. 게다가 짐이 손수 그 촌티가 나는 울타리를 만들었다는 사실을 내가 말한다면, 자네들은 대번에 그 이야기의 특이점과 개인적인 측면을 알아차리게 될 거야. 다른 사람에게 속하는 기억과 애정을 그가 자기 것으로 삼는 데에는 그의 진지함을 특징적으로 말해 주는 무엇이 있지. 그에게는 도덕적 분별력이 있었는데 그건 로맨틱한 분별력이었어. 그 간악한 코넬리우스의 아내에게는 일생 동안 자기 딸을 제외하고 동반자나 말벗이나 친구가 없었다고. 그녀가 딸의 생부와 헤어진 후에 어떻게 말라카 출신의 포르투갈인과 재혼하게 되었는지, 또 그 헤어짐이 더러는 자비로울 수도 있는 죽음에 의한 것인지 아니면 무자비한 관습의 압력에 의한 것인지, 나로서는 전혀 알 수가 없었어. 아주 많은 이야기를 알고 있던 스타인이 나에게 들려준 얼마 안 되는 내용을 근거로 나는 그녀가 범상한 여인이 아니었다는 것을 확신할 수 있어. 그녀의 부친은 백인으로 고관이었는데, 뛰어난 재주를 타고났으나 자기네가 거둔 성공이나 소중히 지키고 있을 만큼 우둔하지 못하고 결국은 불우한 일생의 역정을 마치고 마는 그런 사람들 중의 하나였어. 내 생각으로는 그녀 또한자신에게 구원이 되었을 우둔함이 결여되어 있었음이 분명해. 그래서 그녀의 일생도 파투산에서 끝나고 만 거야. 우리 인간의 공동 운명으로 말하자면……. 이 세상에서 진실로 지각 있는 사람 치고, 한 인간이나 생명보다도 더 귀한 무엇에게 완전히 포용되어 있으면서도 버림받았다는 막연한 기억을 갖지 않는 사람이 있을까?…… 우리 공동의 운명은 별나게도 잔인하게 여인들에게 달라붙고 있어. 운명은 주인처럼 처벌하는 것이 아니고, 어떤 달랠 수 없는 은밀한 원한을 갚으려는 듯이꾸준히 고통을 가하니까. 이 지상을 지배하도록 지정된 운명은 세속적 조심성이라는 장애를 넘고 일어서는 데에 가장 근접한 사람들에게 보복을 하려 하지 않나 싶어. 이따금 자기네의 사랑 속에다 놀람이나 초현세적 느낌을 줄 정도로 뚜렷한

요소를 집어넣을 수 있는 것도 여인들뿐이지. 이 세계가 여인들에게는 어떻게 보일 것인지, 그리고 여인들이 보는 세계에도 우리 남자들이 알고 있는 형상과 내용 및 우리 남자들이 숨쉬는 공기가 있는지가 나는 궁금해진다니까. 이따금 나는 그 세계가 그들의 모험적 영혼의 흥분으로 들끓고 모든 가능한 위험과 방기(放棄)라는 영광으로 불 밝혀지기도 하는 불합리한 숭고미의 영역일 거라는 생각도 하지. 나는 이 세상에 많은 사람들이 살고 있고 수적인 면에서는 남녀의 수가 같다는 사실을 잘 알고 있긴 하지만, 여인의 수가 아주 적지 않냐고 생각하고 있는 편이야. 그러나 그 딸이 여자로 보였다면 그에 못지 않게 그녀의 어머니도 여자였다고 나는 확신해. 나는 그 두 모녀를 마음속으로 그려보지 않을 수 없어. 처음에는 한 젊은 여인과 그녀의 아이였다가 나중에는 나이 든 여인과 젊은 소녀로 바뀌면서도 어쩌면 그렇게 똑같았다든지, 그사이에 흘러버린 시간이라든지, 그 모녀를 둘러싼 숲의 장벽이며 그 속에서의 고립과 격동, 그리고 그들이 나눈 말 한 마디 한 마디가 슬픈 의미로 젖어 있었을 것임을 그려 보았어. 두 사람 사이에는 내밀한 이야기가 오갔겠지만, 내 생각으로는, 사실에 대한 이야기라기보다도 깊은 내면의 감정이며 회한이며 두려움이며 경각심 등에 대한 이야기였으리라는 걸 의심할 수 없어. 어머니가 죽고 나서야 딸은 그 경고의 의미를 완전히 이해하게 되었고, 바로 그때 짐이 나타났던 거야. 나는 그때 그녀가 많은 것을 이해했다고 믿지만 모든 것을 이해하진 못했으며 대체로 두려움만 알게 되었던 것 같아. 짐은 귀한 보석이라는 의미에서 귀한 것을 의미하는 '주얼'이라는 낱말을 그녀의 이름으로 삼았어. 예쁜 이름이지? 하지만 그는 무엇이건 할 수 있었어. 그에게는 자기의 불행을 감당할 능력이 있었음이 분명하거니와, 마찬가지로 자기의 행운을 감당할 능력도 있었던 거야. 그는 그녀를 주얼이라고 불렀으니까. '제인'이라는 흔한 이름으로 부르듯이 그는 그녀를 '주얼'이라고 부르면서 내외간에 볼 수 있는 가정적이고 편안한 효과를 내고 있었던 거야. 내가 그의 뜰에 상륙한 후 10분밖에 되지 않아서 나는 그 이름을 처음으로 들었어. 그는 내 팔을 잡고 흔들다가 뿌리치다시피 한 후에 계단을 뛰어오르면서 그 무거운 처마 아래의 문간에서 소년처럼 즐겁게 소동을 벌이면서 "주얼! 오, 주얼! 어서 나와 봐, 친구가 한 분 오셨다니까."라고 말한 후, 그 침침한 베란다에서 갑자기 나를 바라보더니 "이게, 뭐 제가 실없는 짓을 하고 있는 것은 아니고요. 제가 그녀에게서 얼마나 빚을 지며 사는지 말할 수가 없을 지경이라고요. 아시겠죠, 정확히 말해 저는, 마치……." 어쩌고 하면서 열심히 중얼대는 거야. 그 급하고도 애가 타는 듯한 속삭임은 집 안에서 어떤 흰 모습이 어른거리며 놀람의 소리를 내자 중단되더군. 아이 티가 나고 작지만 정력적으로 생긴 얼굴 하나가 고운 이목구비와 심오하고 주의력 깊은 눈초리로 어둠침침한 집 안에서 내다보고 있었는데 마치 깊숙한 둥지 속에서 내다보는 새 같더군. 나에게는 물론 그 이름이 이상적이었어. 그러나 내가 그곳으로 오던 도중에 파투산강 남쪽 230마일 떨어진 어느 작은 고장에서 들게 되었던 놀라운 소문과 그 이름을 연결지어서 생각하게 된 것은 나중의 일이야. 내가 타고 갔던 스타인의 스쿠너 범선은 약간의 산물을 수집하기 위해 거기에 들렀는데, 해안으로 다가가면서 그 보잘것없는 지역에 3급 대리보(代理補) 한 명이 상주하고 있다는 사실을 알고는 크게 놀랐지 뭐야. 그 덩치 큰 비계 투성이 혼혈인은 눈을 끔벅이고 있었고 번질거리는 입술은 뒤집힌 것처럼 보이더라고. 그는 등나무 의자에 몸을 펴고 누워 있었는데, 꼴사납게 단추는 끼우지도 않았고 땀을 흘리던 머리 위에는 커다란 녹색 잎을 한 장 덮고 또 한 장의 잎은 손에 쥐고 부채 삼아 흔들며 게으름을 피우고 있더군. 파투산으로 가신다고요? 아 그렇군요. 스타인의 무역회사라면 자기도 잘 알고 있다고 하더군. 허가를 받았다고 했더니 그건 자기가 알 바가 아니라고 했어. 이제는 그곳도 그리 나쁘지는 않다고 아무렇게나 말하더니 그는 느릿느릿 끌면서 말을 계속하는 거야. "듣자 하니, 어떤 백인 떠돌이 녀석이 그곳으로 들어갔다고 합디다……. 그래요? 친구가 된다고요? 그렇군요!…… 그렇다면 죄수 중의 한 명이 있다는 말이 사실이었군요. 그 사람 무슨 일을 하고 있나요? 그 악당이 그곳으로 찾아들어 갔군요. 네? 내게는 그게 확실치가 않았는데. 파투산이라면 사람들이 저희끼리 목이나 베는 곳이 아닙니까. 우리가 알 바는 아니지만." 그는 하던 말을 중단하면서 앓는 소리를 내더군. "쳇! 맙소사! 이놈의 더위! 이놈의 더위! 그렇다면 그 이야기에도 약간이 근거가 있겠군. 그리고……." 그가 한쪽 눈으로 사납게 나를 노려보고 있는 동안 유리알 같은 다른 쪽 눈을 감았는데 그 눈꺼풀이 계속 떨리더라니까. "이봐요,"

그가 영문 모를 말을 하더군. "만약에, 아시겠어요? 만약에 그가 참으로 좋은 물건을 잡고 있거든, 녹색 유리 조각 같은 건 말고요, 아시겠어요? 나는 정부의 관리니까 하는 말인데, 그 녀석에게 말하세요……. 네? 뭐라고요? 친구라고요?"…… 그는 의자에 누워 조용히 빈둥거리길 계속했어. "당신이 그렇게 말했지요. 바로 그거라고요. 그런데 당신에게는 기꺼이 힌트를 주겠소. 당신도 그 일에서 무언가를 얻게 되길 바랄 테니까. 방해하진 마시오. 그 사람에게는 내가 그 이야기를 들어서 알고 있더라고만 말하시오. 하지만 정부에는 아직 아무 보고도 하지 않았다오. 아직은 안 했다고요. 아시겠어요? 보고는 무엇 때문에 한답니까? 에? 그곳 사람들이 그를 살려서 내보내거든 날 찾아오라고 하시오. 그 사람은 조심하는 것이 좋을 겁니다. 예? 내가 아무것도 따지며 묻지는 않겠다고 약속하리다. 은밀히 하겠다고 말이오. 아시겠어요? 당신에게도 내가 조금은 주겠소. 수고한 대가로 약간의 커미션을 주겠단 뜻이오. 방해하지 마시오. 나는 정부 관리이지만 보고는 하지 않겠소. 이건 사업이니까. 아시겠어요? 나는 값진 물건을 사는 좋은 사람들을 알고 있는데 그들은 그 녀석에게 평생 만져 본 것보다도 더 많은 돈을 줄 수 있을 것이오. 나는 그런 녀석들을 잘 알고 있지요." 어안이 벙벙해진 내가 그를 굽어보면서 이 사람이 미쳤는가 아니면 취했는가를 헤아려 보고 있는 동안 그는 두 눈을 뜨고 끈질기게 나를 노려보고 있더라니까. 그는 땀을 흘리거니 가쁜 숨을 쉬면서 약하게 앓는 소리를 내거니 몸을 긁거니 했는데 그 동작이 너무 무섭도록 차분해서 나는 그만 내 궁금증의 답을 찾아낼 수 있을 만큼 오랫동안 그 꼴을 차마 지켜볼 수가 없더군. 이튿날 그곳 원주민들의 작은 뜰에서 사람들과 한담을 하다가 나는 그곳 해안을 따라 어떤 소문 하나가 천천히 번져나가고 있는 것을 알게 되었지. 그 내용인즉 파투산에 있는 어떤 정체불명의 백인이 보기 드문 보석을 하나 손에 넣게 되었는데, 그 엄청나게 큰 에메랄드는 값을 매길 수가 없을 지경이라는 거였지. 동양 사람들은 에메랄드를 다른 어떤 보석보다도 더 탐내는 듯해. 그 백인이 더러 자기의 놀라운 힘을 써서 또 더러는 잔꾀를 부려서 어떤 먼 나라의 통치자로부터 그 보석을 얻어 낸 후 곧장 그곳에서 도망쳐 나와 극단적인 고통을 겪으며 파투산에 이른 후 지독히도 포악하게 주민들에게 겁을 주고 있었지만 그 무엇으로도 그의 포악함을 누를 순 없다는 것이었어. 나에게 정보를 제공해 준 사람들의 대부분은 그 보석이 아마도 불행을 가져올 것이라는 의견이었어. 옛날에 수카타나의 술탄이 가지고 있던 그 유명한 보석이 그 나라에 여러 차례의 전쟁과 엄청난 재앙을 초래했던 것처럼 말이야. 그 백인의 보석이 바로 그 옛 보석인지도 모른다고도 하더군. 사실 기막히게 큰 에메랄드에 대한 이야기는 백인들이 말레이 군도에 처음 도착하던 때부터 나돌고 있었지. 그 소문에 대한 믿음이 너무나 집요해서 사십 년도 채 안 되는 과거에는 홀란드 정부에서 공식적으로 그 소문의 진위를 조사하기까지 했다니까. 나에게 이 이야기를 해준 사람은 늙은이였는데 그곳의 작고 보잘것없는 라자를 위해 일종의 서기 노릇을 하고 있던 자였지. 나는 짐에 관계되는 놀라운 신화의 대부분을 그에게서 들었어. 그는 나에 대한 경의의 표시로 오두막의 마룻바닥에 앉아 그 가엾고 멍청한 눈을 내 쪽으로 치켜뜨면서 설명하기를, 그렇게 큰 보석은 여인의 몸에 숨겨야 가장 안전하게 간직될 수 있다고 하더군. 하지만 모든 여인이 그걸 숨길 수 있는 것은 아니라는 거였어. 그는 깊은 한숨을 쉬며 말하기를, 젊은 여자라야 하고 사랑의 유혹에 대해서는 무감각해야 한다는 거야. 그는 믿을 수 없다는 듯이 머리를 흔들면서도 그런 여인이 실제로 존재하고 있는 것 같다고 했어. 그가 듣기로는 키 큰 소녀가 하나 있는데, 소녀는 그 백인으로부터 굉장한 존경과 보살핌을 받으며 시종들을 거느리지 않고는 집에서 나오는 일도 없다고 하더군. 사람들은 그 백인이 거의 언제나 그녀와 함께 있는 것을 볼 수 있었고, 그들은 터놓고 나란히 걸어 다니되 그가 그녀의 팔을 끼고 옆구리에 이렇게 딱 붙이고 다녔는데 그 행색이 아주 비범했다는 거야. 누구에게나 그런 짓은 이상했을 터이므로 그런 소문은 거짓일지도 모른다고 그는 말했어. 그러나 그녀가 가슴에 그 백인의 보석을 지니고 다니는 것만은 의심할 수 없다고 하더라니까.」

29장

「바로 이게 짐 내외의 저녁 산책에 대해 나도는 이론이었어. 내가 그 산책에 세 번째 사람으로 참가한 것은 한두 차례가 아니었지. 그때마다 나는 코넬리우스에 대해서 불쾌하게 여겼는데, 그자는 자기의 법적 부권(父權)을 행사하지 못해 억울해하며 근처에서 어슬렁거리면서 늘 이를 갈기라도 하듯이 특유의 입술 비틀기를 하고 있었어. 하지만 자네들은 아는가? 전신 케이블과 우편선 항로가 끝나는 지점에서도 300마일이나 떨어진 곳에서는 어찌하여 우리 문명의 초췌한 공리적 거짓말들이 시들어 사라지고 그 자리에 상상력만이 순수하게 작용하게 되는지 아는가 말일세. 그런 상상력은 부질없지만 예술 작품처럼 흔히 매력을 지니며 더러는 깊은 진실을 숨기고 있기도 하지. 로맨스가 짐을 꼬집어 내어 자기 것으로 삼았고,

바로 그것이 이 이야기의 참된 부분이야. 그렇지 않다면 이 이야기는 전적으로 잘못된 것이지. 그는 자기의 보석[20]을 숨기지 않았어. 사실, 그는 그 보석을 지극히 자랑스럽게 여기고 있더라니까.

「지금 생각해 보니, 내가 대체로 그녀를 별로 살펴보지는 못했어. 내가 가장 잘 기억하는 것은 그녀의 안색이 고르게 올리브색으로 파리했다는 것과 그 예쁘장한 머리 뒤쪽으로 젖혀 쓰고 다니던 작은 진홍색 캡 아래로 흐드러지게 흘러내리던 암청색 머리채의 번뜩임 뿐이야. 그녀의 동작은 자유롭고 확고했으며, 얼굴이 붉어지면 거무튀튀한 빛을 띠었지. 짐과 내가 이야기를 나누고 있을 때면 그녀는 우리에게 빠른 눈초리를 던지며 오갔고 우아함과 매력 그리고 분명한 경계의 빛을 인상적으로 남기며 지나가곤 했어. 그녀의 태도에는 수줍음과 대담함이 기이하게 혼합되어 있었지. 그녀가 예쁜 미소를 지을 때면 이내 말없이 억누른 불안함의 기색이 뒤따르곤 했는데, 마치 어떤 상존하는 위험을 회상하며 쫓겨 도망하는 듯했어. 이따금 그녀가 우리와 함께 앉아 있을 때면 작은 주먹으로 부드러운 뺨을 누르면서 우리 이야기에 귀를 기울였지. 마치 우리 입에서 나오는 낱말 하나하나가 눈으로 볼 수 있는 형상을 가지고 있기라도 하듯이 말이야, 그녀는 크고 맑은 눈을 우리의 입술에서 떼지 않았어. 그녀는 모친한테서 읽

---

20) 콘래드는 짐이 숨기고 있다는 보석을 가리키는 낱말로 'gem'을 쓰다가 여기서는 'jewel'이라는 낱말로 고쳐 쓰고 있는데, 이는 물론 실제 보석이 아니라 '주얼'이라는 여인의 이름을 가리키기 위함이다.

고 쓰는 법을 배웠다는데, 짐으로부터도 영어를 꽤 많이 배우고 있었지. 그녀는 짐의 소년티 나는 빠른 말투를 배워서 아주 재미있게 영어를 지껄이더라니까. 그녀의 다정함은 마치 날개를 퍼덕이듯이 짐의 머리 위에서 선회하고 있었어. 그녀는 철저히 그가 보는 앞에서만 살았기 때문에 그의 외모까지도 닮게 되었고, 팔을 펴거나 머리를 돌리거나 눈초리를 던지는 등의 동작에도 짐을 생각나게 하는 데가 있었지. 그녀의 경계심 어린 애정은 너무 강렬해서 우리는 오관으로 그걸 인지할 수 있을 정도였다니까. 실제로 그 애정은 주위의 허공을 구성하는 물질 속에 내재하면서 특유의 향기로 그를 감싸는 한편 숨을 죽인 채 진동하는 열정적인 가락이 되어 햇빛 속에 자리 잡고 있는 듯했어. 자네들은 나 역시 로맨틱하다고 여기겠지만 그건 잘못된 생각이야. 나는 내가 어쩌다 마주치게 된 어떤 청춘의 한 모습과 기이하고 불안정한 로맨스에 대한 나의 차분한 인상을 자네들에게 이야기하고 있을 뿐이야. 나는 그의 그, 뭐랄까, 그의 행운이 성취한 과업을 흥미 있게 관찰하고 있었어. 그는 질투심이 섞인 사랑의 대상이 되고 있었는데, 그 여인이 무엇을 왜 질투했는지 모르겠더라고. 그 땅, 백성, 숲 등은 그녀의 공범자가 되어 일치된 경계심을 가지고서, 그리고 격리와 신비와 불굴의 점유라는 외양을 보이며 그를 지키고 있었던 거야. 말하자면, 호소의 여지가 없었어. 그는 자기 자신의 권세라고 하는 바로 그 자유 속에 갇혀 있었고, 그녀는 짐을 위해서라면 자기 머리를 발판으로 이용하게 할 용의도 있었지만, 한편 자기가 정복한 남자가 마치 간수하기 어려운 존재인 것처럼 완강하게 지키고 있었지. 우리가 외출할 때 탐 이탐은 머리를 뒤로 젖히고 백인 주인의 뒤를 따라다녔는데, 짐의 권총을 들고 다니는 일 이외에도 잔혹한 술탄의 호위병처럼 단검이며 도끼며 창으로 무장하고 있었어. 탐 이탐까지도 타협할 줄 모르는 보호자의 풍모를 하고 있었고, 자기가 사로잡고 있는 사람을 지키기 위해서라면 목숨까지 버리려고 하는 심술궂고 헌신적인 간수처럼 보였어. 우리가 밤이 늦도록 자리에 들지 않고 있을 때면, 말없는 그의 희미한 형체가 베란다 아래를 지나가고 또다시 지나가곤 했지만 발걸음 소리를 내지는 않았어. 또 더러 내가 머리를 치켜들면 뜻밖에도 그늘 속에 굳은 자세로 꼿꼿이 서 있는 그를 볼 수도 있었지. 대체로 그는 얼마 동안의 시간이 흐른 후에 아무 소리 없이 사라지곤 했어. 그러나 우리가 일어서면 그는 마치 땅에서 솟듯이 우리 곁에 나타나서 짐이 내리는 어떤 명령이건 수행할 태세였어. 그 여인 또한 우리가 자리에 들기 위해 헤어지기까지는 자지 않았다고 생각해. 나는 그녀와 짐이 조용히 함께 나와서 거친 난간에 기대고 있는 것을 내 방 창문을 통해 몇 차례나 보았어. 두 하얀 형상은 바짝 붙어 서 있었고 그의 팔이 그녀의 허리를 감고 있는가 하면 그녀의 머리는 그의 어깨에 놓여 있었지. 그들의 부드러운 속삭임이 밤의 정적 속에서 조용하고도 슬픈 가락이 되어 내 귀에 아련히 들리곤 했는데 마치 한 사람이 두 가지 말투로 주고받는 자기반성의 목소리 같았다니까. 후에 모기장 속에서 몸을 뒤척이고 있을 때면, 나는 어김없이 가벼운 삐걱거림이며, 희미한 숨결 소리며, 조심스러운 헛기침 소리를 들을 수 있었는데, 그걸 통해 나는 탐이탐이 그때까지도 어슬렁거리고 있다는 걸 알 수 있었어. 백인 주인이 베푼 호의로 그는 경내에 집이 있었고, 아내도 '취했고,' 그 얼마 전에는 아이까지 얻는 복을 누리고 있었지만, 내가 거기 머물고 있는 동안에는 어떤 경우든 그가 매일 밤 베란다에서 잤다고 생각해. 이 충실하고도 침통한 하인에게 말을 하게 한다는 것은 참으로 어려운 일이었어. 짐 자신까지도 왜 말이 없느냐고 따져야 겨우 발작적인 답을 짤막하게 얻어 낼 수 있었으니까. 말을 한다는 것이 자기와는 관계없는 일이라고 그가 넌지시 비치고 있는 듯하더라니까. 내가 들었던 그의 자발적인 발언 중에서 가장 긴 것은 어느 날 아침 그가 갑자기 뜰 쪽으로 팔을 펴고 코넬리우스를 가리키면서 "여기 나사렛 사람[21]이 오는군요."라고 말한 것이 고작이었지. 내가 마침 그의 옆에 서 있긴 했지만 그가 나에게만 한 말이었다고 생각하진 않아. 오히려 그의 목적은 온 세상의 분노 어린 주의를 환기하는 데 있는 것 같았어. 뒤이어 개가 어쩌고 고기 굽는 냄새가 어쩌고 하면서 중얼대는 소리가 들렸는데 내 귀에는 아주 별나게 듣기 좋은 말로 들리더라니까. 널따란 정방형의 공간이었던 뜰에 햇빛이 이글거리고 있었고, 강렬한 빛을 뒤집어 쓴 채 기다시피 뜰을 건너오던 코넬리우스는 눈에 환하게 들어왔음에도 불구하고 몰래 살금살금 다가오는 듯한 뭐라 형언하기 어려운 효과를 자아내고 있었어. 그는 사람들

---

21) 유대인과 이슬람교도들은 흔히 기독교도들을 '나사렛 사람'이라고 불렀다.

의 입맛을 떨어지게 하는 모든 것들을 생각나게 하는 인물이었으니까. 그가 느릿느릿 애를 쓰며 걸어오는 모습은 끔찍한 딱정벌레가 다리를 무섭도록 열심히 움직이면서도 몸은 고르게 미끄러지듯 기어오는 것과 닮았었지. 그가 이르고자 하는 곳에 갈 수 있을 만큼은 똑바로 걷고 있었다고 생각되지만, 한쪽 어깨를 앞으로 내밀고 걷는 그의 모습은 마치 비스듬히 걸어오고 있는 듯했어. 그가 무슨 냄새라도 뒤쫓듯이 곳간 사이를 천천히 돌고 있었다든지, 몰래 위쪽을 흘금거리며 베란다 앞을 지난다든지, 어떤 오두막 모퉁이를 돌아 느긋이 사라지는 광경을 흔히 볼 수 있었지. 코넬리우스는 짐에게 치명적이었을지도 모르는 어떤 사건에서, 아무리 줄여 말해도, 아주 수상쩍은 역할을 한 적이 있기 때문에, 그가 그곳에서 거리낌 없이 다니는 것처럼 보였다는 것은 곧 짐의 어처구니없는 부주의나 아니면 한없는 경멸을 말해 주고 있었지. 사실이지, 바로 그런 점이 짐의 영광에는 보탬이 되기도 했어. 하지만 그곳에서는 모든 것이 그의 영광에 보탬이 되고 있었으니까. 그러나 한때는 자기 목숨에 대해 지나치게 마음을 썼던 그가 마치 불사신(不死身)이 된 것처럼 보였다는 사실이야말로 그의 행운의 아이러니이기도 했어.

「짐은 도착한 후 얼마 되지 않아서 도라민의 지역을 떠났다는 걸 알아 두어야겠어. 사실 자기의 안전을 위해서는 너무 일찍 떠난 셈인데 물론 전쟁이 있기 오래전의 일이었어. 이 점에 있어 그의 동기가 된 것은 일종의 의무감이었다는 거야. 스타인의 사업을 돌보아야만 했다는 거지. 그렇지 않느냐는 거였어. 그 목적을 위해서 그는 자기의 일신상 안전을 전적으로 무시하고 강을 건너가 코넬리우스의 집에 거처를 정했지. 그 격동기에 코넬리우스가 어떻게 생존하고 있었는지 나로서는 알수가 없어. 어쨌든 스타인의 대리인 자격으로 그는 어느 정도 도라민의 보호는 받았을 거야. 그는 이런저런 수단으로 무섭게 얽힌 상황에서 빠져나오는 데 성공했지만, 그가 어떤 노선을 취해야 했든, 그의 행위는 사람됨을 말해 주는 고무도장처럼 그를 따라다니던 비열함을 특징적으로 드러내고 있었다는 걸 나는 의심하지 않아. 비열함은 그의 특성이었으니까. 다른 사람들이 관대하거나 탁월하거나 존대한 외모를 드러내고 있었듯이, 그는 근본적으로 그리고 외면적으로 비열했어. 비열함은 그의 모든 행위, 열정 및 감정 속에 스며 있는 천성이기도 했으니까. 그는 비열하게 분노했고, 비열하게 웃었으며, 비열하게 슬퍼했지. 그의 예절이나 분노도 똑같이 비열했어. 나는 그의 애정이 다른 어느 감정보다도 더 비열했으리라 확신해. 혐오스러운 곤충이 사랑에 빠진 것을 우리는 상상할 수 있을까? 그의 혐오스러움까지도 비열했기 때문에 단순히 불쾌감만 주는 사람을 그의 곁에 세워 놓는다면 고귀해 보였을 거야. 그는 이 이야기에서 배경도 전경(前景)도 차지하고 있지 않아. 그는 이 이야기의 주변에서 겁을 먹은 듯이 몰래 나다니고 있고, 정체불명의 불결한 존재가 되어 이야기 속의 젊음과 순박함이 풍기는 향기만 오염시키고 있었던 셈이지.

「어떤 경우든 그의 처지는 극히 비참할 수밖에 없었을 거야. 하지만 그는 그런 처지에서 무언가 득이 되는 것을 찾아냈을 수도 있어. 짐도 자기가 처음에는 가장 정다운 감정을 비열하게 표현하는 접대를 받았다고 말했어. "그 녀석은 기뻐서 날뛰는 것 같았습니다." 짐이 불쾌하다는 듯이 말하더군. "그는 매일 아침 나에게 덤벼들어 내 두 손을 잡고 흔들었다고요. 망할 녀석! 하지만 조반은 줄 생각도 하지 않더라고요. 이틀에 세 끼를 먹었다면 운이 좋은 편이었다고 할 수 있으니까요. 그런데도 매주 저에게 십 달러짜리 계산서에 서명을 하게 했죠. 그러고는 스타인 씨가 설마 자기에게 공짜로 숙식을 제공하게 하지는 않을 거라고 합디다. 그는 되도록 비용은 들이지 않고 제 숙식을 제공하고 있었던 겁니다. 그 이유를 그 지역의 불안정한 상황 탓으로 돌리더군요. 그리고 하루에도 스무 번씩이나 제 용서를 구하면서 자기 머리카락을 쥐어뜯을 듯이 덤비기에, 참다못해 저는 그에게 제발 걱정 좀 하지 말라고 했답니다. 진저리가 나더군요. 그의 집 지붕은 반쯤 내려앉았고, 벽마다 마른 풀잎이 삐져나왔는가 하면 찢어진 매트의 모서리가 너풀거리는 등 온 집의 꼴이 을씨년스러웠지요. 그는 지난 삼 년 동안의 거래에서 스타인 씨가 자기에게 빚을 지게 되었다는 걸 아주 열심히 내세웠습니다. 하지만 그의 회계장부는 찢어져 있었고 어떤 장부는 없어졌더군요. 그는 그게 모두 고인이 된 자기 처의 잘못이었다고 했어요. 불쾌한 악한이더군요. 결국 저는 그에게 고인은 좀 들먹이지 말라고 했습니다. 고인에 대한 이야기가 주얼을 울렸기 때문입니다. 거래하던 상품들이 어떻게 되었는지 저로서는 알 수가 없었습니다. 가게에는 갈색 종이와 낡은 포장재들이 지저분하게 뒹구는 가운

데서 쥐들이 제 세상을 만난 듯이 놀고 있었거든요. 저는 그가 어딘가에 많은 돈을 묻어 두고 있으리라는 확신을 여러 면에서 가지게 되었지만, 물론 그에게서는 아무것도 얻어낼 수 없었습니다. 그 더러운 집에서 저는 참으로 비참한 생활을 했습니다. 저는 스타인이 부여한 임무를 수행하려 했습니다만, 다른 문제들도 고려해야 했습니다. 제가 도라민에게로 도망치자 퉁쿠 알랑은 놀란 나머지 제 물건들을 돌려주더군요. 그 반환은 이곳에서 작은 가게를 운영하는 한 중국인을 통해 우회적으로 이루어졌고 그 과정에는 많은 미스터리가 따랐습니다. 그러나 제가 부기스 구역을 떠나 코넬리우스에게 가서 살게 되자, 라자가 머지않아 저를 살해하기로 마음먹었다는 소문이 공공연히 나돌더군요. 재미있잖아요? 그가 참으로 그런 마음을 먹었다면 그를 말릴 도리가 없었을 겁니다. 그런데 최악의 것은 제가 스타인이나 제 자신을 위해 이득이 되는 일을 조금도 하지 못하고 있다는 생각을 물리칠 수 없었다는 점입니다. 참으로 끔찍했어요. 꼬박 육 주일간을 그렇게 지냈습니다.」

30장

「그는 무엇 때문에 자기가 거기 남아 있었는지 알 수가 없다고 말하더군. 하지만 물론 우리는 짐작할 수야 있지. 그는 아무 보호도 받지 못한 채 그 '야비하고 비겁한 악한'에게 속절없이 매여 있던 소녀를 깊이 동정하고 있었던 거야. 코넬리우스는 그녀에게 사실상의 학대만 하지 않았을 뿐 끔찍한 삶을 살게 했던 것 같아. 학대하지 못한 것은 그에게 그럴 용기가 없었기 때문이야. 그는 그녀에게 자기를 아버지라고 불러야 한다고 주장하고 있었어. 그것도 '존경, 존경심을 가지고' 불러야 한다고 소리 지르면서. 그는 그녀의 얼굴을 향해 작고 핏기 없는 주먹을 흔들어 대고 있었어. "나는 점잖은 사람이야. 그런데 너는 뭐니? 네가 뭔지 말해 봐. 내가 다른 사람의 자식을 키워 주면서 존경도 못 받아서야 되겠냐? 아버지라고 부르도록 허락하는 걸 다행으로 여겨야 한다. 자, 아버지라고 불러 봐……. 싫다고? ……두고 봐." 그러고 나면 그는 죽은 여인을 욕하기 시작했고 결국 소녀는 두 손으로 머리를 움켜쥐고 달아나곤 했지. 그가 그 뒤를 쫓아 집 안팎과 곳간 사이로 요리조리 따라다닌 끝에 소녀를 구석으로 몰게 되면 그녀는 무릎을 꿇고 주저앉아 귀를 막았고, 그는 멀찍이 서서 그녀의 등을 향해 한번 시작했다 하면 반 시간씩이나 더러운 욕설을 퍼붓곤 했어. "네 어미는 마녀였다. 속임수 많은 마녀였다고. 그런데 이제 보니 너도 마녀구나." 그는 마지막으로 이렇게 퍼붓고 나서, 마른 흙이나 아니면 그 집 주위에 많이 있던 진흙을 한 줌 들고 그녀의 머리카락에 뿌렸다는 거야. 하지만 이따금 그녀는 온통 경멸을 보이며 말없이 그와 맞서서 버티기도 했는데 그럴 때면 그녀의 얼굴은 어둡게 수축했고 간혹 한 마디씩 말을 하면 그 말에 상대방은 침에 찔린 듯이 펄펄 뛰며 몸을 비틀곤 했다는 거야. 짐은 그런 장면들이 무시무시해 보였다고 했어. 밀림 속에서 그런 일과 부닥친다는 건 참으로 이상하지. 그런 교묘하게 잔인한 상황이 끝없이 계속되었다는 걸 생각하면 무섭기도 해. 그 존대한 코넬리우스를 말레이인들은 인치[22] 넬리우스라고 부르면서 상을 찌푸리곤 했는데 그런 표정은 많은 것을 의미했지. 그는 크게 낙담한 사람이었어. 그가 자기 결혼의 대가로 어떤 대접을 받겠다고 기대했는지 나로서는 잘 알 수 없는 일이야. 스타인은 자기의 선장들

---

22) 말레이어로 영어의 '미스터'에 해당하는 말.

에게 운반을 부탁할 수 있는 한 어김없이 상품을 공급하고 있었는데, 코넬리우스는 여러 해 동안 스타인의 무역회사에서 보내온 상품을 자기에게 가장 편리한 방법으로 자유로이 훔치거나 횡령하거나 착복하면서도 그것만으로는 자기의 고귀한 이름을 희생하는데 대한 공정한 대가가 될 수 없다고 여기고 있었음이 분명했어. 짐은 코넬리우스를 거의 죽도록 두들겨 주고 싶었을 거야. 한편 그런 장면들의 성격이 너무 고통스럽고 지긋지긋했기 때문에, 짐은 그런 꼴을 당하고 있는 소녀의 심정을 고려해서라도 코넬리우스의 목소리가 들리지 않는 곳으로 뛰쳐나오고 싶은 충동을 받았을 거야. 그런 일이 있고 나면 그녀는 심란한 나머지 말이 없었고 절망적으로 굳어 버린 얼굴로 이따금 가슴을 움켜쥐었는데, 그럴 때마다 짐은 그녀에게 슬슬 다가가서 편치 않은 목소리로 "자, 정말이지, 이런다고 무슨 소용이 있겠어. 뭘 좀 먹도록 해야지."라고 말하거나 뭐 그런 내용의 동정을 표하기도 했대. 코넬리우스는 문간이나 베란다를 슬금슬금 오가면서 물고기처럼 말이 없었는데 그 눈초리는 악의와 불신과 음흉함을 드러내고 있었다는 거야. "저 사람이 이런 짓을 못하게 할 수도 있어." 한번은 짐이 그녀에게 말했지. "그러니 말만 하라니까." 이 말에 그녀가 무어라 대답했는지 알겠는가? 그녀는 코넬리우스 자신도 지독히 불행한 인간일 거라고 믿었으며, 그렇지만 않았던들 자기 손으로 그를 죽여 버릴 용기를 냈을 거라고 말하더라는 거야. 이 말을 전하는 짐의 어조는 인상적이었어. "생각 좀 해 보세요! 그 가엾은 소녀는 아직도 아이나 다름없었는데도 그런 식의 말을 할 지경에 이르렀으니!" 그는 무섭다는 듯이 소리 질렀어. 그녀를 야비한 악한으로부터뿐만 아니라 그녀 자신으로부터도 구원해 내는 일이 불가능해 보였던 거야. 그는 그녀를 그처럼 불쌍하게 여긴 건 아니었다고 주장하더군. 그건 불쌍히 여기는 것 이상의 감정이었거든. 그런 생활이 계속되는 동안 그의 양심에 무언가가 걸려 있는 것 같았다는 거야. 그 집을 떠난다는 건 야비하게 그녀를 버리는 것처럼 보였을 거라고도 했어. 결국 그는 더 이상 머물러 보아야 아무것도 기대할 수 없으며, 회계 내용이나 돈 또는 어떤 종류의 진실도 얻어 낼 수 없다는 걸 알게 되었지만 계속해서 머물렀고, 그 결과 코넬리우스를 격분시킴으로써 미칠 지경까지는 아니라 해도 한번 만용을 부려 볼 지경에는 이르게 했어. 한편 그는 온갖 종류의 위험이 막연히 자기 주위로 집중되는 것을 느끼고 있었어. 도라민은 두 번이나 신임하는 하인을 보내 그에게 심각하게 전하기를, 그가 강을 다시 건너와서 예전처럼 부기스 부족의 지역에서 살지 않는다면 자기로서는 그의 안전을 위해 어떻게든 손을 써 볼 수도 없을 거라고 하더래. 여러 계층의 사람들이 한밤중에 자주 그를 찾아와서 그를 살해하려는 음모가 있음을 밝히기도 했지. 독살 계획이 있다느니, 욕실에서 칼로 찌를 예정이라느니, 강에 떠 있는 배에서 그를 사살하기 위한 조처가 취해지고 있다느니 하는 정보였지. 이런 정보를 제공하는 자들 모두가 그의 가장 좋은 친구로 자처하고 있었어. 그 정도면 어느 누구든 편히 쉬지 못하게 하기에 족했다고 그는 말하더군. 그런 음모는 지극히 있을 법했고, 아니, 아마도 있었을 테지만, 그런 근거 없는 경고는 무시무시한 음모가 암암리에 전 방향에서 그를 둘러싸고 진행 중이라는 느낌만 그에게 주었던 거야. 신경이 가장 강한 사람들까지 뒤흔들도록 계산된 것 치고 그보다 더한 것은 없었을 거야. 드디어 어느 날 밤에 코넬리우스 자신이 굉장한 경계와 은밀함을 보이며 나타나더니 엄숙한 회유조의 말투로 어떤 계획을 제시하더라는 거야. 내용인즉, 100달러만 내면, 아니 80달러만 내도, 자기가 믿음직한 사람을 고용해서 짐이 아주 안전하게 강 밖으로 몰래 빠져나가도록 돕겠다는 거였어. 짐이 자기 목숨을 조금이라도 아낀다면 당시로서는 다른 방도는 없다고 하더래. 80달러가 어디 큰돈이냐? 미미하고 아무것도 아니잖느냐고 하더라는 거야. 반면에 그곳에 남아 있어야 하는 코넬리우스 자신은 스타인 씨의 젊은 친구를 헌신적으로 도와주었다는 증거로 인해 꼼짝 못하고 죽음을 자초하는 셈이라고도 하더래. 그가 야비하게 얼굴을 찌푸리고 있는 꼴은 차마 쳐다볼 수가 없을 지경이었다고 짐은 말했어. 그는 자기 머리카락을 움켜잡거니, 가슴을 때리거니, 두 손을 배에 대고 몸을 앞뒤로 흔들거니 하면서 실제로 눈물을 흘리는 척하기까지 했나 봐. "자네가 죽는다면 자네 탓일세." 드디어 그는 이렇게 고함을 지르고 뛰어나갔다는 거야. 그런 제안을 하던 코넬리우스가 어느 정도로 진지했을까 하는 것은 답하기 어려운 물음이야. 그 녀석이 가고 나서 짐은 한숨도 눈을 붙이지 못했었다고 고백하더군. 그는 대나무 마루에 깐 얇은 매트 위에 누워서 천장에 노출되어 있던 서까래에 혹시 무엇이 나타날까 지켜보는 한편 찢겨진 이엉에서 바스락 소리라도 들리는지 귀를 기울이고 있었던 거야. 지붕에 난 구멍에서 갑자기 별이 하나 반짝했어. 그의 머리가 빙빙 돌고 있었지만, 그가 셰리프 알리를 진압할 계획을 성숙시킨 것도 바로 그날 밤이었대. 그는 스타인의 사업 내용을 절망적으로 조사하는 틈틈이 늘 그런 생각을 해오긴 했지만, 그 진압 계획은 그날 밤에 갑자기 그에게 떠올랐다는 거였어. 말하자면, 대포를 언덕 정상에 설치하자는 생각이 떠올랐던 거지. 거기 누워 있는 동안 그는 열기와 흥분에 싸이게 되었던 거야. 그러자 잠을 잔다는 것은 전보다 더 불가능한 일로 되고 말았지. 그는 벌떡 일어나서 맨발로 베란다로 나가 말없이 걷다가 마치 망을 보듯이 벽에 기대어 꼼짝하지 않고 있는 소녀와 마주치게 되었어. 그의 당시 심경으로는, 그녀가 그 시간에 자지 않고 있다든지 근심스러운 목소리로 대체 코넬리우스는 어디 있느냐고 묻는 것이 놀라운 일은 아니었겠지. 그는 그저 모르겠다고 답했을 뿐이야. 그녀는 가볍게 신음 소리를 내면서 마을 안쪽을 살펴보고 있었어. 만물은 아주 조용하기만 했거든. 그는 자기의 새 계획에 사로잡혀 있었고, 너무 그 생각만 하던 나머지 당장 소녀에게 그걸 모두 말해 줄 수밖에 없었어. 그녀는 경청하더니 가볍게 손뼉을 치며 그것 참 좋은 생각이라고 조용히 속삭였지만 사뭇 경계를 풀지 않았음이 분명했다는 거야. 그간 그는 그녀를 격의 없는 대화의 상대로 삼아 오고 있었던 것 같고, 그녀는 파투산에 대한 많은 쓸모 있는 암시를 그에게 제공할 수 있었으며 또 실제로 제공했음이 분명해. 그는 그녀의 충고 때문에 자기 일이 잘못된 적은 한번도 없었다는 걸 나에게 누누이 말했거든. 어쨌든 그는 그때 그 자리에서 자기 계획을 그녀에게 충분히 설명하고 있었는데, 갑자기 그녀가 그의 팔을 한번 꾹 누르더니 곁에서 사라졌다는 거야. 그때 코넬리우스가 어디선가 나타나더니 짐을 보고는 마치 충격이라도 받은 듯이 옆으로 몸을 숙이더니 나중에는 어둠 속에서 가만히 서 있더라는 거야. 드디어 그는 수상쩍은 고양이처럼 조심스럽게 앞으로 나와서 떨리는 소리로 말했어. "어부 몇 사람이 물고기를 가지고 왔네. 팔겠다는 거야……." 그때가 새벽 2시였을 텐데, 누가 그런 시간에 물고기를 팔겠다고 외치고 다녔겠나!

「그러나 짐은 그 말을 흘려버리고 조금도 괘념치 않았어. 다른 문제들이 그의 마음을 사로잡고 있었을 뿐만 아니라 아무것도 눈에 보이거나 귀에 들리지 않았기 때문이야. 그래서 그는 별 생각 없이 "오, 그랬나요!"라고 말하는 것으로 만족하고는 그곳에 놓여 있던 병에 담긴 물을 마셨어. 어떤 영문 모를 감정 때문에 다리에 힘이 빠진 듯이 벌레 먹은 베란다 난간을 두 팔로 껴안고 있던 코넬리우스 그 감정의 먹이가 된 채 남아 있도록 내버려 두고 짐은 다시 방으로 들어가서 매트에 누워 생각에 잠겼어. 이윽고 살금살금 다가오는 발걸음 소리가 들리다가 멎더니 어떤 떨리는 목소리가 벽을 통해 속삭였어. "자는가?" "아뇨! 왜 그러세요?" 그가 날쌔게 대답하니까, 속삭이던 사람은 놀란 듯했고 밖에서는 갑자스러운 움직임이 있더니 이내 조용해졌지. 지극히 속이 상한 짐이 충동적으로 뛰어나오니까 코넬리우스는 희미하게 비명을 지르며 베

란다를 따라 도망쳤고 계단이 있는 곳까지 가더니 부서진 난
간에 매달리더래. 너무 어리둥절한 나머지 짐은 멀리 떨어져
선 채 도대체 무슨 짓이냐고 물었다는 거야. "내가 말한 것을
한번 생각해 봤는가?" 코넬리우스가 물었지만, 그는 열병에 걸
려 오한을 느끼는 사람처럼 낱말들을 어렵게 발음하고 있더
래. "아뇨!" 짐이 격한 소리로 고함질렀지. "생각해 보지 않았다
고요. 생각하고 싶지도 않고요. 저는 여기 파투산에서 살 겁
니다." "여어여기 있다간 주우죽게 될 텐데." 코넬리우스가 여
전히 몹시 떨면서 숨이 넘어가는 목소리로 대답했어. 그 모든
수작이 너무나 당치 않고 도발적이었기 때문에 짐은 재미있
다고 여겨야 할지 화를 내야 할지를 모를 지경이었대. "당신이
이곳에서 없어지기까지는 죽지 않을 테니 그리 아세요." 그는
화가 났지만 웃어 버리고 말듯이 소리를 질렀지. 자신의 생각
들로 흥분한 나머지 건성으로 진지하게 그는 계속 소리를 지
르고 있었던가 봐. "아무것도 날 건드릴 수는 없다고요. 마음
대로 하세요." 어찌된 셈인지, 멀찍이 떨어져 서 있던 허깨비
같은 코넬리우스는 짐이 그간 마주치게 되었던 모든 괴로움과
어려움을 밉살스럽게 구현하는 인물 같더라는 거야. 그의 신
경이 여러 날 동안 곤두서 있었기에 그는 그만 자제력을 잃고
코넬리우스에게 사기꾼이니 거짓말쟁이니 형편없는 악한이니
하며 욕을 하는 등 여느 때와는 달리 노발대발하고 있었대.
그는 자기가 아무 제약도 받지 않았으며 제정신이 아니었음을
시인했어. 그는 또 온 파투산 사람들에게 자기를 위협해서 쫓
아낼 테면 쫓아내 보라고 대드는가 하면, 그들로 하여금 자기

장단에 맞추어 춤추게 할 수 있다느니 어쩌니 하며 위협조로 오만하게 큰소리를 치고 있었던 거야. 철저히 허세를 부리며 우스꽝스럽게 굴었다는 거였어. 그때를 회고만 하는데도 그의 귀가 빨갛게 달아오르더군. 어떻게 보면 자기가 미쳤었다는 거지⋯⋯. 우리와 함께 앉아 있던 여인은 내 쪽을 향해 그 작은 머리를 재빨리 끄덕이며 가볍게 상을 찌푸리더니 "그때 저도 그 말을 듣고 있었어요."라고 어린이처럼 엄숙하게 말했어. 그는 웃으며 얼굴을 붉히더군. 결국 자기의 광분을 중단케 한 것은 상대방의 침묵이었다고 짐이 말했어. 멀찍이 떨어진 난간 위에 엎어진 채 불길하게 꼼짝 않고 매달려 있던 그 희미한 모습은 주검처럼 말이 없었던 거야. 그는 정신을 차리고 갑자기 언동을 멈춘 후에 자기 자신이 그러고 있는 꼴이 몹시 의아해지더라는 거였어. 그는 잠시 동안 지켜보았지만, 아무런 움직임이나 소리는 없었어. "제가 그 모든 소동을 벌이는 동안 그 녀석이 그만 죽어 버린 듯하더군요." 짐이 말했어. 그는 자기 자신이 너무 부끄러워서 아무 소리 없이 방 안으로 들어가서는 벌렁 누웠다는 거야. 하지만 그 소동이 그에게 좋은 효과가 있었던 모양이야. 그는 그 밤이 새도록 갓난아기처럼 잠을 잘 수 있었다니까. 그간 여러 주일 동안 그가 그처럼 푹 잔 적이 없었거든. "하지만 저는 자지 않았습니다." 여인이 한쪽 팔꿈치를 식탁에 기대고 손으로 뺨을 감싼 채 참견하더군. "저는 감시하고 있었다고요." 그녀는 휘둥그런 눈을 약간 굴리며 반짝이더니 내 얼굴을 빤히 들여다보는 것이었어.」

31장

「내가 무척 흥미를 느끼며 귀를 기울이고 있었을 것임을 자네들은 상상할 수 있을 거야. 내가 들었던 그 모든 세부 내용이 무의미하지 않았다는 건 스물네 시간 후에 알 수 있었지. 아침이 되자 코넬리우스는 간밤의 일을 전혀 언급하지 않았어. 짐이 도라민의 마을로 가기 위해 카누를 타고 있을 때, 코넬리우스는 실쭉한 표정으로 슬금슬금 다가와서 "내 집이 초라하지만 자네가 돌아올 거라고 생각하겠네."라고 중얼댔어. 짐은 그를 쳐다보지도 않고 고개만 끄덕였지. "자네는 재미있다고 여길 테니까." 상대방은 시큰둥한 어조로 중얼댔지. 짐은 늙은 '나코다'와 하루 종일 지내면서, 큰 회의를 위해 소집되었던 부기스 공동체의 우두머리 급 인사들에게 용기 있는 행동의 필요성을 역설했어. 그는 그날 자기가 달변으로 사람들을 설득하던 일을 즐겁게 기억해 내더군. "저는 그들에게 약간의 용기를 주입했지요. 아무렴요." 그가 말했어. 셰리프 알리의 최근 공격은 정착지의 외곽을 유린했고 마을의 아낙 몇 명이 방책으로 끌려가기도 했거든. 셰리프 알리의 밀사들이 그전날 시장에서 눈에 띄었는데, 그들은 하얀 옷을 걸치고 건방지게 으스댔고 라자가 자기네 주인에게 호의를 보인다고 자랑까지 했었나 봐. 그들 중의 한 사람은 나무 그림자 속에 눈에 띄게 서서 장총의 긴 총신에 기댄 채 사람들에게 기도와 참회를 권하는 한편 그들과 섞여서 사는 이방인들 중의 몇 명은 불신자들이고 나머지는 모슬렘 교도로 위장한 사탄의 자식들이므로 불신자보다 더 나쁘니까 모두 죽여야 한다고 사람들을 회유하고 있었던 거야. 그 청중 사이에 섞여 있던 몇몇 라자 측 사람들이 요란하게 찬동을 표했다고 전해졌어. 보통 사람들은 격심한 공포에 빠져 있었던가 봐. 그 하루 동안의 성과에 크게 만족한 짐은 해가 지기 전에 강을 다시 건너갔어.

「그는 부기스족으로부터 행동을 취하겠다는 돌이킬 수 없는 언질을 받아 냈고 그 성패에 대한 책임을 스스로 떠맡겠다고 했으므로, 마음이 가벼웠고 기분이 너무 좋아진 나머지 코넬리우스에게도 아주 정중하게 대하려 했다는 거야. 하지만 코넬리우스가 짐을 응대하면서 거칠 정도로 정답게 구는 통에, 거짓된 낄낄 웃음소리를 듣는다든지, 몸을 꿈틀거리며 눈을 끔뻑거린다든지, 갑자기 자기 턱을 움켜잡고는 멍한 눈초리를 하며 식탁 위로 나직이 몸을 구부리는 꼴을 보는 것이 짐에게는 견디기 어려웠대. 소녀는 나타나지 않았고, 짐은 일찍 자리에 들었던가 봐. 그가 코넬리우스에게 잘 자라는 인사를 하려 일어나자, 코넬리우스는 벌떡 일어서면서 의자를 뒤로 넘어뜨리더니 떨어진 물체를 집으려는 듯이 몸을 숙이고는 식탁 아래서 쉰 목소리로 잘 자라고 응답하더라는 거야. 그가 턱을 떨어뜨린 채 멍하니 겁먹은 눈으로 응시하는 것을 보고 짐은 놀랐던가 봐. 그가 식탁 가장자리를 움켜잡자, 짐은 "무슨 일이세요? 몸이 불편하세요?" 하고 물었지. "그럼, 그럼, 그럼. 배가 몹시 아파서 그래." 상대방이 대답했어. 그 말이 완벽한 진실이었다는 것이 짐의 견해였어. 만약 그렇다면 그야말로, 그가 마음먹고 있던 행동을 고려할 때, 그의 냉혹함이 완벽하지 못했다는 딱한 증거로 되었을 것이고, 그 점에 대해서는 마땅히 합당한 점수를 주어야 할 거야.

「그 실제 사정이야 어떠했든, 그날 밤에 짐의 수면은 하늘이 큰 목소리로 놋쇠처럼 울리는 꿈을 꾸느라 방해받고 있었어. 그 목소리는 그에게 "잠을 깨세요! 잠을 깨세요!"라고 했는데 그 소리가 하도 요란해서, 한사코 잠을 자야겠다고 마음을 먹었음에도 불구하고, 그는 실제로 잠에서 깨어나고 말았지. 허공에서 피시시 소리를 내며 빨갛게 타고 있는 불이 그의 눈에 들어왔어. 검고 짙은 연기가 여러 줄기 솟아오르며 유령 같은 어떤 형상의 머리를 휘감고 있었어. 온통 하얀 옷을 걸친 그 비현세적 형상은 심각했으며 시달리고 근심스러운 얼굴이었다는 거야. 순간적으로 그는 소녀를 알아보았어. 그녀는 팔을 뻗쳐 송진 횃불을 높이 쳐들고 있었는데 질기고 다급하고 단조로운 목소리로 "일어나세요! 일어나세요! 일어나세요!"를 되풀이하고 있었던가 봐.

「갑자기 그는 벌떡 일어났어. 그 순간 그녀는 그의 손에 권총을 쥐여 주었지. 그건 그가 늘 못에 걸어 두던 자신의 권총이었는데 이번에는 장전까지 되어 있었던 거야. 그는 불빛 속에서 당황한 채 눈을 끔벅이면서 말없이 그걸 움켜잡았지. 그는 그녀를 위해 무얼 하라는 말일까 궁금해하고 있었어.

「그녀는 아주 나직한 소리로 황급히 물었어. "이것으로 사내들 네 명을 상대할 수 있나요?" 이 대목에서 그는 자기가 보였던 정중한 민첩성을 회상하면서 웃더라니까. 그는 아주 민첩하게 굴었던가 봐. "상대할 수 있지. 물론, 상대할 수 있고말고. 말해 보라고." 그는 아직 잠이 덜 깼지만, 그런 비상 상황에서도 아주 상냥해야 하며 아무 이유도 묻지 말고 헌신하는 태세를 보여야겠다고 생각했던 거야. 그녀는 방을 나왔고 그는 그녀를 뒤따랐어. 도중에 그들은 그 집에서 이따금 간식이나 만들곤 하던 노파의 잠을 깨웠는데, 그녀는 사람의 말을 거의 알아듣지 못할 정도로 노쇠해 있었지. 그녀는 일어나더니 이가 없는 입으로 무어라 웅얼거리면서 절룩절룩 그들의 뒤를 따랐어. 베란다에는 코넬리우스 소유의 돛베 해먹이 짐의 팔꿈치에 닿아 가볍게 흔들리고 있었는데 그 속은 텅 비어 있었대.

「스타인의 무역회사가 세운 모든 기지처럼 파투산의 업체도 원래는 네 채의 건물로 되어 있었어. 그중의 두 채는 두 더미의 막대기, 쪼개진 대나무, 썩은 이엉으로 지어져 있었는데 그 이엉지붕 위로는 단단한 목재로 된 네 개의 모서리 기둥이 솟아서 각기 다른 각도로 꼴사납게 기울어져 있더군. 그러나 주된 창고는 대리인의 집을 향해 아직도 서 있었어. 그건 진흙과 점토로 지은 장방형의 오두막이었는데, 한쪽 끝에 튼튼한 널빤지로 만든 넓은 문이 아직도 돌쩌귀에 매달려 있었지. 한쪽 측면 벽에는 네모난 구멍이 있었는데 일종의 창으로서 세 개의 목제 빗장이 걸려 있었어. 몇 개 안 되는 계단을 내려오기 전에 소녀는 어깨 너머로 머리를 돌리며 재빨리 "주무시는 동안에 공격당하게 되어 있었다고요."라고 말했어. 짐은 자기가 기만당하는 느낌이었다고 말하더군. 늘 있던 이야기였거든. 그의 목숨을 노린다는 이야기를 지겹도록 들었으니까. 그는 그런 경고를 너무 자주 들어서 신물이 날 지경이었거든. 그는 소녀가 자기를 속이고 있는 데 대해 화가 나더라고 말했어. 그는 자기의 도움을 필요로 하는 쪽은 바로 그녀일 거라는 인상을 받으며 그녀 뒤를 따라가다가, 그만 불쾌해져서 발길을 돌릴까 생각했다는 거야. "정말이지, 그 무렵에 저는 잇달아 여러 주일 동안 제정신이 아니었거든요." 짐이 심오한 어조로 말했어. "설마. 제정신이 아니었을라고." 나는 그에게 반박하지 않을 수 없었어.

「하지만 그녀는 날쌔게 움직였고 그는 그녀를 따라 뜰로 들어갔어. 모든 울타리는 이미 오래전에 허물어졌고, 아침이면 이웃의 물소들이 느릿느릿 깊은 콧방귀 소리를 내면서 그 공지를 오락가락하고 있었지. 정글 자체가 이미 그 뜰을 침공하기 시작했던 거야. 짐과 소녀는 빽빽한 풀 속에서 걸음을 멈추었어. 그들을 비추고 있던 횃불 때문에 사방은 진한 어둠으로 보였고, 오직 머리 위에서만 별들이 흐드러지게 반짝이고 있었지. 그는 강에서 미풍이 조금 불어와서 시원하던 그날 밤은 아름다웠다고 했어. 그는 그 정겨운 아름다움을 주시하고 있었던 것 같아. 내가 지금 자네들에게 하고 있는 것은 사랑 이야기임을 기억해 두게나. 아름다운 밤의 숨결이 두 사람에게 부드러운 애무를 보내고 있는 듯했지. 횃불의 불꽃은 이따금 퍼드덕거리는 소리를 내면서 깃발처럼 흘러내렸고, 얼마 동안 그 소리만 들렸다는 거야. "사내들이 창고에서 기다리고 있습니다." 소녀가 속삭였어. "신호를 기다린다고요." "누가 신호를 하게 되어 있는데?" 그가 물었어. 그녀가 횃불을 흔드니까 불똥을 소나비처럼 떨어뜨린 후 불꽃이 활활 타올랐어. "그런데도 꿈에 시달리며 주무시기만 하더군요." 그녀가 중얼대며 말을 이었지. "저도 주무시는 걸 지켜보고 있었지요." "네가?" 그는 소리치며 주변을 살피기 위해 목을 뽑았어. "오늘 밤만 지켜본 줄 아세요?" 그녀는 일종의 절망의 분노를 보이며 말했어.

「그는 가슴을 타격 당한 듯한 느낌이었다고 했어. 그의 숨이 가빠졌지. 그는 자기가 그간 못난 짐승처럼 처신해 왔구나 생각했고, 후회와 감동과 행복과 환희를 느꼈다는 거야. 이 이야기는 사랑 이야기임을 다시 한번 자네들에게 상기시켜야겠어. 자네들은 그 천치스러움을 보고서도 그게 사랑 이야기임을 짐작하겠지만, 그건 역겨운 천치스러움이 아니라 횃불을 환하게 밝히고 그 주재소로 들어가는 식의 기분 좋은 천치스러움이었지. 마치 거기 숨어 있던 암살자들에게 알려 주고야 말겠다고 작정하고 일부러 찾아가는 것처럼 말이야. 만약에 셰리프 알리의 밀정들이, 짐의 말대로, 한 푼어치의 기백이라도 갖추고 있었더라면, 바로 그때 그들은 서둘러 감행했어야 했어. 짐의 가슴은 쿵쿵거리고 있었지. 무서웠기 때문이 아니라 풀이 바스락 소리를 내고 있는 듯했기 때문이었어. 그래서 그는 불이 비치지 않는 곳으로 날쌔게 걸어 나갔어. 어떤 침침하고 분명치 않은 모습이 재빨리 시야에서 사라지는 걸 보고 그는 우렁차게 "코넬리우스! 오, 코넬리우스!" 하고 불렀어. 깊은 침묵이 뒤따랐고 그의 목소리는 20피트도 번져 나가지 않은 듯했지. 다시 소녀가 그의 곁에 와서 "도망가세요!"라고 말했어. 노파가 다가오고 있었고, 불빛의 가장자리에서 불구의 몸으로 절뚝이는 그녀의 망가진 모습이 어른거렸지. 그녀의 중얼거림과 가볍게 앓는 듯한 한숨 소리가 들렸어. "도망가세요!" 흥분한 소녀가 거듭 말했어. "그들이 이젠 겁을 먹고 있답니다. 이 불빛과 목소리 때문이죠. 이젠 잠이 깨셨다는 걸 알고 있고, 몸집이 크고 힘이 세고 겁이 없는 분이라는 것도 알고 있죠……." "내가 그 모든 걸 겸비하고 있다면." 하고 짐이 입을 열자, 소녀는 그 말을 가로채며 말했어. "네, 오늘밤은 무사하시겠죠. 하지만 내일 밤은 어떡하시죠? 또 그 다음 날은? 그 많은 밤을 어떡하시죠? 제가 언제까지나 지켜볼 수 있다고 생각하세요?" 그녀가 흐느끼며 숨을 죽이는 것을 보고 그는 형언할 수 없는 감동을 받았다는 거야.

「그는 그때처럼 자기가 작고 무력하다는 것을 절감한 적이 없다고 했어. 그리고 용기가 있다 한들 무슨 소용에 닿겠느냐고 생각했다는 거야. 그는 너무나 고립무원이었기에 도망하려 한들 소용없을 것처럼 보였거든. 소녀가 열띤 어조로 완강하게 "도라민에게로 가세요! 도라민에게로 가시라고요!"라고 속삭였지만, 그 모든 위험을 백 배로 증폭하고 있던 고립 상태로부터 그가 피신할 수 있는 곳은 그녀밖에 없다는 것을 알게 되었지. 그는 나에게 '제가 만약에 그녀를 버리고 떠난다면 모든 것은 끝장날 것'이라고 말했어. 다만 그들이 언제까지나 그 뜰 가운데에 서 있을 수는 없었기 때문에 그는 창고로 가서 내부를 들여다보기로 마음먹었던가 봐. 그는 아무 항의도 생각하지 않았고, 그녀가 자기 뒤를 따르게 내버려 두었다는 거야. 두 사람은 마치 헤어질 수 없게 결합된 것 같았으니까. "나에게는 두려움도 없어. 그렇지?" 그는 이를 악문 채 중얼거렸어. 그녀는 그의 팔을 제지하더니, "제 목소리가 들릴 때까지 여기 기다리세요."라고 말한 후 횃불을 든 채 모퉁이를 돌아 경쾌히 달려갔어. 그는 문 쪽으로 얼굴을 돌린 채 어둠 속에 혼자 서 있었지만, 창고 안에서는 아무 소리나 숨결도 들리지 않았지. 그의 등 뒤에서는 노파가 처량하게 신음하고 있었고, 소녀가 높은 비명에 가까운 소리로 "이제 문을 미세요!"라고 말하자, 그는 난폭하게 문을 밀었어. 문이 삐걱거리며 덜컥 열리자 나지막한 뇌옥(牢獄) 같은 내부가 기분 나쁘게 펄럭이는 불빛을 받으며 드러나는 걸 보며 그는 크게 놀랐다는 거야. 바닥 한가운데에 놓인 텅 빈 목제 화물 상자 위로 소용돌이 연기가 어지러이 내려갔고 지저분하게 흩어져 있던 누더기와 지푸라기들이 바깥바람에 솟아오르려다 말고 미미하게 떨리고 있었거든. 그녀가 창살 사이로 횃불을 들이밀고 있었던 거야. 그는 그녀가 아무것도 걸치지 않은 통통하고 꿋꿋한 팔을 내밀어 마치 철제 까치발처럼 견고하게 횃불을 잡고 있는 걸 보았어. 저쪽 구석에는 낡은 매트들이 원추형으로 천장까지 제멋대로 쌓여 있었고, 그것뿐이었지.

「그는 그 광경을 보고 몹시 실망했다고 하더군. 그의 굳센 마음은 그간 너무 많은 경고에 시달려 왔고, 여러 주일 동안 너무 많은 위험의 암시에 휩싸여 왔기 때문에, 무언가 현실적이고 실제적인 것과 마주침으로써 해방감을 맛보게 되길 바랐던 거야. "그럴 수만 있었다면 적어도 두어 시간 동안이라도 내 어두운 기분을 일신할 수 있었을 테니까요. 아시겠어요?" 그가 나에게 말하더군. "젠장! 저는 여러 날 동안 가슴에 무거운 돌이 얹힌 기분으로 살아왔거든요." 그러다 드디어 그가 무언가 움켜잡게 되었다고 여겼지만, 결국 아무것도 잡지 못하게 되었던 거야. 아무 흔적이나 조짐도 없었으니. 그는 문을 열면서 권총을 쳐들었지만 이제는 팔이 내려가고 말았지. "쏘세요. 몸을 방어하시라고요." 바깥에서 소녀가 고통스럽게 고함을 질렀어. 그녀는 어둠 속에서 그 작은 구멍에 어깨가 닿도록 팔을 들이밀고 있었기 때문에 창고 안에서 벌어지고 있는 것을 볼 수는 없었거든. 그런데 그녀는 횃불을 끄집어내고 돌아서려 하지 않았던 거야. "이곳에 아무도 없는 걸." 짐은 경멸하듯 소리를 질렀지. 그러나 속이 상하고 화가 난 채 웃음을 터뜨리고 싶은 그의 충동은 아무 소리도 내지 못하고 가라앉고 말았어. 막 돌아서려는 순간에 그의 시선은 매트 더미 속에 숨어 있던 한 쌍의 눈과 마주쳤던 거야. 그는 흰자가 번쩍하고 움직이는 것을 보았거든. 약간 의심스러워진 그가 성난 소리로 "이리 나와!" 하고 소리치니까 검은 얼굴의 머리 하나가 쓰레기 속에서 몸통도 없이 드러났지. 기이하게 몸에서 분리된 듯한 머리가 꼿꼿이 상을 찌푸리며 그를 바라보고 있었던 거야. 다음 순간에 그 쓰레기 더미 전체가 움직이더니, 나직한 끙 소리를 내며 한 사내가 재빨리 모습을 드러내며 짐을 향해 뛰어들었어. 그의 뒤쪽으로 매트들이 튀며 날아갔고, 그는 팔꿈치를 굽힌 오른팔을 치켜들고 있었는데 머리에서 위쪽으로 약간 떨어져 있던 주먹에서는 단검의 무딘 날이 삐져나와 있었지. 그의 허리에 팽팽히 감겨 있던 천은 그의 청동빛 살갗과 대비되어 현란할 정도로 하얗게 보였고, 그의 벗은 몸은 마치 젖어 있듯이 번질거리고 있더라는 거야.

「짐은 그 모든 것을 주목하고 있었어. 그는 자기가 형언할 수 없는 안도감과 복수심으로 가득한 들뜬 기분을 체험하고 있었다고 말하더군. 그는 일부러 발사를 보류하고 있었다는 거야. 그는 십분의 일 초쯤, 그러니까 그 사내가 세 발짝을 떼는 동안 보류했는데, 그게 무척 긴 시간으로 느껴지더라는 거야. 그는 "저 녀석은 이제 죽었어!"라고 혼잣말을 하는 기쁨을 위해서 발사를 보류하고 있었던 거야. 그에게는 절대적 확신이 있었어. 그 녀석이 다가오게 내버려 둔 것은 그게 문제될 것이 없었기 때문이었지. 어차피 죽을 녀석이었으니까. 그는 벌름대는 콧구멍이며 휘둥그런 눈 그리고 결의와 열의로 가득하던 조용한 얼굴 따위를 눈여겨본 후에 발사했다는 거야.

밀폐된 공간이라 총성에 어안이 벙벙했겠지. 그는 한 걸음 물러섰어. 그 녀석이 머리를 뒤로 젖히면서 두 팔을 앞으로 던지더니 단검을 떨어뜨리는 것이 보였다는 거야. 나중에 확인해 보니까, 총알은 녀석의 입을 맞혔고 약간 위쪽으로 두개골 뒷부분을 높이 뚫고 나갔다는 거야. 달려오던 관성으로 녀석은 곧장 앞으로 밀려 나오더니 이지러진 얼굴이 벌어지고 장님이 된 듯 두 손을 펴고 더듬으며 요란하게 쿵 하고 엎어졌는데 이마가 짐의 맨 발가락에 닿을 뻔했던가 봐. 짐은 그 세세한 광경을 하나도 놓치지 않았다고 말했어. 마치 그 녀석의 죽음이 모든 것을 속죄한 것처럼 짐은 아무 원한이나 불안감도 없이 마음이 조용하고 편안했다는 거야. 그곳은 횃불에서 나온 검정 연기로 가득했고, 그 속에서 불꽃은 퍼덕이지도 않으며 핏빛으로 빨갛게 타오르고 있었지. 그는 시신을 타 넘고 결심한 듯이 걸어 들어갔고, 다른 구석에서 희미하게 모습을 드러내고 있던 또 한 녀석의 벗은 몸을 향해 권총을 겨누었어. 그가 방아쇠를 당기려는 순간, 그 녀석은 무거운 단창(短槍)을 휙 던져 버리고 항복하듯이 주저앉더니 등을 벽에 대고 두 손은 가랑이 사이에서 모아 쥐고 있었지. "살고 싶으냐?" 짐이 말했지. 상대방은 아무 소리도 내지 않았어. "몇 놈이나 더 있느냐?" 짐이 다시 물었어. "둘이 더 있습니다, 투안." 그는 매혹된 듯이 휘둥그런 눈으로 총구를 들여다보면서 아주 조용히 말했어. 그 말을 듣자 매트 아래서 두 사내가 더 기어 나오며 여봐라는 듯이 빈손을 내밀더라는 거야.」

32장

「짐은 유리한 위치에 서서 세 사람을 모아 문간으로 몰고 갔어. 그간 횃불은 사뭇 흔들림이 없는 소녀의 작은 주먹에 수직으로 쥐어져 있었지. 세 사람은 말없이 짐의 명령에 순종하며 자동으로 움직이고 있었어. 그는 그들을 한 줄로 세우고 명령했어. "서로 팔을 잡아!" 그들은 시키는 대로 하더라는 거야. "팔을 빼거나 머리를 돌리는 놈은 죽는다. 앞으로 갓." 그들은 굳은 동작으로 걸어 나갔고, 그가 뒤따랐어. 곁에서는 검은 머리카락을 허리까지 늘어뜨리고 질질 끌리는 하얀 가운을 걸친 소녀가 불을 받쳐 들고 있었지. 꼿꼿이 서서 몸을 흔들던 그녀는 땅을 딛지 않고 미끄러지는 듯했고, 비단 자락이 스치는 소리와 긴 풀잎이 바스락거리는 소리밖에 들리지 않았어. "멈춰!" 짐이 소리쳤지.

「강둑은 가팔랐어. 아주 상쾌한 기운이 솟아오르는 가운데 잔물결도 없이 거품을 내며 미끄러지듯 흐르던 검은 강물 가장자리에 불빛이 떨어졌어. 좌우로 예리한 윤곽의 지붕 아래로 집의 형상들이 널려 있었지. "내가 나중에 찾아갈 테지만 우선 셰리프 알리에게 내 인사를 전해라." 짐이 말했어. 세 사람 중에서 아무도 머리를 움직이지 않았어. "뛰어들어!" 그의 우레 같은 명이 떨어지자 세 사람은 물을 튀기며 뛰어들었는데 마치 한 사람이 내는 첨벙 소리 같더라는 거야. 검은 머리들은 경련을 하듯 수면 위에 나타났다 사라졌다 하다가 보이지 않게 되었지만, 크게 씩씩거리거나 첨벙거리는 소리는 계속되었고, 혹시 고별의 총알이라도 날아올까 봐 열심히 물속으로 몸을 숨기는 통에 점차 그 소리는 희미해지고 있었지. 그는 그간 말없이 주의 깊게 지켜보고만 있던 소녀를 향했어. 그의 심장이 갑자기 너무 커져서 가슴을 가득 채우는 통에 목이 메는 듯한 느낌이었다는 거야. 그가 오랫동안 말없이 서 있기만 했던 것도 아마 그 때문이었겠지. 그녀는 그의 눈길에 화답한 후 팔을 크게 휘저으며 아직도 타고 있던 횃불을 강물로 던졌어. 붉게 타고 있던 불이 밤하늘을 길게 날아가서 피식 소리를 요란하게 내며 꺼지니까, 조용하고 부드러운 별빛이 아무 제지도 받지 않고 두 사람 위로 쏟아지더라는 거였어.

「드디어 목소리를 되찾게 되자 그가 무슨 말부터 했는지 나에게 말해 주지는 않더군. 그가 그리 달변이었을 것 같지는 않아. 세상은 적막하고 밤이 그들을 향해 숨을 쉬고 있었으니, 정겨움을 담도록 마련된 듯한 그런 밤이었겠지. 마치 어두운 장막 속에서 해방된 듯한 우리 영혼이 일종의 오묘한 감성으로 이글이글 타오르는 순간이 있는 법이야. 그럴 때는 그 감성 덕분에 특정한 침묵이 언변보다 더 많은 것을 밝혀주게 돼. 짐은 소녀에 관해서 이렇게 말했어. "그녀는 감정이 복받치는 듯했어요. 흥분한 탓이었지요. 반작용이기도 하구요. 지독히도 지쳐 있었을 테니까요. 그 모든 것에 신경을 쓰다니. 게다가—게다가, 젠장, 그녀는 절 좋아하고 있었다고요. 저도 또한…… 물론 모르고 있었지요……. 저는 그런 생각을 전혀……."

「그러고 나서 그는 일어서더니 약간 심란한 듯이 이리저리 걷기 시작했어. "저는—저는 그녀를 참으로 사랑하고 있습니다. 말할 수 없을 정도지요. 물론 말할 수는 없어요. 우리의 생존이 다른 사람을 위해 필요하되 절대로 필요하다는 것을 알고 있거나 알게 될 경우 우리 각자는 여느 때와 다른 견해를 가지고 행동하게 됩니다. 저는 그걸 느끼게 된 거죠. 놀라운 일입니다. 하지만 그간 그녀가 어떻게 살아왔는지를 생각해 보세요. 너무 끔찍했지요. 제가 여기서 그녀를 만난 건 마치 산책을 나갔다가 어떤 외지고 어두운 곳에서 물에 빠져 죽어 가는 사람과 갑자기 마주친 것과 같지요. 젠장. 더 시간을 끌 수가 없었죠. 네, 그건 신뢰이기도 했고요. 저는 그런 신뢰를 감당할 수 있다고 생각합니다……."

「그 여인이 그 얼마 전에 우리끼리만 있게 해 주었다는 걸 말해 두어야겠군. 그는 자기 가슴을 찰싹 때리면서 "네! 저는 그걸 느낍니다. 하지만 저는 제 모든 행운을 누릴 만하다고요!" 자기에게 일어나는 모든 일에서 특별한 의미를 찾아내는 재주가 그에게는 있었어. 그게 바로 그가 자기 애정 문제를 보는 시각이었으니까. 그 시각은 목가적이요 약간은 엄숙했으며 또 진정이었지. 그의 믿음에 흔들리지 않는 젊음의 진지함이 있었기 때문이야. 얼마 뒤에 다른 이야기를 하다가 그는 말했어. "저는 이곳에서 이 년밖에 있지 않았습니다. 그런데 이제는, 정말, 다른 곳에서 산다는 건 생각조차 할 수 없군요. 바깥세상에 대해서는 생각만 해도 겁이 나니까요. 왜냐하면, 아시다시피." 마침 우리는 강둑을 산책하고 있었는데, 그는 내리뜬 시선으로 작은 마른 진흙 덩이 하나를 밟아서 뭉개고 있는 자기 구둣발을 지켜보며 말을 이었어. "제가 왜 이곳에 왔는지 잊은 적이 없거든요. 아직은 못 잊지요!"

「나는 그를 쳐다보는 걸 삼가고 있었어. 하지만 짤막한 한숨 소리를 들었던 것 같아. 우리는 말없이 그곳을 한두 바퀴 돌았어. "정말 제 영혼과 양심을 걸고 말씀드립니다만." 그는 다시 말하기 시작했어. "그런 일도 잊을 수만 있다면, 저의 마음에서 그 일을 떨쳐 버릴 권리가 저에게 있다고 생각합니다. 이곳에서 누구에게나 물어보세요." ······그의 목소리가 변하고 있더군. 그는 거의 동경 어린 어조로 점잖게 말을 이었어. "모든 이곳 사람들에게, 저를 위해서라면 무슨 일이든 하려는 모든 사람들에게, 영영 이해시킬 수 없다는 게 이상하지 않습니까? 영영 안 되죠. 선장님께서 제 말을 믿지 못하시겠다면, 저로서도 그들을 떠올릴 수가 없을 겁니다. 어쨌든 어려울 듯합니다. 제가 바보가 아닐까요? 제가 무얼 더 바랄 수 있겠어요?

만약 선장님께서 그들에게 누가 용감하고, 누가 참되고, 누가 공정하고, 누가 믿고 목숨을 맡길 만한 사람이냐고 물으신다면 그들은 '투안 짐'이라고 대답할 겁니다. 그런데도 그들은 진짜 진실만을 영영 이해할 수 없을 테죠……."

「내가 짐과 보낸 마지막 날 그는 그런 말을 했지. 나는 한 마디 속삭임도 놓치지 않고 들었다니까. 나는 그가 말을 더 하려 했으며 문제의 근원에는 접근하지 못할 거라고 느꼈어. 태양은 그 집중된 광열을 가지고 지구를 불안한 한 점의 먼지로 축소해 버릴 듯이 이글거리다가 드디어 숲 너머로 떨어졌고, 젖빛 유리 같은 하늘에서 확산된 빛은, 아무 그림자나 광휘도 없는 세상에, 말없이 생각에 잠긴 어떤 위대한 존재의 환상을 던지는 듯했어. 그의 이야기를 들으며 왜 내가 강과 하늘이 차츰 어두워지던 광경을 그처럼 또렷이 주목하고 있었는지 지금도 그 이유를 알 수가 없군. 거역할 수 없게 천천히 다가오던 밤은, 눈에 보이지 않는 검은 먼지가 꾸준히 떨어지듯이 천천히 작용하면서 모든 보이는 형체 위에 조용히 내려앉아 그 윤곽을 지우고 형상을 점점 더 깊이 묻어 버리고 있었어.

「"젠장!" 그가 갑자기 말했어. "너무 조리가 없어서 우리가 아무 일도 할 수 없는 날이 더러 있지 않습니까. 하지만 저는 제가 바라는 것을 말씀드릴 수 있지요. 그 일을 끝장내는 것, 저의 뇌리에 자리 잡고 있는 그놈의 일을 끝장내는 것 말입니다……. 잊어버린다고 하지만…… 어떻게 해야 잊을 수 있을지 알 수가 없으니! 조용히 생각해 볼 수는 있답니다. 결국 그 일이 어떻게 되었나요? 아무것도 아니었죠. 선장님께서는 그렇게 생각하지 않으시겠지만……."

　나는 항변하며 투덜댔어.

　"상관없습니다." 그가 말하더군. "저는 만족하고 있다고
요……. 만족한다고요. 거의 그런 편이죠. 내가 처음 마주치게
되는 사람의 얼굴을 바라보기만 해도 저는 자신감을 되찾을
수 있으니까요. 그들에게 제 마음속에서 일어나는 일을 이해
하게 할 수는 없어요. 그게 뭐 문제인가요? 보세요, 저는 그간
꽤 잘 해 온 셈이랍니다."

　"꽤 잘 해 왔지." 내가 말했어.

　"그럼에도 불구하고 선장님께서는 저를 선원으로 고용하
고 싶진 않으시겠죠?"

　"쓸데없는 소리!" 내가 소리쳤지. "그만두게나."

　"아하! 보세요." 그는 평온하게 나를 굽어보며 소리치다시
피 했어. "다만, 이곳 사람들 중 누구에게나 그런 말을 해 보
세요. 그들은 선장님을 바보나 거짓말쟁이, 혹은 그보다 더 못
하다고 여길 겁니다. 그래서 제가 견딜 수 있는 거죠. 저는 그
들에게 한두 가지 일을 해 주었는데, 그들은 저를 이토록 신임
한답니다."

　"이보게." 내가 큰 소리로 말했어. "자네는 언제까지나 그
들에게 해명되지 않는 미스터리로 남게 될 걸세." 그 말을 하
고 나서 우리는 침묵했어.

　"미스터리라." 그는 나를 쳐다보며 내 말을 반복하더군.
"그렇다면 제가 언제까지나 이곳에 있도록 해 주십시오."

　해가 지고 나니까, 조금이나마 바람이 불 때마다 어둠이

그 바람을 타고 우리에게 몰려오는 듯하더군. 생울타리길 가운데서는 다리가 하나밖에 없는 것처럼 보이는 탐 이탐이 수척한 모습으로 가만히 서서 경계하고 있었어. 지붕을 버티고 있던 기둥 뒤쪽의 어둑한 공간에 무언가 하얀 물체가 오락가락 움직이는 것을 볼 수 있었지. 짐이 탐 이탐을 거느리고 저녁 순찰을 나서자마자 나는 혼자서 집으로 올라갔는데 뜻밖에도 도중에 여인과 마주치게 되었다고. 그녀는 그 기회를 기다리고 있었음이 분명했어.

「그녀가 나에게서 얻어내려고 한 것이 정확히 무엇이었는지를 자네들에게 말하기는 어렵군. 아주 단순한 것이었을 테지. 이 세상에서 지극히 단순하면서도 불가능한 것 말일세. 예를 들어 한 조각구름의 형상을 정확히 그려내는 일 같은 거지. 그녀는 어떤 보장이랄까 진술이랄까 약속이랄까 설명 같은 걸 얻어내고 싶었겠지만 나로서는 그걸 무어라 불러야 할지 알 수가 없군. 이름을 붙일 수 없는 것이었으니까. 삐죽 내밀고 있는 지붕 아래가 어두워서 나는 그녀가 입고 있던 가운의 흘러내리는 듯한 선과, 하얀 이가 번뜩이던 작고 파리한 타원형 얼굴 및 내 쪽을 향하고 있던 크고 음울한 눈을 볼 수 있었을 뿐이야. 그 눈 속에는 희미한 동요의 빛이 감도는 듯했는데 우리가 아주 깊은 샘물 바닥을 응시할 때나 볼 수 있을 거라고 상상되는 그런 동요였어. 거기서 움직이고 있는 것이 무엇인지 자네들은 궁금하겠지. 일종의 눈먼 괴물일까? 아니면 우주에 떠도는 불빛에 불과할까? 웃지 말게나. 만물은 서로 다르지만, 내가 보기에, 아이들처럼 세상 물정을 모르던 그녀는 길

손들에게 아이들 같은 수수께끼를 내고 있던 스핑크스[23] 보다도 더 속을 헤아리기 어려웠다는 생각이 들어. 그녀는 눈을 뜨기도 전에 파투산으로 와서 살게 되었지. 그녀는 거기서 자랐기 때문에 본 것도 없고 아는 것도 없었으며 그 어느 것에 대한 개념도 없었으니까. 도대체 그녀가 다른 무엇의 존재를 믿고 있었는지 나로서는 알 수 없어. 바깥세상에 대해 그녀가 무슨 생각을 했는지 나로서는 생각조차 할 수가 없었으니까. 그곳 주민에 대해서 그녀가 알고 있던 거라고는 배반당한 여인과 기분 나쁜 무언극 광대 같은 사내뿐이었거든. 그녀의 애인 또한 거역하기 어려운 유혹들을 받으며 바깥세상에서 자기 앞에 나타났지만, 만약 그를 되찾아야겠다고 주장하고 나서는 듯한 그 알 수 없는 땅으로 그가 되돌아가는 날이면 그녀는 어떻게 될 건가? 그녀의 모친은 죽기 전에 눈물을 흘리면서 바로 그 점을 경계하라고 했던 거야.

「그녀는 내 팔을 꽉 잡더니, 내가 걸음을 멈추자, 서둘러 손을 빼더군. 그녀는 대담했지만 위축되어 있었던 거야. 그녀는 아무것도 두려워하지 않았지만 깊은 불신과 극단적인 이질감으로 제지받고 있는 것이 마치 어둠 속을 더듬고 있는 용감한 사람 같았어. 그녀가 보기에, 나라는 사람은 어느 순간에건 짐을 돌려달라고 주장을 할 수 있는 미지의 세계에 속해 있었던 거야. 말하자면, 나는 그 세계의 성격이나 의도가 지니고

---

23) 그리스신화에서 스핑크스는 테베 사람들에게 수수께끼를 던져 답을 하지 못하면 잡아먹었다.

있던 비밀의 일부였고, 어떤 위협적인 미스터리의 수임자(受任者)인가 하면, 아마도 그 세계의 힘으로 무장까지 하고 있는 것으로 보였던 거지. 그녀는 내가 말 한마디만 하면 짐을 그녀의 품에서 앗아갈 수 있는 것으로 여기고 있었거든. 내가 짐과 오랫동안 이야기하고 있는 사이에 그녀가 고통스럽게 불안감을 겪고 있었다는 것이 내 차분한 믿음이야. 그리고 그녀는 또 일종의 현실적이고도 견딜 수 없는 고뇌를 겪고 있었는데, 그녀의 격렬한 영혼이 자기 행동의 결과에 의해 빚어질 엄청난 상황을 감당할 수만 있었다면, 그 고뇌가 그녀를 몰아세워 나를 살해하려는 음모라도 꾸미게 했을지 몰라. 그게 내가 받은 인상이고 내가 자네들에게 전할 수 있는 건 그것뿐이야. 그 모든 것이 차츰 내 마음속에 떠올랐고 그게 점점 더 분명해짐에 따라 나는 천천히 다가오는 어떤 믿기 어려운 경이감에 압도되고 있었어. 그녀는 자기 말을 내가 믿지 않을 수 없게 했지만, 그 저돌적이고 격렬한 속삭임이며, 부드럽고 열정적인 어조며, 갑자기 숨이 끊어진 듯이 말을 멈추고 날쌔게 뻗치던 하얀 팔의 호소하는 듯한 동작 따위의 영향을 내 입으로 표현할 도리가 없구먼. 두 팔이 내려가자 유령 같던 그녀의 모습은 바람 속의 가느다란 나무처럼 흔들리고 있었어. 그녀는 파리한 타원형 얼굴을 떨어뜨리고 있었기 때문에 그녀의 표정을 분간하기는 어려웠고 눈 속에 감도는 어둠도 그 깊이를 헤아릴 수가 없었다고. 두 폭의 넓은 소매가 어둠 속에서 날개를 펴듯 올라갔고, 그녀는 두 손으로 머리를 잡은 채 말없이 서 있었지.」

33장

「나는 엄청나게 감명 받았어. 그녀의 젊음과 무지, 야생화 같은 순박한 매력과 여린 생명력을 지닌 미모, 애감 어린 하소연, 고립무원의 상태 등이 그녀 자신의 불합리하지만 당연한 두려움에 버금가는 힘으로 나에게 호소해 왔어. 그녀는 우리 모두와 마찬가지로 미지의 세계를 두려워했고, 그녀의 무지로 인해 세계는 한량없이 넓어 보였던 거야. 그녀가 보기에는, 내가 바로 그 미지의 세계를 대표하고 있었어. 나 자신과 자네들, 그리고 짐에 대해서는 관심이 없을 뿐더러 그를 조금도 필요로 하지 않던 온 세상을 내가 대표하고 있었단 말일세. 짐 또한 그녀가 두려워하는 정체불명의 세계에 속하며, 내가 아무리 많은 것을 대표해도, 짐까지 대표할 수는 없다는 생각만 아니었더라면, 나는 이 북적대는 세상이 짐에 대해 무관심해지도록 만드는 일을 기꺼이 책임지겠다며 나섰을 거야. 하지만 그런 생각이 날 주저하게 했어. 절망적인 고통의 중얼거림이 내 입을 뚫고 나오더군. 나는 적어도 그를 데리고 가려는 의도로 그곳을 찾아온 건 아니라고 하며 말을 시작했지.

「그렇다면 무엇 때문에 내가 왔느냐는 거야. 그녀는 약간 움직이다가 한밤의 대리석상처럼 조용해지더군. 나는 우정이니 사업이니 하며 간단하게 설명하려 했지. 그 문제와 관련해서 내가 바라는 것이 있다면 그건 짐이 파투산에 머무는 것이라고도 했어……. "그들은 언제나 우릴 버리고 갑니다." 그녀가 중얼거리더군. 그녀가 늘 경건하게 화환으로 장식하던 모친의 무덤에서 나온 슬픈 지혜의 숨결이 희미한 한숨이 되어 지나가는 듯했어……. 그래서 나는 그 무엇도 짐과 그녀를 떼어 놓을 수 없을 거라고 말했어.

「그건 지금도 나의 확고한 신념이고, 그 당시의 신념이었고, 그 경우와 관계되는 모든 사실들에서 이끌어 낼 수 있는 유일한 결론이었거든. 그녀는 혼잣말을 하는 듯한 어조로 "그분도 저에게 그걸 맹세했습니다."라고 속삭였는데, 그 속삭임이 결론을 더 확실하게 만들진 못했어. "그에게 물어보았나요?"라고 내가 물었지.

「그녀가 한 발짝 더 다가오더군. "아뇨. 물어본 적이 없어요." 그녀는 그에게 떠나라고 했을 뿐이었다는 거야. 그가 그 사람을 죽이던 날 밤 강둑에서 그가 그녀를 너무 빤히 바라보는 통에 그만 그녀가 횃불을 강물에 던져 버린 후였대. 너무 빛이 밝았던 거야. 잠시 동안이나마 위험이 사라졌거든. 그때 그는 그녀를 코넬리우스에게 방치하지는 않겠노라고 말했어. 그녀는 고집했지. 그가 자기를 버리고 떠나기를 원했던 거야. 그는 그럴 수는 없으며 그건 불가능하다고 말했다는 거야. 그 말을 하면서 그는 몸을 떨었고, 그녀는 그가 떠는 것을 느낄 수 있었나 봐……. 우리가 그 장면을 그려 보고 그들이 주고받았을 속삭임을 엿듣기 위해서는 많은 상상력이 필요하진 않아. 그녀는 그의 신변 안전 때문에 두려워했던 거야. 당시 그녀는 그가 여러 위험에 희생될 운명에 처해 있음을 알고 있었고, 그 위험을 그보다는 더 잘 알고 있었던 거야. 그는 그저 거기 있기만 해도 그녀의 마음을 지배할 수 있었고 그녀의 모든 사념을 채우고 그녀의 모든 정감을 차지할 수 있었지만, 그녀는 그가 거기서 성공할 가망성을 과소평가하고 있었던 거야. 그 무렵 모든 사람들이 그의 성공 가망성을 과소평가하고 있었음이 분명해. 엄밀히 말해서, 그에게는 가망성이 조금도 없는 것처럼 보였던 거지. 나는 그게 코넬리우스의 견해였다는 걸 알고 있어. 코넬리우스는 불신자 짐을 없애려는 셰리프 알리의 음모에서 자기가 맡았던 수상쩍은 역할을 축소하면서 나에게 그런 말을 고백했어. 지금 생각해 보면, 셰리프 알리마저도 그 백인에 대해서는 경멸밖에 느끼지 않았음이 분명하고, 짐을 살해하려던 것도 주로 종교적인 이유에서였다고 생각해. 단순히 신앙심이 빚은 행동으로서 무한히 찬양할 만한 일이었지만, 그 밖에는 별로 의미가 없었어. 이런 의견에 대해서는 코넬리우스도 동의하더군. "존경하는 선생." 그와 내가 단둘이 있게 된 경우가 딱 한 차례 있었는데 그때 그는 비열하게 말했어. "존경하는 선생, 내가 어떻게 알 수 있었겠어요? 그가 뭡니까? 그가 어떻게 해야 사람들의 신임을 받을 수 있겠습니까? 그따위 애송이를 보내 오랫동안 봉사해 온 사람에게 큰소리나 치게 하다니 도대체 스타인 씨는 어쩌자는 건가요? 80달러를 받고 그의 목숨을 구해 주려고 했답니다. 겨우 80달러만 받고 말입니다. 왜 그는 바보처럼 가지 않는답니까? 한 이방인을 위해서 내가 칼에 찔려서야 되겠습니까?" 그는 넌지시 허리를 굽힌 채 내 앞에서 진심으로 굽실거리고 있었는데 두 팔이 내 무릎 위에 드리워져 있는 것이 마치 내 다리를 껴안을 듯하더라니까. "80달러가 뭔가요? 죽은 악처 때문에 일생을 망치고 나서 무방비 상태에 있는 늙은이에게 주는 돈치고는 보잘것없는 액수지요." 이 대목에서 그는 울기 시작하더군. 그러나 나는 앞날을 예측하며 사는 사람이라니까. 그날 저녁에 나는 그 여인의 이야기를 들으며 담판을 짓고 난 후에 코넬리우스와 마주쳤던 거야.

「짐에게 그녀가 자기를 버리고 그 지역을 떠나라고 재촉했을 때 그녀에게 사심은 없었어. 그녀가 아마 무의식으로는 자기 목숨도 구하고 싶었겠지만 마음속으로 가장 먼저 생각한 것은 짐이 처한 위험이었거든. 하지만 그녀는 자기가 접하고 있던 경고라든지, 자기의 모든 기억의 중심을 이루고 있던 얼마 전에 죽은 모친의 삶의 순간순간에서 끌어낼 수 있는 교훈 같은 것들을 생각해 보았지. 그래서 그녀는 그곳 강가의 조용한 별빛 아래서 짐의 발치에 쓰러지고 말았다는 거야. 그 별빛은 거대한 침묵의 그림자들과 무한히 펼쳐져 있는 허공만을 보여 주었고, 그 넓은 강물 위에서 희미하게 떨리면서 강물이 마치 바다처럼 넓어 보이게 했어. 그는 그녀를 일으켜 세웠다는 거야. 일으켜 세우니까 그녀는 더 이상 몸부림치지는 않았어. 당연했지. 굳센 팔이며, 다정한 목소리며, 작고 가엾고 외로운 머리를 기댈 우람한 어깨가 있었거든. 아픈 마음이며 곤혹스러운 생각을 다스리기 위해서는 그 모든 것이 필요했으되 무한히 필요했고, 젊음의 충동과 그 순간의 필연성도 작용했겠지. 자네들 같으면 무얼 원했을까? 세상만사를 이해할 능력이 없는 사람이 아니고야 누구나 이해할 수 있을 테니까. 그래서 그녀는 짐이 자기를 일으켜 세우고 붙잡아 주자 흡족했던 거야. "알잖아요. 젠장! 이건 진정이지 헛소리가 아니라고요." 이는 짐이 자기 집 문간에서 괴롭고 걱정스러운 얼굴로 황급히 속삭이듯 말한 대로야. 나는 헛소리에 대해 아는 게 별로 없지만 그들의 로맨스 속에는 경박한 데가 전혀 없어. 그들은 마치 유령이 나올 듯한 폐허에서 사랑의 맹세를 교환하는 기사와 소녀처럼 삶의 재앙이 던지는 그림자 아래서 만나 함께 살게 되었던 거야. 그런 이야기를 위해서는 별빛이면 충분했어. 그 빛은 너무 희미하고 아득해서 그림자의 형상을 드러낸다든지 강 건너편 기슭을 보여 줄 수도 없을 정도였어. 그날 밤 바로 그 장소에서 나는 강물을 바라보았어. 조용히 흐르는 그 강은 지옥의 강처럼 캄캄하더군. 이튿날 나는 그곳을 떠났어. 하지만 그녀가 그에게 너무 늦기 전에 떠나라고 애원했을 때 그녀 자신은 어떤 처지에서 구원받고자 했는지 나는 결코 잊을 수 없을 듯해. 단순한 흥분 상태라고 하기에는 너무나 열렬히 관심을 보이고 있던 그녀는 마음을 가다듬고 그 처지를 나에게 말해 주었는데, 그때 그녀의 목소리는 반쯤은 보이지도 않던 자기의 하얀 모습만큼이나 어둠에 싸여 조용했어. 그녀가 "저는 울다가 죽는 게 싫었습니다."라고 말했을 때, 나는 그 말을 제대로 듣지 못했다고 생각했어.

「"울다가 죽는 게 싫었다니요?" 내가 그녀의 말을 되풀이하며 물었어. "어머니처럼 말입니다." 그녀는 거침없이 덧붙이더군. 그 하얀 모습의 윤곽은 조금도 흔들리지 않았어. "어머니는 돌아가시기 전에 가슴 아프게 우셨어요." 그녀가 설명하더군. 우리가 모르는 사이에 우리 주변에는 상상하기 어려운 정적이 밤새 소리도 없이 불어난 강물처럼 솟아올라 눈에 익은 감정의 지표들을 지워 버린 듯했지. 마치 내가 물속에서 디디고 섰던 자리를 놓치기라도 한 것처럼, 갑자기 두려움이 엄습해 오더군. 알 수 없는 깊이에 대한 두려움이었어. 그녀는 계속해서 말하기를, 임종의 순간에 모친과 단둘이 있던 그녀는 코넬리우스를 물리치려고 병상 곁을 떠나 문간으로 가서 등으로 문을 막고 있었다는 거야. 그는 들어오고 싶어 했고 두 주먹으로 계속 문을 두드리다가 이따금 그쳤지만 그건 쉰 목소리로 "들어가게 해 다오! 들어가게 해 다오! 들어가게 해 다오!"라고 소리 지르기 위함이었어. 저쪽 구석에 깔아 놓은 몇 장의 매트 위에서 죽어 가던 여인은, 이미 말을 잃고 팔을 들어 올릴 힘조차 없이 머리만 돌리고 힘없이 손을 움직이며 "안 돼! 안 돼!"라고 명하는 듯했고, 그 명령에 순종해서 딸은 온 힘을 다해 어깨로 문을 막으면서 바라보고 있었던 거야.

"눈에서 눈물이 흐르더니 어머니는 돌아가셨어요." 소녀는 전혀 동요 없는 단조로운 목소리로 말을 맺더군. 그 어조는 다른 무엇보다도 더, 하얀 조상(彫像)처럼 꼼짝 않고 서 있던 그녀의 모습보다도 더, 그리고 단순히 말로 형언할 수 있는 것 이상으로, 내 마음을 깊이 어지럽히면서 임종 장면에 대한 속절없는 두려움을 겪게 하더군. 그 목소리는 삶에 대한 내 나름의 관념으로부터 나를 몰아내는 힘이 있었어. 우리 각자는 스스로를 위한 피난처를 만들어 놓고 위험한 순간에는, 자라가 껍질 속으로 몸을 숨기듯이, 그 피난처로 기어들지만, 그 목소리를 듣고 나는 거기서 물러나지 않을 수 없었지. 한순간 나는 광대하고 음산한 무질서의 모습을 지닌 듯한 세계를 보았어. 그런데 사실, 우리의 지칠 줄 모르는 노력 덕분이겠지만, 그것은 작은 편의들을 인간의 마음이 생각할 수 있는 한 최대로 밝게 정돈해 놓은 세계야. 하지만 그건 오직 한순간뿐이었어. 나는 곧장 나의 껍질 속으로 되돌아갔으니까. 비록 내가 그 경계를 넘어 한순간 곰곰이 생각해 보았던 그 어두운 사념들의 혼돈 속에서 말을 잃었던 것 같지만 결국은 그 껍질로 돌아가야만 했던 게 아닐까. 잃어버렸던 말도 이내 되찾았지. 말 또한 우리의 은신처를 이루는 빛과 질서라는 보호적인 개념의 일부이거든. 내가 말을 언제든 활용할 태세를 갖추고 있는데 그녀가 조용히 속삭이더군. "우리가 단둘이서 거기 서 있을 때 그분은 저를 버리지 않겠다고 맹세하셨습니다. 저에게 맹세했다고요!"…… "그런데도 그의 말을 믿지 못하겠다는 겁니까?" 참으로 충격을 받은 내가 진정으로 나무라듯이 물었지. 왜 그녀는 그의 맹세를 믿을 수 없었을까? 어찌하여 그녀는 마치 불확실성과 두려움이 자기 사랑의 수호자인 것처럼 불확실성만 갈망하며 두려움에만 매달리고 있는 걸까? 끔찍한 일이었지. 그녀는 그 정직한 애정을 가지고서 자기 자신을 위해 난공불락의 평화의 피난처를 하나 만들었어야 했어. 그녀에게는 그럴 지식이 없었고 아마 수완도 없었을 거야. 밤이 잰걸음으로 다가왔어. 우리가 있던 곳이 칠흑처럼 어두워지자 그녀는 미련 많고 성미 고약한 유령의 실체 없는 형상처럼 미동도 하지 않고 사라지더군. 그러다가 갑자기 나는 그녀가 "다른 사람들도 똑같은 맹세를 한 적이 있거든요."라고 속삭이는 것을 들을 수 있었지. 그건 어떤 슬픔과 두려움으로 가득한 사념에 대한 명상적인 논평처럼 들리더라니까. 그러고 나서 그녀는 더 낮은 목소리로 "저의 아버지가 그랬다고요."라고 덧붙였어. 그녀는 소리 없이 숨을 돌리기 위해 말을 중단했다가 "외할아버지 역시 그랬고요."라고 했어. 그녀는 그런 것들을 알고 있었던 거야. 그래서 당장에 내가 말했지. "아! 하지만 그는 다르답니다." 그녀는 나의 주장에 대해 시비를 걸 생각이 없는 듯했어. 그러나 얼마쯤 후에 허공을 꿈결처럼 떠돌던 기이하고 조용한 속삭임이 내 귓전으로 전해지더군. "왜 그분은 다르지요? 그분은 더 훌륭한가요? 그분은……?" 나는 그녀의 말을 가로채고 말했어. "맹세코 말합니다만, 그는 더 훌륭하다고 생각합니다." 우리는 어조를 신비하게 들릴 정도로 낮추고 있었어. 짐이 부리는 일꾼들은 대부분 셰리프의 방책에서 해방된 노예들이었는데, 그들이 살던 오두막에서 누군가가 앙칼진 목소리를 느리게 빼며 노래하기 시작하더군. 강 건너 도라민의 거처라 여겨지는 곳에서는 커다란 불길이 어둠 속에서 완벽히 고립된 하나의 둥근 불꽃 덩어리를 이루고 있었어. "그분은 더 참된가요?" 그녀가 중얼댔어. 나는 "네."라고 대답했지. "다른 누구보다도 더 참되나요." 그녀가 머뭇거리는 어조로 다시 묻더군. 그래서 내가 대답했지. "이곳에서는 아무도 그분의 말을 의심하는 걸 꿈도 꾸지 않을 겁니다. 색시 말고는 아무도 감히 의심하지 않지요."

「이 말을 듣고 그녀가 몸을 움직였던 것 같아. "더 용감하나요?" 그녀는 어조를 바꾸어 묻더군. "두려움 때문에 그가 색시 앞에서 도망치는 일은 없을 겁니다." 내가 약간 찔리는 듯이 말했어. 앙칼진 음조의 노래가 뚝 끊어지더니 먼 곳에서 여러 사람이 이야기하는 소리가 들려왔어. 짐의 목소리도 들리더군. 나는 그녀의 침묵에 놀란 나머지 "그가 무슨 이야기를 했나요? 그가 무슨 이야기건 했겠지요?"하고 물었어. 아무 대답도 없더군. "그가 색시한테 무슨 이야기를 했나요?" 나는 집요하게 물었지.

「"제가 말씀드릴 수 있다고 생각하세요? 제가 어떻게 알겠어요? 제가 어떻게 이해할 수 있겠어요?" 드디어 그녀가 소리를 지르더군. 동요하는 빛이었어. 그녀는 두 손을 쥐어짜고 있었을 거야. "그분에게는 무언가 영영 잊지 못할 일이 있다고요."

「"그렇다면 색시를 위해서는 그만큼 더 잘된 거지요." 내가 음울하게 말했어.

「"그게 무슨 일인데요? 무슨 일이죠?" 그녀는 그 간절한 어조에다 비범한 호소력을 담고 있었어. "그분은 겁을 먹은 적이 있었다고 하더군요. 제가 그걸 어떻게 믿겠어요? 제가 미쳤다고 그런 말을 믿겠어요? 모두들 무언가를 기억하고 있지요. 모두가 그 기억으로 돌아가더군요. 그게 무슨 일인데요? 선장님께서 말씀해 주세요. 그건 무슨 일입니까? 아직도 살아 있는 일인가요? 아니면 끝났나요? 저는 그게 싫습니다. 잔인하거든요. 그 재앙에는 얼굴이나 목소리가 있나요? 그분이 그걸 보게 되나요. 듣고 있나요? 잠을 자다가 그분은 아마도 저를 보지 못하고 일어나서 나가겠지요. 아! 저는 그걸 용서할 수 없을 겁니다. 저의 어머니는 용서하셨어요. 하지만 저는 못해요. 일종의 신호가 있게 될까요? 호출이 있을까요?"

「놀라운 경험이었어. 그녀는 그의 수면 자체를 불신하고 있었고, 내가 그 이유를 말해 줄 수 있을 거라고 여기는 듯하더군. 이처럼 한 망령의 마력에 이끌린 가엾은 인간이 또 다른 유령으로부터 엄청난 비밀을 짜내려 하고 있었는지도 몰라. 그것은 이 세상의 열정 사이를 헤매고 다니는 어떤 와해된 영혼에 대한 저 세상의 소유권과 관계되는 비밀이었어. 내가 디디고 섰던 바로 그 땅바닥이 발밑에서 녹아 버리는 듯하더라니까. 게다가 그건 아주 단순했어. 하지만 만약에 인간의 두려움과 불안에 의해 환기된 유령들이 비참한 마술사인 우리들 앞에서 서로의 항구성을 보장해야 한다면, 나는(육신을 가지고 살아가는 우리들 중에서도 나만은)그 과업의 절망적인 냉혹함 속에서 몸서리를 치고 있었던 거야. 신호냐고! 호출이냐고! 그런 표현 속에서는 그녀의 무지가 참으로 적나라하게 드러나고 있었어! 몇몇 낱말들이라니! 어떻게 그녀가 그런 낱말들을 알게 되었으며 어떻게 그걸 입에 올리게 되었는지 나로서는 상상도 할 수가 없어. 우리 남성들이 보기에는 그저 끔찍하고, 불합리하고 부질없는 순간들의 압박감 속에서도 여자들은 영감을 찾나 봐. 도대체 그녀에게 목소리가 있었다는 것을 아는 것만으로도 가슴속에 두려움을 불어넣기에 충분했다니까. 걷어차인 돌멩이 하나가 아프다고 비명을 지른다고 해도 그녀의 목소리보다 더 크고 가련한 기적 같은 소리로 들릴 수는 없었을 거야. 어둠 속을 떠도는 그 몇 가지 소리들이 어둠에 가린 두 사람의 삶을 내 마음에 비극적으로 비치게 했어. 그녀에게 이해시킨다는 것은 불가능했다니까. 나는 내 무력감에 대해 말없이 화가 났어. 짐 또한 그랬지. 가엾은 녀석 같으니. 누가 그를 필요로 할 것인가? 누가 그를 기억해 줄 것인가? 그는 바라던 것을 얻은 셈이었어. 그 무렵에 그의 존재는 이미 잊혀졌을 테니까. 그들은 자기네 운명을 지배하게 되었던 거야. 그들은 비극적이었어.

「내 앞에서 꼼짝하지 않고 있던 그녀는 기대에 차 있었고, 나의 역할은 망각으로 가득한 망령들의 땅에서 온 내 형제 같은 짐을 대변하는 일이었어. 나는 내 책임감과 그녀의 곤경을 절감하고 있었지. 그녀의 연약한 영혼을 달랠 수 있는 능력을 얻을 수만 있다면 나는 무엇이건 아낌없이 내놓았을 걸세. 그 영혼은 극복할 수 없는 무지 상태에서, 새장의 쇠살을 여린 날개로 때리고 있는 작은 새처럼, 자신에게 고통을 가하고 있었던 거야. 두려워하지 말라니, 그런 말보다 하기 쉬운 것은 없지. 하지만 그보다 더 어려운 일도 없어. 두려움을 없앨 방법이 있느냐고 묻고 싶어. 유령을 쏘아 심장을 관통하거나, 머리를 잘라내거나, 목덜미를 움켜잡을 수 있는 방법이 있는가? 꿈꾸는 동안에는 그런 일을 하겠다고 덤벼들겠지만, 결국은 머리카락이 땀에 젖고 사지를 벌벌 떨면서 도망치게 되면 다행이라 여기겠지. 그런 총알은 발사되지도 않았고 그런 칼날은 벼리어진 적이 없으며 그런 사람은 태어나지도 않았어. 날개 달린 진실의 언어마저도 납덩이처럼 우리의 발치에 뚝 떨어지고 말지. 그런 필사적인 조우(遭遇)를 위해서는, 이 세상에서는 찾아 볼 수 없는 미묘한 거짓말로 적셔 둔 귀신 붙은 독화살이 있어야 하겠지. 그러니 꿈속에서나 해 볼 수 있는 일일 수밖에! 안 그런가, 내 스승들이시여!

「나는 액풀이를 시작했는데 마음은 무거웠고 일종의 침통한 분노까지 느끼고 있었어. 갑자기 엄격한 어조를 띠며 높아진 짐의 목소리가 뜰 저편에서 들렸는데, 강가에서 어떤 바보 녀석이 저지른 부주의를 나무라고 있군. 나는 또렷하게 중얼거리며 그녀에게 말했어. 그 미지의 세계에는 그녀의 행복을 앗아 가려 한다고 여겨지는 것이 사실 전혀 없으며, 살아 있는 자나 죽은 자를 막론하고 그녀의 곁에서 짐을 떼어 낼 수 있는 얼굴이나 목소리나 힘은 없다고 말해 주었지. 내가 숨을 돌리는 사이에 그녀는 조용히 속삭였어. "그분도 그렇게 말하더군요." "그의 말은 진실이오." 내가 말했어. "없다고 하셨죠." 그녀는 한숨을 짓듯이 말했고 갑자기 날 향하더니 거의 들리지 않는 어조로 격하게 말하더군. "왜 저쪽 세상에서 찾아오셨나요? 그분은 자주 선장님 이야기를 한다고요. 선장님을 뵙기가 무서워요. 그분이 필요하신가요?" 일종의 은밀한 열기가 우리의 황급한 중얼거림 속으로 스며들고 있었어. "나는 다시 찾아오지 않을 거요." 내가 신랄하게 말했지. "게다가 나에게는 그가 필요하지 않소. 아무도 그를 원하지 않아요." "아무도 원하지 않는다고요?" 그녀가 의심스럽다는 듯한 어투로 내 말을 되풀이했어. "원하지 않고말고요." 내가 그 말을 확인하고 있을 때 기이한 흥분이 내 몸을 흔드는 느낌이더군. "색시는 그 사람을 강하고 현명하고 용감하고 위대하다고 생각하면서 왜 참되다고는 생각하지 않지요? 나는 내일 떠날 것이고 그러면 모든 것이 끝납니다. 저쪽 세상의 목소리 때문에 색시가 고통을 당하는 일이 없게 하겠소. 색시가 알지도 못하는 저쪽 세상이란 너무 넓은 곳이라 그 사람 하나 없다고 해서 아쉬워하지도 않는답니다. 아시겠어요? 너무 넓다고요. 그의 마음을 색시는 두 손으로 잡고 있으니까 그걸 느껴야죠. 그걸 알아야 합니다." "네, 알아요." 그녀는 조상(彫像)의 속삭임처럼 생경하고 조용하게 숨을 쉬듯 말했어.

「나는 아무것도 하지 못한 듯한 느낌이었어. 내가 하고 싶었던 게 무엇이었을까? 지금도 모르겠어. 그 당시에 나는 마치 어떤 위대한 숙명적인 사업을 앞에 둔 것처럼 영문 모를 열의로 인해 활기를 띠고 있었는데 내 정신적·정서적 상태에 미치는 그 순간의 영향이었을 거야. 우리 모두의 일생을 통해 바깥에서 그런 순간 및 영향이 거역할 수 없고 해명할 수 없게 찾아오는데, 마치 유성끼리의 신비한 결합에서 초래되는 듯하지.

내가 그녀에게 이미 말한 대로, 그녀는 그의 마음을 차지하고 있었어. 믿지를 않아서 그렇지, 그녀는 그의 마음뿐만 아니라 다른 모든 것도 차지하고 있었던 거야. 내가 그녀에게 말해 주어야 했던 것은 이 세상에서 그의 감정이며 마음이며 도움을 원하는 사람이 하나도 없다는 것이었어. 그건 하나의 공동 운명이었지만 정작 특정인을 놓고 그런 말을 하려니 끔찍하더군. 그녀는 말없이 듣고만 있었는데, 그녀가 가만히 있는 것이 어떤 극복할 수 없는 불신의 표명처럼 보이더라니까. 밀림 저편의 세상에 대해 그녀가 걱정해야 할 필요가 어디 있느냐고 내가 물어보았어. 그 광대한 미지의 세계를 채우고 있는 다수로부터는, 그가 일생을 사는 동안, 아무런 신호나 호출도 없을 거라고 나는 그녀에게 다짐했지. 결코 없을 거라고 하며 나는 흥분하고 있었어. 결코 없지, 없고말고. 그때 내가 그토록 질기게 격한 어조로 말했던 걸 회고하면 놀라워. 나는 드디어 그 망령의 목덜미를 움켜잡았다는 환상을 가질 수 있었거든. 사실 그 모든 실체가 상세하고 경이로운 꿈의 인상을 남겨 둔 거야. 그녀가 무서워해야 할 이유가 어디 있단 말인가? 그녀는 그가 강하고 참되고 현명하고 용감하다는 걸 알고 있었는데. 그는 실제로도 그러했거든. 그는 그 이상이었어. 그는 위대하고 정복될 수 없는 존재였지만, 세상은 그를 원하지 않았고 이미 잊어버렸으며 그를 알아주지도 않았으니까.

「나는 말을 그만두었어. 파투산을 덮고 있던 정적은 깊었고, 강 가운데 어디선가 카누의 측면에 노가 부딪히면서 내는 가늘고 무미한 소리가 그 강을 무한한 곳으로 만드는 듯했어.

"왜 그런가요?" 그녀가 중얼거리더군. 나는 어려운 싸움을 하고 있을 때나 느낄 수 있는 그런 분노를 느꼈어. 그 망령은 내 손아귀에서 빠져나가려 하고 있었거든. "왜 그런지 이유를 말해 주세요." 그녀는 더 큰 소리로 다시 묻더군. 내가 당황하고 있는데, 그녀는 버릇없는 아이처럼 발을 동동 구르는 거였어. "왜요? 말해 주세요." "알고 싶어요?" 내가 화를 내며 물었지. "네!" 그녀가 소리치더군. "왜냐하면 그는 저쪽 세상에서는 살 자격이 없기 때문이오." 나는 무례하게 말했어. 한순간 말이 끊인 사이에 나는 강 저쪽의 불이 활활 타올라 휘둥그렇게 놀란 눈초리처럼 둥근 불덩이로 부풀어 올랐다가 갑자기 축소되어 빨간 점으로 화하는 것을 눈여겨보고 있었어. 그녀가 손가락으로 내 팔을 잡는 걸 느끼면서도 나는 그녀가 아주 가까이 있다고 여겼을 뿐이야. 그녀는 목소리를 높이지는 않았지만 그 속에 잔인한 경멸과 신랄함과 절망을 한없이 쏟아 넣고 있었어.

「"그분도 바로 그렇게 말하더군요……. 거짓말을 하시는군요!"

「그녀는 나를 향해 원주민들의 방언으로 그 마지막 말을 소리 지르더군. "내 말을 끝까지 들어 보시오!" 내가 간청했어. 그녀는 떨며 숨을 헐떡이고 있었고 잡고 있던 내 팔을 뿌리치더군. "아무도, 아무도 자격은 없답니다." 나는 최대한 정성을 보이며 말하기 시작했지. 그녀가 흐느끼며 애를 쓰는 숨소리가 무서울 정도로 빨라지는 것을 들을 수 있었어. 나는 머리를 떨어뜨렸지. 무슨 소용이 있었겠는가? 다가오는 발소리가 들리더군. 더 이상 말하지 않고 나는 빠져나오고 말았어…….」

34장

말로는 두 다리를 흔들어 뻗치며 벌떡 일어나더니 약간 비틀거렸는데, 마치 허공을 질주한 후에 내려앉은 사람 같았다. 그는 난간에 등을 기대고서 어지럽게 흩어져 있던 기다란 등나무 의자들을 향하고 있었다. 그 의자에서 몸을 길게 펴고 있던 사람들이 그의 동작에 놀라 무기력 상태에서 일어났다. 한두 사람은 놀란 듯이 일어나 앉았고, 여기저기서 아직도 여송연이 타고 있었다. 말로는 지나치게 황당한 꿈을 꾸다가 돌아온 사람의 눈으로 그들을 바라보았다. 한 사람이 목청을 돋우더니 조용한 목소리로 시들하게 "그래서?"라고 말하며 이야기의 계속을 촉구했다.

「아무 일도 없었어.」 말로가 약간 놀라며 말했다. 「그는 그녀에게 이미 말했고, 그게 모두야. 그녀는 그의 말을 믿질 않왔어. 더 이상 믿지 않았다고. 나로 말하자면, 즐거워해야 할지 언짢아해야 할지, 도대체 어떻게 하는 것이 정당하고 경우에 맞고 예절 바른 일인지 알 수가 없더군. 나는 내가 무얼 믿고 있었는지 말할 수 없고, 사실 오늘날까지도 알 수 없을 뿐더러 아마 영영 알 수 없을 거야. 하지만 그 가엾은 녀석은 무얼 믿고 있었을까? 진리가 이길 것이라는 말이 있잖은가? 마그나 에스트 베리타스 엣……²⁴⁾라는 말 말일세. 하지만 진리도 기회를 얻어야 이기는 법이라고. 법칙이 있음도 의심할 수 없지. 마찬가지로 주사위를 던질 때는 어떤 법칙이 우리의 운명을 규정하는 법이야. 고르고 세심한 균형을 유지해 주는 것은 인간이 하인처럼 부리는 정의가 아니고 우연이나 운명이나 행운 같은 것들로서 모두 참을성 많은 시간과 연대 관계에 있지. 우리 두 사람은 똑같은 말을 했던 거야. 그런데 우리 둘이 모두 진실을 말한 셈일까, 아니면 둘 중의 한 사람만 진실을 말한 걸까, 그것도 아니면 두 사람 중 어느 누구도 진실을 말하지 않은 걸까……?」

말로는 말을 그치고 팔짱을 끼더니 어조를 바꾸었다.

「그녀는 우리가 거짓말을 한다고 했어. 가엾은 것 같으니! 그러니 그걸 우연에게 맡겨 두기로 하세. 우연은 시간과 연대하고 있지만 시간은 서두른다고 빨라지지 않는다고. 또 우연은 죽음과 적대 관계에 있지만 죽음은 기다려 주지 않는 법이

---

24) "magna est veritas et……." 4세기에 번역된 가톨릭교회의 라틴어 성경에서 따온 구절로, "진리는 위대하다."라는 뜻.

야. 나는 약간 겁을 먹고 물러났다는 걸 시인해야겠어. 나는 두려움 그 자체와 한판 승부를 벌였다가 물론 내팽개쳐졌던 거야. 내가 성공한 것이 있다면 기껏 모종의 은밀한 일이 진행되고 있다든지 그걸 그녀에게 영원히 숨기려는 해명될 수 없고 이해될 수도 없는 음모가 있다는 암시만 그녀의 고뇌에다 추가하는 일이었어. 그런데 그 암시는 그의 행동을 통해 그리고 그녀 자신의 행동을 통해 쉽사리 자연스럽고 불가피하게 찾아왔던 거야. 운명은 우리를 희생시킬 뿐더러 도구로 삼기까지 하거니와 나는 마치 그 달랠 수 없는 운명의 작용을 눈으로 보게 된 듯했어. 꼼짝 않고 서 있던 그녀를 내가 내버려두고 왔다고 생각하면 끔찍하지. 짐이 나를 보지 못한 채 끈을 맨 그 무거운 구둣발로 뚜벅뚜벅 지나갈 때 그의 발걸음은 숙명적인 소리를 내고 있었어. "이런! 불도 켜지 않고!" 그가 놀란 목소리로 크게 말하더군. "어두운 데서 무얼 하고 있는 거요. 두 사람이야?" 다음 순간에 그가 그녀를 보게 되었던 것 같았어. "헬로, 걸!" 그가 명랑하게 소리를 지르니까, 그녀는 놀랍게도 용기를 보이면서 "헬로, 보이!"라고 응대하더군.

「그들은 그런 식으로 인사하곤 했는데, 그녀가 그 고음의 달콤한 목소리에 첨가한 으스댐은 아주 우습고 예쁘면서도 유치하더라니까. 그런 목소리를 듣고 짐은 몹시 즐거워했지. 내가 그들의 친밀한 인사 교환을 들은 것도 그때가 마지막이었는데, 그 소리는 내 심장을 때려 냉기가 돌게 하더라니까. 그 고음의 달콤한 목소리며 예쁜 애쏨이며 으스댐 같은 것들이 있었지만, 그게 모두 때 아니게 사라져 버릴 듯했고 그 장난기 어린 인사도 신음처럼 들렸으니까. 그 인사는 지독히도 끔찍했어. "말로는 어떡하고 혼자야?" 짐이 묻더니 이내 말했어. "내려갔다고? 정말? 이상하군. 만나지 못했는데……. 거기 있나요, 말로?"

「나는 대답하지 않았어. 어쨌든 나는 아직 안으로 들어갈 생각이 없었다고. 정말이지 들어갈 수가 없었어. 그가 날 부르고 있는 동안 나는 새로 터놓은 땅으로 통하는 작은 문을 거쳐 도망치고 있었거든. 정녕, 나는 그 당장에 그들과 대면할 수가 없었던 거야. 나는 사람들의 발길로 다져진 오솔길을 따라 고개를 숙인 채 서둘러 걸어가고 있었어. 땅이 완만하게 높아지고 있었는데, 거대한 나무들을 베고 덤불들을 제거한 후 풀을 태워 버린 곳이었지. 짐은 거기서 커피 재배를 마음먹고 있었던 거야. 떠오르는 달의 맑고 노란 빛 속에서 석탄처럼 까맣게 보이던 두 개의 봉우리를 치켜들고 있던 그 큰 산은 시험 재배를 위해 마련된 땅 위로 그림자를 던지는 듯했어. 그는 언제나 많은 실험을 해 보려 했지. 나는 그의 정력이며 기업 정신이며 기민함에 감탄했어. 이 지상에 그의 계획이나 정력이나 열정만큼 비현실적인 것은 없는 듯했지. 눈을 치켜뜨니까 달의 일부가 그 협곡 밑바닥의 숲을 거쳐 비추고 있더군. 한순간 그 원반 같은 미끈한 달이 하늘 위의 제자리에서 이 지상으로 떨어져서 그 절벽의 밑바닥으로 굴러 내린 것처럼 보이더라니까. 그 상승 운동은 땅에 부딪혔다가 느긋이 튀어 오르고 있는 것 같았어. 달은 엉켜 있던 나뭇가지들을 헤치고 나왔는데, 비탈에 자라고 있던 한 그루 나무의 헐벗고 뒤틀린 가지가 달 표면에 까만 금을 그리고 있더라고. 달은 마치 동굴에서 비치듯이 멀리 수평의 광선을 던지고 있었어. 월식 때와 같은 음산한 빛 속이라 그런지 나무를 베고 남은 둥치는 아주 검게 서 있었고 무거운 그림자들이 사방으로 내 발치에 떨어지고 있는가 하면 나 자신의 움직이는 그림자가 보였고 언제나 화환으로 장식되어 있던 외로운 무덤의 그림자는 내가 걷고 있던 오솔길에 걸쳐 있었어. 그 침침한 달빛 속에서 엮어 놓은 꽃송이들의 생김새가 우리의 기억에 생소했고 색채도 우리의 눈으로는 정의하기 어려운 것이었어. 사람의 손으로 모은 특별한 꽃이 아니요 이 세상에서 가꾼 것도 아니며 오직 죽은 자들을 위해서만 사용될 운명에 처한 꽃 같았거든. 더운 공기 속에 감돌던 강력한 향기는 마치 향을 태우는 냄새처럼 공기를 진하고 무겁게 했어. 그 어두운 무덤 둘레에서 하얀 산호 덩어리들은 표백된 두개골을 엮은 장식 띠처럼 빛났고, 주변의 만물은 너무 조용했기 때문에 내가 가만히 서 있자 이 세상의 모든 소리와 움직임이 그만 끝나 버린 것처럼 보이더라니까.

「대단한 고요함이었어. 마치 이 지구가 하나의 무덤인 것 같았지. 한동안 나는 거기 서서 인류에게 알려지지 않은 벽지에 매장되어 있으면서도 여전히 인류의 비극적이거나 괴기스러운 불행에 동참해야 하는 운명 속에 살고 있는 자들에 대한 생각을 주로 하고 있었어. 인류의 고귀한 투쟁에도 동참하고 있을지 누가 알겠어? 인간의 마음은 모든 세계를 포용할 만큼 넓고 모든 짐을 짊어질 수 있을 만큼 용감하지만, 그 짐을 벗어던질 용기는 어디에 있단 말인가?

「내가 센티멘털한 기분에 빠졌던 것 같아. 나는 철저한 고독감에 완전히 사로잡힐 정도로 오랫동안 거기에 서 있었다는 것을 알고 있을 뿐이야. 그 결과로 내가 그때까지 보고 들었던 것과 인간의 언변 자체는 사라져 버리고, 마치 내가 이 세상의 마지막 사람인 것처럼, 오직 내 기억 속에서만 잠시 동안 살아 있는 듯했어. 그건 다른 모든 환상처럼 반의식 상태에서 생겨나는 기이하고 우울한 환상이었고, 그래서 나는 그걸 도달할 수 없을 만큼 멀리 떨어져 있는 진리가 희미하게 모습을 드러낸 것에 불과하다고 여길 뿐이야. 참으로 그곳은 이 지구상에서 상실되어 잊힌 미지의 땅 중의 한 곳이었어. 나는 그 불분명한 표면의 내부를 들여다보게 되었고, 이튿날 내가 그곳을 영영 떠나면 그곳은 존재하지 않게 되고 내 자신이 망각의 세계로 들어가는 날까지 내 기억 속에서만 존속할 거라고만 느끼고 있었지. 나는 지금도 그런 느낌이 들어. 아마 나를 충동해서 자네들에게 이 이야기를 하게 하고, 자네들에게 그 존재와 실체 및 한순간의 환상 속에 드러나는 진실을 전달하려고 노력하게 하는 것도 바로 그런 느낌일 거야.

「코넬리우스가 그곳에 불쑥 나타나더군. 그는 우묵하게 꺼진 땅에 자라던 긴 풀 속에서 벌레처럼 튀어나왔어. 나는 그의 집이 있는 쪽으로 깊이 들어가 보지 않아서 집을 본 적이 없지만 그 근처 어딘가에서 그의 집이 허물어지고 있었으리라 생각해. 그는 오솔길을 따라 내 쪽으로 달려오고 있었는데, 더러운 흰색 신을 신고 있던 그의 발이 검은 땅 위에서 반짝이더군. 그는 멈추더니 높다란 굴뚝 모자를 쓴 채 낑낑거리며 쩔쩔매더군. 말라서 오그라든 시신 같은 그의 체구가 검은 고급 모직 양복 속으로 삼켜진 듯했어. 그가 휴일이나 의식 때 입던 그 옷은 그날이 내가 파투산에서 보낸 네 번째 일요일이었음을 상기시켜 주더군. 거기 머무는 동안 사뭇 나는 우리가 단둘이 있게 되면 그가 나에게 은밀한 이야기를 하고 싶을 거라는 막연한 생각을 하고 있었지. 그는 그 고약한 표정의 작고 노란 얼굴에 무언가 열렬한 갈망의 기색을 드러내며 내 주위에서 어슬렁거리곤 했거든. 하지만 내가 기질적으로 그런 밥맛 떨어지는 녀석을 상대하는 걸 꺼리기도 했지만, 워낙 겁이 많았던 그가 감히 나에게 다가오려 하지도 않았어. 그러나 우리의 눈이 마주치는 순간마다 그가 슬그머니 빠져나가려고만 하지 않았던들 그는 나에게 접근하는 데 성공했을 거야. 그는 짐의 가혹한 눈초리 앞에서, 또는 애써 무관심해 보이려고 하던 내 자신의 눈초리 앞에서, 그리고 심지어 탐 이탐의 퉁명스럽고 고압적인 눈초리 앞에서 늘 슬그머니 빠져나가곤 했어. 그는 언제나 슬그머니 빠져나갔으니까. 눈에 띌 때마다 그는 얼굴을 어깨에 묻은 채 불신으로 가득한 분노의 소리를 내거나 아니면 슬픔에 젖은 듯이 가엾게 침묵하면서 음흉하게 사라지곤 했거든. 하지만 아무리 옷을 잘 입혀도 꼴사나운 신체적 불구를 감출 수 없는 것처럼 그가 어떤 표정을 지어도 그 구제 불능의 타고난 성격적 비열함만은 숨길 수가 없었어.

「내가 두려움의 화신과 대결하다가 완패한 지 미처 한 시간도 되지 않아서 사기가 저하되어 있었던 탓인지는 몰라도, 나는 저항할 생각조차 못한 채 그만 그에게 붙잡히고 말았어.

나는 그가 은밀히 쏟아 놓는 말을 들으면서 대답할 수 없는 물음과 맞서야 하는 불운에 처해 있었지. 괴롭더군. 하지만 그 사람의 외모에서 촉발된 나의 멸시가, 이유 없는 멸시가, 그 괴로움을 한결 견딜 만하게 해 주더라니까. 그가 내게 문제될 수는 없었어. 나의 유일한 관심사였던 짐이 드디어 자기의 운명을 극복했다고 내가 단정한 이상 아무것도 문제 될 게 없었지. 짐은 나에게 자기가 거의 만족하며 산다고 말했는데, 그 정도면 우리 대부분이 자신들에 대해 감히 말할 수 있는 것 이상의 것이거든. 나는 자신을 좋게 여길 권리가 있다고 자부하지만 그 이상은 감히 말하지 못해. 여기 자네들 중의 어느 누구도 마찬가질걸…….」

말로는 대답을 기다리듯이 이야기를 중단했다. 아무도 말이 없었다.

「그렇겠지.」 그가 다시 이야기를 시작했다. 「잔인하고 끔찍한 파국에 처해 보아야만 비로소 우리에게서 진실을 짜낼 수 있는 법이니까, 아무도 모르게 하자고. 하지만 짐은 우리들 중의 한 사람이고, 자기는 거의 만족하고 있다고 말할 수 있었어. 생각 좀 해 봐. 거의 만족한다니. 그렇다면 그가 겪은 파국이 우리에게는 부러울 지경이 아닌가. 그런 대로 만족한다니. 더 이상 문제될 건 없어. 그를 누가 의심하고 누가 신임하며 누가 사랑하고 누가 미워하느냐 하는 건 문제가 되지 않았어. 그를 미워하는 자가 코넬리우스였기 때문에 특히 그래.

「어쨌든 그건 일종의 깨침이었어. 사람에 대한 판단을 내릴 때 우리는 그의 친구뿐만 아니라 적까지도 기준으로 삼아야 하는 법이야. 짐과 적대 관계에 있던 코넬리우스로 말하자면, 점잖은 사람이 그를 대단한 인물로 여기지는 않았겠지만 그 존재만은 인정해 주는 것을 수치스럽게 여기지는 않았을 그런 인물이었어. 짐은 바로 그런 견해였고 나도 동감이었어. 하지만 짐은 일반적으로 그를 무시하고 있었지. "봐요, 말로 선장님." 그가 말했어. "내가 똑바로 나아가기만 한다면 아무도 나를 건드릴 수 없다고 난 느껴요. 정말이라고요. 이곳에 오래 체류하셨으니 둘러보셨을 테죠. 솔직히 말해, 이제는 내가 꽤 안전하다고 생각하지 않으세요? 모든 게 나한테 달렸거든요. 그런데 젠장, 이젠 많은 자신감도 생겼다고요. 그가 저지를 수 있는 최악의 짓은 날 죽이는 것일 테지만, 그는 그럴 사람이 못 되지요. 내가 그에게 장전한 소총을 준 후 등을 돌리고는 쏘라고 해도 그는 쏘지 못하고 말 겁니다. 그는 바로 그런 사람이니까요. 설사 그에게 쏠 의사나 능력이 있다고 하더라도, 그게 무슨 문제가 되겠어요? 내가 어디 목숨이나 구하자고 이곳에 왔나요? 나는 벽에 등을 대고 싸우는 심경으로 이곳에 왔으므로 이곳에서 계속 머물 작정이라고요."

「"아주 만족하게 될 때까지." 내가 그의 말을 가로챘어.

「그때 우리는 그의 보트의 선미 쪽 지붕 아래에 앉아 있었어. 한쪽에 열 개씩 모두 스무 개의 노가 하나처럼 번뜩이며 물을 치고 있었고, 우리의 등 뒤에서는 탐 이탐이 말 없이 좌우를 살피거니 똑바로 강 하류를 노려보거니 하며 가장 강한 물살 속에서 카누가 요동하지 않도록 신경을 쓰고 있었지. 짐은 고개를 숙이고 있었고 우리가 나눈 마지막 대화가 영원히 가물가물 사라지는 듯했어. 그는 하구까지 나를 전송하고 있는 중이었거든. 스쿠너 범선은 그 전날 썰물을 타고 내려갔고 나는 하룻밤을 더 머물고 있었어. 그래서 그가 날 전송하게 되었던 거야.

「내가 코넬리우스 같은 인간을 언급했다고 해서 짐은 화를 조금 내고 있었어. 사실 나는 말을 많이 하지 않았다고. 코넬리우스는 증오심을 잔뜩 품고 있긴 했지만 너무 하찮은 인간이라 위험하지는 않았거든. 그는 두어 마디 할 때마다 나를 '존경하는 선생'이라 불렀고, 자기의 '망처(亡妻)'가 누워 있던 무덤에서 짐의 집 경내로 들어가는 문간에 이르도록 나를 따라오면서 곁에서 낑낑거리고 있었어. 그는 자기 자신을 가장 불행한 사람이며 짓밟힌 벌레 같은 희생자라고 하더군. 그는 자기 쪽을 쳐다보아 달라고 애원했지만 나는 머리를 돌리려 하지 않았어. 내 그림자 뒤로 쩔쩔매듯 뒤따르는 그의 그림자를 내가 곁눈으로 보고 있는 동안 우리 오른쪽 허공에 걸려 있던 달은 우리의 꼴을 보며 조용히 즐거워하는 듯했지. 내가 이미 이야기한 대로, 그는 그 기념할 만한 밤에 있었던 사건에서 자기가 맡았던 역할에 대해 해명하려고 했어. 그건 개인적인 편익과 관계되는 문제였다는 거야. 누가 유리하게 될 것인지 자기가 어떻게 알 수 있었겠느냐고 했어. "나는 그의 목숨을 기꺼이 구해 줄 용의가 있었다고요. 존경하는 선생! 80달러만 내면 구해 주었지요." 그는 한결같은 보조로 날 따라오면서 다정한 말투로 말하고 있었어. "그는 자기 손수 목숨을 구했더군요." 내가 말했지. "게다가 그는 당신을 용서했고요." 나

직이 바보처럼 웃는 소리가 들리기에 그 쪽을 바라보니 그는
당장에 도망이라도 하려는 듯이 보이더군. "무엇 때문에 웃는
거요?" 내가 가만히 서서 물었어. "속지 마세요, 존경하는 선
생!" 그는 감정의 통제력을 모두 상실한 것처럼 소리를 지르더
군. "그가 손수 목숨을 구하다니요! 그는 아무것도 모른답니
다, 존경하는 선생! 도무지 아는 것이 없어요. 그는 누굽니까?
그가 이곳에서 원하는 게 무엇이죠? 큰 도둑이 되는 건가요?
이곳에서 무얼 원하느냐고요. 그는 모든 사람들을 속이고 있
어요. 선생도 속이고 있어요. 하지만 날 속이진 못할 걸요. 그
는 아주 바보랍니다, 존경하는 선생!" 나는 경멸하듯 웃고 나
서 뒤꿈치를 돌리고 다시 걷기 시작했지. 그는 내 곁으로 달려
오더니 억지로 속삭였어. "이곳에서 그는 어린아이에 불과하
다고요. 어린이 같다고요, 어린이." 물론 나는 그의 말에 조금
도 주의하지 않았고, 컴컴한 공지 위에서 번뜩이고 있던 대나
무 울타리에 다가가자 시간이 없다는 것을 알게 된 그가 요점
을 말하더군. 그는 비열할 정도로 눈물겨운 어조로 시작하더
군. 그는 너무 큰 불행을 겪은 나머지 머리가 이상해졌다는 거
였어. 오직 그가 당한 고통 때문에 한 이야기이니까 나더러 잊
어 달라고 했어. 별 의도 없이 그런 이야기를 했다는 거야. 존
경하는 선생께서는 인간이 망해서 깨지고 짓밟히는 것이 얼
마나 고통스러운지 모르실 거라고도 하더군. 이런 서론 끝
에 그는 마음먹고 있던 사안으로 접근하고 있었지만 너무 겁
을 먹고 요령 없이 절규했기 때문에 그가 궁극적으로 말하려
던 것이 무엇인지 나로서는 알 수가 없었어. 그는 자기를 대신

해서 내가 짐에게 말 좀 잘 해 주기를 원하고 있었던 거야. 모종의 돈 문제 같았어. 나는 '수수한 생활비와 적절한 선물'이란 말을 여러 번 들었거든. 그는 무엇인가에 대한 대가를 요구하고 있는 듯했고, 인간이 모든 것을 빼앗기게 되면 인생도 살 가치가 없어진다고 열렬히 말하기까지 했어. 나는 물론 한마디도 하지 않았지만 귀를 막고 있지는 않았지. 용건의 요지가 차츰 분명해졌는데 그건 그 여인을 주는 대가로 자기가 약간의 돈을 받을 권리가 있다는 거였어. 자기의 친딸이 아닌데도 그녀를 키웠다는 거야. 자기가 많은 고통과 고생을 겪었고 이제 늙기까지 했으니 적당한 선물이 있어야 한다고 했어. 존경하는 선생께서 말 한마디만 잘 해 주신다면 좋겠다는 거야. 나는 가만히 서서 신기하다는 듯이 그를 바라보고 있었는데, 내가 혹시 자기를 갈취꾼이라고 여길까 봐 겁이 났는지 그는 서둘러서 양보를 하더군. 당장에 '알맞은 선물'만을 준다면 그걸 고려해서 자기로서는 '짐이 귀국할 때 달리 생활비를 요구하지 않고' 그 소녀를 떠맡을 용의가 있다는 말도 하더라니까. 그 작고 노란 얼굴은, 마치 쥐어짜 놓은 듯이 온통 주름살로 가득했는데, 극도로 집요하고 열렬한 탐욕을 드러내고 있었어. 그는 회유하듯이 낑낑거리기도 했어. "당연한 후견인이니까 더 이상은 괴롭히지 않을 거고. 일정한 액수의 돈만 준다면……."

「나는 거기 서서 놀라움을 금치 못하고 있었어. 그에게는 그런 요구가 적성에 맞는 일임이 분명했거든. 마치 그가 일생 동안 확실한 것들만 다루어 오고 있었던 것처럼, 나는 갑자기 그의 쩔쩔매는 태도에서 일종의 확신을 찾아볼 수 있었어. 그의 언동이 꿀처럼 달콤해진 것으로 보아 내가 자기의 제안을 냉정하게 고려하고 있다고 여겼음이 틀림없더군. 그는 넌지시 말했어. "모든 신사 분들이 귀국하게 되면 생활비를 내더군요." 나는 그 작은 문을 쾅 닫으면서 "코넬리우스 씨, 이번 경우는 귀국하는 일이 영영 없을 거요."라고 말했지. 그는 내 말 뜻을 헤아리느라 몇 초 동안 망설인 끝에 "뭐라고요?"라고 소리를 지르다시피 묻더군. "그렇다면." 나는 문을 사이에 두고 말했어. "그 사람 자신이 하는 말을 아직 듣지 못했소? 그 사람은 귀국하는 일이 없을 겁니다." "오! 그럴 수가!" 그가 소리 지르더군. 그때부터 그는 나를 "존경하는 선생"이라 부르려 하지 않더군. 한동안 가만히 있던 그가 겸허한 기색이라고는 조금도 없이 나직이 말했어. "영영 귀국하지 않겠다니! 아! 그러니까 그는—그는 난데없이 어딘가에서 나타나 아무 이유도 없이 나를 죽도록 짓밟겠다는 거군요." 그는 두 발로 땅을 살금살금 밟으면서 "이렇게 짓밟겠군요. 아무 이유도 없이 내가 죽는 날까지."라고 말했어. 그는 목소리가 완전히 잦아들고 잔기침으로 시달리고 있더군. 그는 울타리 쪽으로 바짝 다가와서, 아주 내밀하고 불쌍한 어조로 소리를 낮추어, 자기는 짓밟히지 않겠다는 거였어. "참아야지, 참아야 해." 그는 가슴을 치면서 중얼거렸어. 나는 그를 비웃다가 그만두었지만, 그는 거센 웃음을 터뜨려 나에게 응수하더군. "하! 하! 하! 두고 봅시다. 두고 보자고요. 뭐라고? 나에게서 훔치겠다고? 모든 것을 훔치겠다고? 모든 것을! 모든 것을!" 그는 고개를 한쪽 어

깨 위로 숙였고 가볍게 모아 쥔 두 손을 앞으로 늘어뜨리고
있었어. 그 장면을 본 사람이라면 그가 기막힌 애정으로 소녀
를 아끼고 있었으며 가장 가혹한 약탈을 당한 후 기가 죽어
상심하고 있다고 여겼을 거야. 갑자기 그는 머리를 쳐들더니
욕설을 쏟았어. "제 어미를 닮은 거야. 속임수 많던 제 어미를
닮았어. 똑같다고. 얼굴에도 씌어 있다니까. 얼굴에! 망할 것!"
그는 이마를 울타리에 댄 자세로 포르투갈 말로 위협과 욕설
을 나직이 내뱉었는데, 비참한 불평과 신음 소리가 섞인 욕설
을 쏟아 내느라 어깨를 들먹이는 것이 마치 무서운 구토증의
발작으로 시달리는 것 같더군. 말할 수 없이 괴이하고 간악한
짓거리였으므로 나는 서둘러 그 자리를 떠나고 말았지. 그는
내 등을 향해 뭐라고 소리를 지르려 했어. 짐을 멸시하는 말이
었던 것 같은데 목소리를 너무 높이지는 않더군. 집이 너무 가
까웠기 때문이야. 내가 분명히 들을 수 있었던 것은 "어린아
이야, 어린아이에 불과한 녀석이지."라는 말뿐이었어.」

35장

「하지만 이튿날 아침에 배가 강의 첫 굽이를 돌고 파투산의 가옥들이 보이지 않게 되자 모든 것의 실체는 그 채색이며 의장(意匠)이며 의도와 더불어 내 시야에서 사라지고 말았어. 마치 우리가 캔버스 위에 상상해서 그려 놓은 그림을 오랫동안 곰곰이 들여다본 후 마지막으로 등을 돌리는 기분이더군. 그런 그림은, 그 속의 삶이 불변의 빛 속에 정지된 가운데, 퇴색하지 않고 미동도 없이 우리의 기억 속에 남아 있게 되지. 야심과 두려움과 미움과 희망 등이 있고, 그것들은 내가 본 대로 기억 속에 남아 있어서, 강렬하지만 마치 표현되던 중에 영원히 중단된 것 같아. 나는 그 그림에 등을 돌린 후, 사건들이 일어나고 사람들이 변하고 빛이 가물거리고 또 진흙밭이냐 자갈밭이냐를 가리지 않고 삶이 맑은 흐름을 이루고 있는 세계로 돌아갔던 거야. 내가 그 속에 뛰어들 생각은 없었어. 수면 위로 머리를 내밀고 있는 일만으로도 벅찼거든. 하지만 내가 등을 돌리고 나온 세계에 대해서는 어떤 변화도 상상할 수가 없어. 몸집 크고 도량 넓은 도라민과 작은 어미 마녀 같은 그의 처는 함께 대지를 응시하면서 부모로서의 야심 어린 꿈을 몰래 키우고 있고, 퉁쿠 알랑은 쭈글쭈글한 얼굴에 당혹한 기색이 농후하고, 이지적이고 용감한 다인 와리스는 짐을 신임하면서 확고한 눈초리로 아이러니하게 우정을 보이고 있고, 소녀는 두려움과 의심이 가득한 마음으로 열렬한 애모에 열중하고 있고, 탐 이탐은 실쭉한 표정으로 충성스러워 보이고, 코넬리우스는 달빛 속에서 이마를 울타리에 대고 있으니, 나는 지금도 그런 것들을 또렷하게 볼 수 있어. 그런 것들은 마치 마법 지팡이의 영향을 받고 있는 것처럼 존재하지. 이 모든 것이 집단적으로 한 인물을 둘러싸고 있는데, 그 인물은 살아 있지만 나는 그를 확실히 볼 수가 없어. 그 어떤 마법 지팡이도 내 눈앞에다 그를 고정해 놓을 수는 없으니까. 그는 우리들 중의 한 사람이야.

「앞서 말했지만, 짐이 버리고 나온 세계로 내가 되돌아가고 있을 때 그는 처음 얼마 동안 나와 동행했었어. 이따금 그 길은 아무도 건드리지 않은 밀림의 중심을 통해 나 있는 듯했어. 굽이마다 텅 빈 강기슭은 높은 태양 아래 번쩍이고 있었고, 높은 식물의 벽 사이에서 열기는 강물 위에서 졸고 있는 듯했으며, 활발한 노 젓기로 추진되던 배는 높다란 수목의 그늘 아래 자리 잡고 있는 듯하던 덥고 진한 공기를 가르며 내려갔지.

「임박한 이별의 그림자가 벌써부터 우리 사이를 엄청나게 갈라놓고 있었기 때문에 우리가 말을 할 때면, 마치 낮은 목소리를 점점 멀어지는 곳까지 무리하게 전달하려고 할 때처럼, 노력을 들여야 했어. 배는 날아가는 듯했고, 우리는 지극히 가열된 채 침체해 있던 공기 속에 나란히 앉아 더위에 시달리고 있었지. 진흙과 늪이 풍기는 냄새며 다산(多産)적 대지의 원초적 냄새가 얼굴을 찌르는 듯했는데, 결국 어떤 굽이에 이르자 갑자기 먼 곳에서 어떤 거대한 손이 무거운 커튼을 걷어 올리고 엄청난 문을 열어젖힌 듯하더군. 햇빛 자체가 떨리는 듯했고, 머리 위의 하늘은 넓어졌으며, 먼 곳에서 속삭이는 소리까지 우리 귀에 들리는가 하면, 어떤 신선한 기운이 우리를 감싸며 허파를 가득 채우고 사념과 혈류와 회한을 재촉하는 듯했어. 똑바로 앞쪽을 보니 숲이 검푸른 바다의 수면을 배경으로 가라앉고 있더군.

「나는 숨을 깊이 들이마셨고, 탁 트인 수평선의 광대함이라든지 삶의 활동 및 흠잡을 데 없는 세계의 에너지와 더불어 진동하는 듯하던 새로운 분위기에 탐닉하고 있었어. 하늘이며 바다가 내 앞에 전개되어 있었거든. 그 여인의 말이 옳았어. 그 속에는 신호며 부름이 있었고, 내가 내 존재의 모든 결을 가지고서 화답하는 무엇이 들어 있었거든. 나는 오랫동안의 예속 상태에 있다가 해방된 사람이 경직된 팔다리를 뻗으며 뛰고 달리고 자유가 고취하는 기고만장한 기분에 응답하는 것처럼 허공 속에서 시선을 이리저리 굴리고 있었지. "이 화려한 세계 좀 보게!" 나는 소리를 지르면서 내 옆에 앉아 있던 죄인을 바라보았지. 그는 가슴으로 머리를 숙인 채 '네'라고 말했을 뿐 눈을 치켜뜨지 않았는데, 마치 앞바다의 맑은 하늘에 자기의 로맨틱한 양심을 나무라는 말이 크게 씌어져 있는 걸 보게 될까 두려워하는 듯하더군.

「나는 그날 오후에 있었던 일을 가장 세세한 것까지 기억하고 있어. 우리는 작은 백사장에서 배를 내렸는데, 그 모래밭의 배경을 이루고 있던 나직한 절벽은 윗부분에 숲이 우거지고 바닥까지 덩굴식물이 덮여 있더군. 우리의 아래쪽으로는 잔잔한 진청색 해수면이 우리의 눈높이로 그어져 있던 실 같은 수평선을 향해 약간 위로 기울어지듯이 뻗어 있었어. 얽은 자국이 있는 검은 표면을 따라 거대한 반짝임의 물결들이 가볍게 불어 닥쳤는데 마치 미풍에 쫓기는 깃털처럼 날렵하더군. 넓은 하구를 향해 흩어져 자리 잡고 있던 한 줄의 듬직한 섬들이 해안의 윤곽을 충실하게 반영하는 유리 같은 파리한 수면에 전시되어 있는 듯했어. 색깔 없는 햇빛 속 높다란 곳에서는 온통 새까만 새 한 마리가 외로이 허공에 머물면서 날개를 약간 흔들어 같은 지점에 떨어졌다 솟았다 하고 있었어. 구부정하게 박혀 있는 여러 개의 높다란 흑단 색깔의 파일 위에 지은 거칠고 검댕 투성이의 얇은 거적 오두막들은 거꾸로 된 그림자를 아래쪽으로 던지고 있었고. 작은 검정 카누 한 척이 두 사람을 태우고 파일 사이에서 나왔는데, 그 체구가 작고 검은 사람들은 파리한 수면을 때리면서 과도하게 애를 쓰고 있었어. 그 카누는 거울 위를 힘겹게 미끄러지고 있는 것 같더군. 그 오두막들은 어촌으로서 백인 지배자의 각별한 보호를 받는 것을 자랑스럽게 여겼고 카누로 건너오던 두 사람은 늙은 촌장과 그의 사위였어. 그들은 땅에 오르더니 우리가 있던 백사장 쪽으로 걸어왔는데 마치 연기 속에서 건조시킨 것처럼 비쩍 마른 갈색 모습이었고 아무것도 걸치지 않은 어깨와 가슴의 피부에는 잿빛 얼룩들만 보이더군. 그들은 머리에 조심스럽게 접은 더러운 수건을 두르고 있었고, 늙은이는 짐을 향해 여윈 팔을 뻗치고 멍청한 눈을 자신 있게 굴리면서 거침없이 뭐라고 불평을 늘어놓았어. 라자의 사람들이 자기네를 내버려 두지 않으려 한다느니, 저쪽 섬에서 자기 마을 사람들이 잔뜩 모은 거북 알 때문에 약간의 말썽이 있었느니 하면서, 뻗친 팔로 노에 기댄 채 갈색의 깡마른 손으로 바다를 가리키더군. 짐은 쳐다보지 않고 한동안 듣고만 있다가 드디어 점잖게 촌장에게 기다리라고 하더군. 자기가 이내 촌장의 이야기를 들어주겠다는 거였어. 그들은 순종하며 약간 떨어진 곳까지 물러나더니 노를 앞에 놓은 채 모랫바닥에 쭈그리고 앉더군. 그들의 눈은 은빛으로 번뜩이며 참을성 있게 우리의 동작을 쫓아다니고 있었어. 멀리 뻗어 있던 드넓은 바다와 남과 북으로 내 시력의 한계 너머까지 뻗쳐 있던 해변의 정적은 하나의 엄청난 실재(實在)를 이루면서 번뜩이는 모래밭 띠에 고립되어 있던 우리 네 난쟁이들을 지켜보고 있었고.

　「"문제는 말이에요." 짐이 침울하게 말했어. "여러 세대에 걸쳐 저 마을의 어부들이 라자의 사노(私奴)로 간주되어 왔다는 데 있습니다. 그 늙은이가 도저히 생각할 수가 없는 것은 바로……."

「그가 말을 그치기에 내가 말했어. "자네가 그걸 모두 바꾸어 놓았다는 것이겠지."

「"네. 내가 그걸 모두 바꾸어 버렸죠." 짐이 음울한 목소리로 중얼댔어.

「"자네는 자네의 기회를 가졌던 셈이군." 내가 말했지.

「"내가요?" 그가 말했지. "네, 나도 그렇게는 생각합니다. 네, 나는 자신감이랄까 명성을 되찾게 되었죠. 그러나 이따금 내가 바라는 것은……. 아녜요. 나는 내가 얻은 것이나 지킬 겁니다. 그 이상의 것은 기대할 수 없으니까." 그는 바다 쪽으로 두 팔을 활짝 폈어. "어쨌든 저쪽 세상에서는 기대할 수 없는 것이지요." 그는 발로 모래를 쿵쿵 밟고 있었어. "이게 나의 한계지요. 이것 이하로는 안 될 테니까."

「우리는 계속해서 해변을 오락가락하고 있었어. "네, 내가 그걸 모두 바꾸어 놓았죠." 그는 참을성 있게 쭈그리고 있던 두 어부 쪽으로 곁눈질하며 말했어. "하지만 내가 가 버린다면 어떻게 될 것인지 한번 생각해 보세요. 젠장! 상상이 안 되나요? 아수라장이 되는 거죠. 그럴 순 없어요. 내일 나는 퉁쿠 알랑을 찾아가서 그 바보 늙은이가 대접하는 커피를 목숨을 걸고 마실 겁니다. 그러고는 그 망할 놈의 거북 알을 놓고 많은 소동도 벌일 겁니다. 나로서는 이젠 됐다는 말을 할 수 없습니다. 영영 없지요. 아무것도 날 건드릴 수 없다는 확신을 얻기 위해서 나는 목표를 받쳐 들고 끊임없이 앞으로 나아가야 합니다. 안전하다고 느낄 수 있기 위해서는 내가 나에 대한 그들의 믿음에 집착해야 하고, 또, 또……." 그는 말을 맺을 적당한 낱말을 찾고 있었고 그것을 찾아서 바다 쪽을 향하고 있는 듯했어. "접촉을 계속하기 위해서도……." 그의 목소리는 갑자기 낮아지며 중얼거리고 있더군. "아마도 내가 다시는 보지 못할 사람들과의 접촉 말입니다. 이를테면 선장님과의 접촉 같은 것이지요."

「그의 말에 나는 심히 겸허해지더군. 그래서 내가 말했지. "제발, 나를 받들 생각일랑 하지 말게나. 그저 자네 자신이나 돌보라고." 나는 나 자신이 보잘것없는 다수 대중의 대오에 속한다고 생각하면서 그 낙오자가 나를 별나게 생각해 주는 데 대해 감사랄까 애정을 느꼈어. 하지만 그런 건 자랑할 만한 일이 될 수 없지. 나는 내 화끈거리는 얼굴을 돌리고 말았어. 불속에서 끄집어낸 숯덩이처럼 검은 진홍색으로 이글거리던 나지막한 태양 아래 펼쳐진 바다는 타오르며 다가오는 태양에게 그 엄청난 정적을 바치고 있었지. 그는 두 번이나 말을 하려다가 그만두더니, 이윽고 어떤 공식이라도 발견한 것처럼 말했어.

「"나는 충실할 겁니다." 그는 조용히 입을 열더군. "충실할 거라고요." 그는 날 쳐다보지 않으며 거듭 말했어. 처음으로 그는 바닷물 위로 눈을 굴리고 있었는데, 바다의 푸른색은 지는 해의 빛을 받아 어느새 침울한 자주색으로 변해 있었지. 아! 그는 로맨틱했어, 로맨틱했다고. 스타인의 말이 생각나더군. "그 파괴적인 원소 속에 푹 잠겨야 한다고!…… 꿈을 뒤쫓고, 다시 꿈을 뒤쫓고, 그런 식으로 영원히, 끝까지……." 그는 로맨틱했지만 진실하기도 했어. 서쪽으로 지고 있는 해의 이글거림 속에서 그가 무슨 형상, 무슨 영상, 무슨 얼굴, 무슨 용서를 보고 있었는지는 아무도 몰라!…… 스쿠너 범선에서는 작은 보트가 나를 데리고 가려고 두 개의 노로 규칙적으로 물을 때리며 백사장을 향해 천천히 다가오고 있었어. "게다가 주얼이 있다고요." 그가 대지와 하늘과 바다의 엄청난 침묵을 깨며 말했어. 내 생각이 그 침묵에 압도되어 있었기 때문에 나는 그만 그의 목소리에 깜짝 놀라고 말았지. "주얼이 있어요." "그렇지." 내가 중얼댔어. "그녀가 나에게 어떤 존재인지는 말씀드릴 필요도 없겠지요." 그가 말했어. "선장께서는 보셨지요. 때가 되면 그녀도 알게 될 겁니다……." "그렇게 되길 바라네." 내가 그의 말을 가로챘어. "그녀도 날 신임합니다." 그는 생각에 잠기더니 이내 어조를 바꾸더군. "언제쯤 다시 선장님을 뵙게 될까요?"

「"영영 만나지 못할걸세. 자네가 나온다면 몰라도." 나는 그의 눈초리를 피하면서 대답했어. 그는 놀라는 기색이 없었고, 한동안 가만히 있기만 했어.

「"그러면, 안녕히 가세요." 한동안 말이 없던 그가 말했어. "아마, 그렇게 된들 어떻겠어요."

「우리는 악수했고, 나는 뱃머리를 해안에 대고 기다리던 보트 쪽으로 걸어갔어. 주범(主帆)을 펴고 이물의 삼각돛이 바람이 불어오는 쪽으로 향하고 있던 스쿠너 범선은 자줏빛 바다 위에서 일렁이고 있었고 돛에는 불그레한 색이 감돌더군. "곧 귀국하시나요?" 내가 뱃전 위로 다리를 올려놓고 있을 때 짐이 물었어. "일 년 후쯤 갈걸세. 살아 있다면 말이네." 내가 대답했지. 용골의 앞 끝이 모래 위를 스치는 소리가 들렸고 배가 물에 뜨니까 젖어 있던 노가 번뜩이더니 한 번, 두 번 물을 쳤고, 물가에 서 있던 짐이 목소리를 높이더군. "말씀 좀 전해 주세요……." 그가 말을 시작했어. 나는 선원들에게 노 젓기를 중단하게 한 후 누구에게 전해 달라는 말인지가 궁금해서 기다리고 있었지. 반쯤 물에 잠긴 태양이 그의 얼굴을 비추고 있었어. 멍하니 나를 바라보고 있는 그의 눈 속에서 나는 빨간빛을 볼 수 있었고……. "아뇨, 아무것도 아닙니다." 이렇게 말한 후 그는 보트를 향해 가볍게 손을 저으며 잘 가라는 신호를 하더군. 나는 스쿠너 범선에 오를 때까지 해변 쪽을 다시 보지 않았어.

「그 무렵에 해는 이미 지고 없었어. 동쪽으로 황혼이 덮고 있었고, 검게 변한 해변은 밤의 요새처럼 보이는 어두운 벽을 무한히 펼치고 있었지. 서쪽 수평선은 황금색과 진홍색이 섞인 하나의 거대한 불덩이였는데, 그 속에서 떨어져 나온 커다란 구름이 침침하고 고요하게 떠다니며 아래쪽 수면 위로 슬레이트색의 그림자를 던지고 있었어. 내가 보니 짐은 해변에서 스쿠너 범선이 바람이 부는 쪽으로 전항(轉航)한 후 항진하는 것을 지켜보고 있더군.

「그 벌거벗다시피 한 두 어부는 내가 떠나자마자 일어섰어. 그들은 자기네의 보잘것없고 비참하고 억압받는 삶에 대한 불평을 그 백인 지배자의 귀에 쏟아 넣고 있음이 분명했어. 그리고 그는 불평을 들으면서 그걸 자기 것으로 삼고 있었음이 분명했다고. 어차피 그건 처음부터 그의 행운의 일부였고, 그는 자기가 전적으로 그걸 감당할 만하다고 나에게 장담했거든.

그들 또한 운이 좋았고, 그들의 고집도 그런 행운을 감당할 만하다고 나는 생각했어. 검은 피부를 한 그들의 모습이 검은 배경에서 사라진 후 오래 되도록 그들의 보호자는 내 시야에서 사라지지 않더군. 그는 머리에서 발까지 하얀 모습이었는데, 밤의 요새를 등지고 바닷가에 서 있던 그는 자기의 기회를 곁에 두고 있었지만 그 정체만은 언제까지나 가려져 있더라니까. 뭐라고? 여전히 가려져 있더냐고? 모르겠어. 내가 보기에는 해변과 바다의 정적 속에 싸여 있던 그 하얀 모습이 어떤 거대한 수수께끼의 한가운데에 서 있는 듯했으니까. 그의 머리 위 하늘에서는 황혼이 급하게 사라지고 있었고 그가 디디고 섰던 모래 띠도 어느새 가라앉아 버리더군. 그 자신은 체구가 어린이처럼 작아졌다가 다음 순간 하나의 점으로 화했는데, 그 작은 흰 점이 어두워진 세상에 아직도 남은 빛을 독차지하고 있는 듯하더라고……. 그러자, 갑자기, 나는 그의 모습을 놓치고 말았어.」

36장

　이 말을 하며 말로는 이야기를 끝냈고 이야기를 듣고 있던 사람들은 그가 멍하게 생각에 잠긴 듯이 응시하는 가운데 이내 흩어지고 말았다. 사람들은 아무 의견 제시도 없이 혼자 혹은 짝을 지어 지체 없이 베란다를 떠났는데, 마치 그 완결되지 않은 이야기의 마지막 이미지와 미완결성 자체, 그리고 서술자의 어조가 논의를 헛되게 하고 논평을 불가능하게 만든 것 같았다. 각자는 자신이 받은 인상을 지니고 갔는데 마치 어떤 비밀처럼 지니고 가는 것 같았다. 그러나 청취자들 중에서 오직 한 사람이 그 이야기의 마지막 부분을 듣게 되어 있었다. 그 후 이 년이 더 지나서 그는 고국에서 그 부분을 접하게 되었는데, 말로가 반듯하고 모가 나는 필체로 주소를 쓴 두툼한 포장물 속에 담겨 그의 손에 들어왔던 것이다.

그 특혜를 입은 사람은 포장물을 뜯고 내용을 들여다본 후 놓아두고는 창가로 갔다. 그가 거처하는 방들은 어떤 높다란 건물의 가장 높은 층의 아파트에 있었는데, 그는 등대에서 내다보듯 맑은 유리창 너머로 먼 곳까지 볼 수 있었다. 비탈진 지붕들이 번질거리고 있었고 끊어졌다가 이어지곤 하는 지붕의 능선들이 물마루를 세우지 못한 채 음산하게 일고 있는 물결처럼 끝이 없었다. 그리고 그의 발아래 도시의 깊은 부분에서는 어지러운 웅얼거림이 끊임없이 솟고 있었다. 아무렇게나 흩어져 있는 무수한 교회의 첨탑들은 수로(水路)도 없이 미궁처럼 널려 있는 사주(砂洲)에 박힌 표시등처럼 솟아 있었다. 겨울 저녁의 땅거미와 섞인 비가 몰아치고 있었다. 어떤 탑에서 커다란 시계가 알리는 시보가 중심에 앙칼진 진동음을 가진 굵고 근엄한 소리를 내며 굴러 나갔다. 그는 무거운 커튼을 끌어당겼다.

갓이 달린 독서 등에서 나오는 불빛은 비바람을 피하고 있는 웅덩이처럼 잠들어 있었고, 카펫 위에서 그의 걸음은 아무 소리도 내지 않았다. 그가 세상을 떠돌던 시절은 끝났던 것이다. 산 너머 강 건너 물결 너머로 '영원히 발견되지 않는 땅'을 열정적으로 찾아다니던 시절의 그 희망처럼 한이 없어 보이던 지평이나 사원처럼 엄숙한 숲 속에 내리던 황혼도 이제는 더 없었다. 시보(時報)가 더는 없다! 더는 없다! 하고 울리고 있었다. 그러나 등불 아래 뜯어 놓은 포장물이 지난날의 목소리며 비전이며 입맛 자체를 되살렸고, 열렬하지만 위안은 주지 못하던 햇빛이 비치는 먼 바닷가, 그곳에서 사라져 가던 무수히 많은 퇴색한 얼굴들이며 나직한 목소리들의 소란을 떠올려 주었다. 그는 한숨을 짓고 나서 읽으려고 자리에 앉았다.

처음에 그는 내용물이 셋으로 분명히 구분되어 있는 것을 보았다. 검은 잉크로 조밀하게 씌어진 많은 페이지가 핀으로 묶여 있었다. 그리고 회색이 도는 네모반듯한 종이에는 그가 보지 못한 필적으로 몇 개의 낱말이 적혀 있었고, 또 말로가 쓴 설명 편지가 동봉되어 있었다. 말로의 편지에서는 세월이 흘러 누렇게 바래고 접은 부분이 닳은 한 통의 다른 편지가 떨어졌다. 그는 편지를 집어 들었다가 놓아두고 말로의 편지 쪽으로 눈을 돌렸다. 그는 처음 몇 줄을 재빨리 읽은 후에 잠시 멈칫했고, 그때부터 그는 마치 발견된 적이 없는 땅을 흘낏 보게 된 사람이 조심스러운 발걸음과 경계의 눈초리로 다가가 듯 신중히 읽어 나갔다.

「……나는 자네가 잊었으리라고 생각하지 않네.」 말로의 편지는 계속되었다. 「짐이 자기 운명을 극복했다는 걸 자네가 인정하지 않으려 했음을 나는 지금도 잘 기억하고 있지만, 그에 대한 이야기를 끝낸 후에도 계속 관심을 보인 사람은 자네밖에 없었어. 자네는 짐이 지겨워하게 될 것이며 새로 얻은 명예며 스스로 짊어지게 된 과업이며 연민과 젊음이 빚은 애정에 대해서도 지겨워하고 역겨워하게 되는 파탄을 겪을 것이라고 예언하기도 했지. 자네는 '그런 종류의 일'과 환상적인 만족감 및 불가피한 기만에 대해 잘 안다는 말도 했어. 또 "우리가 피부색이 갈색이거나 노랗거나 검은 인종을 위해 목숨을 바친다는 것은 야수에게 우리의 영혼을 바치는 것이나 다름없다."

고 자네가 말하던 일을 지금도 나는 떠올리고 있다네. 자네는 또 인종적으로 우리 백인들의 것이라 할 수 있는 이념의 진실성에 대한 확고한 믿음에 근거할 경우에 한해서만 '그런 종류의 일'이 지속될 수 있거나 지속되며, 그 이념의 이름으로 질서 및 윤리적 발전의 도덕성이 확립될 수 있다고 주장했어. "우리는 그 이념의 힘을 배경으로 삼고자 한다."고 자네는 말했어. "우리가 의식적으로 값지게 목숨을 바칠 수 있자면 그 이념의 필요성 및 정당성에 대한 믿음이 필요하지. 그것이 없다면 희생은 망각으로 가득해질 뿐이며, 그런 희생을 바치는 것도 곧 파멸의 길에 불과하다."고도 했어. 바꾸어 말하건대, 자네는 우리가 대오 속에서 싸워야지 그렇지 않으면 우리의 삶도 무의미해진다는 주장을 했었어. 그럴 테지! 내가 아무 악의 없이 말하네만, 혼자 힘으로 한두 곳에 뛰어들었다가 날개를 태우지 않고 영리하게 뛰쳐나올 수 있었던 자네였으니까 당연히 알고서 하는 말이었겠지. 하지만 중요한 것은 모든 사람 중에서 짐이야말로 자기 자신밖에 상대하지 않았다는 것이고, 그래서 문제는 마지막 순간에 그가 질서와 발전의 법칙들보다 더 강한 모종의 신앙을 고백하지 않았겠느냐 하는 거야.

「나는 아무것도 단정하지 않겠네. 아마 다 읽고 나면 자네가 판정할 수 있을 테니까. 우리는 "구름에 가려져 있는 듯하다."는 표현을 자주 쓰는데, 이 말 속에는 많은 진실이 들어 있지. 그 사람을 분명하게 본다는 것은 불가능해. 특히 우리가 그의 마지막 모습을 다른 사람의 눈을 통해서 보아야 하기 때문에 더욱 그러하지. 그가 늘 하던 말을 빌려, '자기에게 닥쳐

온' 그 마지막 에피소드에 대해서 내가 알고 있는 것을 주저 없이 모두 자네에게 말해 주겠네. 나는 그가 이 나무랄 데 없는 세상에 전달할 메시지를 구성해 내기에 앞서 아마도 늘 어떤 최상의 기회랄까 만족스러운 마지막 시험을 기다리고 있었으리라고 생각했는데 그 마지막 에피소드가 바로 그런 것이었는지 궁금하군. 자네는 기억하고 있을걸세. 내가 마지막 작별을 할 때 그는 나에게 곧 귀국할 예정이냐고 물으면서 갑자기 "말씀 좀 전해 주세요……."라고 소리를 질렀거든. 나는 궁금하기도 하고 무슨 말이건 듣게 되길 희망하며 기다렸지만, "아뇨, 아무것도 아닙니다."라는 고함 소리를 들었을 뿐이야. 그래서 그렇게 끝났던 거야. 그리고 앞으로도 아무것도 없게 되어 있어. 가장 교활하게 배열해 놓은 낱말보다도 뜻이 더 모호하기 일쑤인 사실 전달의 언어에서 우리 각자가 해석해 낼 수 있는 메시지를 제외한다면, 앞으로도 아무 메시지도 없을 거라는 말이네. 그가 자신의 심경을 토로하려는 시도를 또 한 차례 했던 것은 사실이야. 하지만 자네가 여기 동봉된 희끄무레한 이절지를 읽어 보면 알게 되겠지만, 그 시도도 실패하고 말았어. 그는 뭔가 쓰려고 했더군. 평범한 필적이 보이지? 그 이절지의 첫머리에 '파투산 요새'라는 발신지가 적혀 있지 않은가? 그는 자기가 살던 집을 방어 요새로 만들려던 의도를 실행하고 있었던가 봐. 깊은 참호를 파고, 흙담 위에 말뚝들을 꽂고, 모서리마다 포대에 대포를 얹어 그 정방형 요새에서 사방을 휩쓸 수 있게 했으니, 참으로 뛰어난 계획이었지. 도라민은 그에게 대포를 제공하겠다는 약속을 했고, 그의 무리에 속하는 사람들은 자기네에게 안전한 곳이 있으며 갑작스러운 위험이 닥쳐올 경우 모든 충실한 무리가 그곳에 집결할 수 있다는 걸 알고 있었어. 이 모든 것은 그의 슬기로운 선견지명과 장래에 대한 믿음을 보여 주고 있었지. 그가 '내 사람들'이라고 부르던 자들은 셰리프에게 붙잡혀 있다가 해방된 사람들이었는데, 그 요새의 담장 아래에 오두막을 짓고 작은 땅을 가짐으로써 그곳을 파투산의 특수 구역으로 만들게 되어 있었던 거야. 요새 안에서 그 자신은 정복되지 않는 주인이 되고자 했지. 첫머리에 '파투산 요새'라고만 되어 있을 뿐, 보다시피, 날짜가 기입되어 있지는 않아. 허구한 날 중의 어떤 하루에 숫자나 이름이 무슨 의미가 있겠는가? 그가 펜을 잡았을 때 누구에게 쓰려고 마음먹었는지도 알 수 없어. 스타인이거나 나일까 아니면 일반 세상 사람들을 상대로 했을까? 아니면 그저 자기의 운명과 맞서고 있던 한 외로운 사내가 아무 목적 없는 경악의 절규를 하자는 것에 불과했을까? "끔찍한 일이 일어났습니다." 그는 이렇게 써 나가다가 처음으로 펜을 놓았어. 그 낱말들 아래쪽으로 화살촉 같은 잉크 자국이 보이거든. 얼마 뒤에 그는 마치 납덩이같은 손으로 무겁게 휘갈기듯이 "이제 당장에 내가 해야 할 일은……"이라고 다시 써 나가려고 했어. 펜이 떨려 잉크가 튀겼고, 그는 그만두고 말았지. 더는 쓰지 않은 거야. 그는 자기의 시력이나 목소리로는 도저히 건널 수 없는 넓은 간격을 보았던 거지. 나는 그걸 이해할 수 있어. 그는 설명할 수 없는 것 앞에서 압도되고 말았던 거야. 그는 스스로 최선을 다해 극복하려 했던 그 운명이 자기에게 허여(許與)한 스스로의 사람됨에 압도되어 있었던 거야.

「나는 자네에게 오래된 편지도 한 통 동봉하네. 아주 오래된 편지라고. 그의 서류 상자 속에 조심스럽게 보관되어 있던 거지. 부친의 편지였는데 그 속에 적혀 있는 날짜로 미루어보건대 그가 파트나호를 타기 며칠 전에 받은 것임이 틀림없어. 그러니 그게 그가 집에서 받은 마지막 편지였겠지. 그 여러 해 동안 그는 편지를 소중히 간직하고 있었던 거야. 그 착하고 연만한 목사는 선원이 된 자기 아들을 좋아하고 있었어. 나는 그 편지의 이런저런 대목을 살펴보았는데 애정밖에 나타나 있지 않더라니까. 그는 '사랑하는 제임스'에게 지난번에 받은 긴 편지가 아주 "정직하고 재미있더라."는 말을 하고 있었어. 그는 아들이 '사람들을 너무 성급하게 또는 가혹하게 판단하는 것을' 바라지 않는다고도 했어. 네 페이지에 걸친 편지였는데 편안한 도덕론과 가족 소식들이 적혀 있었지. 톰은 사제 서품을 받았고 캐리의 남편은 '금전 손실'을 보았다는 등의 이야기였어. 그 늙은이는 하느님의 뜻과 이 세상의 기성 질서를 신임하는 어투로 차분히 써 나가고 있었지만, 그 사소한 위험이나 자비로움에 대해서도 잘 인식하고 있었어. 회색 머리카락에 평온한 얼굴을 한 그가 책으로 둘러싸이고 퇴색했으나 편안했던 그 서재라는 신성한 안식처에 앉아 있는 모습이 눈에 선하더군. 그곳에서 그는 사십 년 동안 신앙이며 덕성 그리고 곧게 사는 법이며 올바르게 죽는 유일한 법에 대한 일련의 겸허한 생각들을 여러 번 양심적으로 되뇌고 있었을 거야. 또 그는 거기서 많은 설교문을 썼을 것이고, 바다 저편에 가 있는 아들을 상대로 이야기를 하며 앉아 있었을 거야. 하지만 아들과 자기 사이의 거리를 어떻게 여겼을까? 온 세상에 걸쳐 덕은 하나일 뿐이요, 신앙도 하나이고, 생각할 수 있는 곧은 삶이나 바르게 죽는 법도 하나밖에 없었으니까. 그는 '사랑하는 제임스'가 '유혹에 굴복하는 사람은 자기의 전면적인 타락이나 영원한 파멸이라는 위험을 겪게 된다는 것을 잊지 말며, 어떤 동기에서도, 잘못이라고 여겨지는 짓은 하지 않겠다는 결의를 단단히 하기'를 바라고 있었어. 그 밖에도 어떤 애완견 소식이라든지 '너희들이 어릴 때 타고 다니던' 조랑말이 늙어서 실명하는 통에 사살해야 했다는 소식도 적혀 있었어. 그 늙은 이는 하늘의 축복을 기원하고 모친과 집에 있는 모든 딸들의 안부를 대신 전하고 있었어……. 아니, 그 많은 세월 동안 짐의 손에서 소중히 간직되다가 떨쳐지게 된 그 노랗게 바래고 닳은 편지 속에는 별것이 없었어. 그 편지에 대한 답은 씌어진 적이 없지만, 무덤 속만큼이나 위험과 갈등이 없던 그 조용한 세계의 한구석에 살면서 어지럽혀지지 않은 도덕적 올곧음의 분위기를 착실히 숨쉬고 있던 그 평온하고 색깔 없는 남녀의 모습들을 상대로 그가 어떤 대화를 했을지 누가 알겠나. 그렇게나 많은 일과 부닥쳐야 했던 그였건만, 그가 그런 세계에 속했다는 것은 놀라운 일로 보여. 그들에게는 아무 일도 일어나지 않았고, 그들은 불의의 일을 당하지 않았을 것이고, 운명과 맞서서 싸우라는 요청을 받지도 않았을 거야. 여기 이 편지 속에서 그들은 그 부친의 온화한 가십 덕분에 환생한 듯했어. 그의 뼈에서 나온 뼈요 그의 살에서 나온 살[64]이기도 했던 모든 형제자매들이 무의식적인 맑은 눈으로 바라보고 있었고, 나는 드디어 고향으로 돌아온 그의 모습을 보는 듯했어. 그는 이제 어떤 엄청난 미스터리의 핵심에 있는 한 하얀 점이 아니라 본래의 체구를 완전히 드러내며 돌아와서 그 동요 없는 형상들 사이에서 무시당하며 서 있었는데 그 모습은 근엄하고 로맨틱했으나 늘 어떤 구름에 가려진 듯이 말이 없고 어둡기만 했어.

「마지막 사건들에 관한 이야기는 여기 동봉된 몇몇 페이지에서 읽을 수 있을 걸세. 그 이야기가 그의 소년 시절의 가장 걷잡을 수 없던 꿈까지도 능가할 정도로 로맨틱하다는 걸 자네는 인정할 거야. 그러나, 내가 보기에는, 그 속에는 일종의 심오하고 무서운 논리가 들어 있어. 마치 압도적인 운명의 힘을 우리에게 풀어놓을 수 있는 것이 우리의 상상력뿐인 것처럼 말일세. 우리 사념의 무모함은 결국 우리의 머리로 되돌아오기 마련이지. 칼을 쓰는 사람은 칼로 망하는 법이니까.[26] 이 놀라운 모험에서 가장 놀라운 부분은 그게 바로 진실이라는 점인데 이 모험은 하나의 불가피한 결과로 다가오고 있어. 뭔가 그런 일이 일어나게 되어 있었지. 바로 재작년에 그런 일이 일어날 수 있었다는 걸 보면 놀랍겠지만, 우리는 그런 말을 되뇌게 돼. 어쨌든 그런 일은 일어났고 그 논리를 두고 가타부타할 순 없어.

「나는 자네를 위해 이 이야기를 마치 내가 직접 목격한 것

---

25) 창세기, 2장 23절 참조.
26) 마태복음, 26장 52절 참조.

처럼 여기 적어 놓았네. 내가 얻은 정보는 단편적이지만 그것들을 뜯어 맞추어보니 한 폭의 알아볼 만한 그림을 그리기에는 충분했어. 그 자신이라면 이 이야기를 어떤 식으로 했을지 궁금하군. 과거에 그는 나에게 너무 많은 것을 내밀하게 이야기해 주었기 때문에 이따금 그가 곧 들어와서 자신의 입으로 이야기를 해줄 것 같은 느낌이 드는군. 그의 목소리는 산만하면서도 정감이 어려 있을 것이고, 태도는 약간 당혹스럽고 귀찮고 속상하다는 듯이 퉁명스러울 것이고, 이따금 한두 마디 어구로 자기 자신의 모습을 흘낏 볼 수 있게 하겠지만 그의 참모습을 알게 하는 데에는 그게 결코 아무 도움도 되지 않을 거야. 그가 다시는 나타나지 않으리라고 믿기가 어렵군. 나는 그의 목소리를 다시 듣지 못할 것이고, 이마에 하얀 줄이 있는 그 갈색과 분홍색이 섞인 매끈한 얼굴이라든지 흥분하면 깊이를 헤아릴 수 없을 정도의 심오한 청색으로 변하던 그 젊음에 찬 눈을 다시는 보지 못할 테지.」

37장

「이야기는 브라운이라는 사람의 주목할 만한 소행과 더불어 시작된다네. 그는 잠보앙가 근처의 작은 만에서 스페인 스쿠너 범선을 훔쳐 내는 데 완벽하게 성공한 사람이야. 내가 그 녀석을 발견하기까지 그에 대한 정보는 미미했지만, 아주 뜻밖에도 그가 오만한 일생을 마감하기 몇 시간 전에 나는 그와 마주치게 되었어. 다행히 그는 숨 막히는 천식 발작의 틈틈이 이야기를 해 주려 했고 또 할 수도 있었지. 그는 짐을 생각만 하고도 간악하게 희열하는 나머지 자기의 망가진 육신을 비틀더라니까. 그는 자기가 '그 잘난 거지 녀석을 제대로 대접했다.'고 생각하며 그렇게 기고만장했어. 그는 자기 행위에 대해 희열하고 있었던 거야. 나는 뭔가를 알아내려고 그 사납게 주름 잡힌 우묵한 눈초리를 꾹 참고 견뎌야만 했어. 그래서 나는 어떤 형태의 악은 강렬한 이기주의에서 나와서 저항심으로 불타며 영혼을 갈기갈기 찢고 육신에 억지 용기를 고취함으로써 광기에 가까워지기도 하는구나 생각하며 참고 있었지. 그의 이야기는 못난 코넬리우스가 품고 있던 명백한 간계의 깊이까지도 드러냈는데, 그의 비열하고도 격렬한 증오는 복수를 향한 어김없는 길을 가리키는 미묘한 영감처럼 작용하고 있었어.

「"그 사람을 보자마자 나는 대번에 그가 지독한 바보임을 알았지요." 죽어 가던 브라운이 헐떡이며 말했어. "그가 사내라고! 제기랄! 속이 빈 가짜 사내겠지. '내 약탈품에 손대지 마라!'고 분명히 말하지도 못하는 듯했으니. 못난 녀석! 그런 말을 할 수 있어야 사나이다웠을 텐데! 그 썩을 놈의 고고한 영혼 탓이었겠지! 나는 거기서 독 안에 든 쥐 신세였지만 그에게는 날 죽일 만한 독한 배짱이 없더라고요. 그럴 만한 위인이 못 되었던 거죠. 나 같은 사람을 일고의 가치가 없는 인간처럼 놓아준 걸 보면 알 수 있지!……" 브라운은 숨을 쉬려고 필사적 노력을 들이고 있었어……. "속임수였는데……. 날 놓아주다니……. 그래서 내가 그 녀석을 끝장내고 말았지요……." 그는 다시 숨이 막히고 있었어……. "이러다 내가 죽겠지요. 하지만 이제는 마음 편히 죽을 겁니다. 선생께서는…… 선생께서는 듣고 계시겠죠……. 나는 아직 선생의 이름도 모릅니다. 만약 내게 오 파운드 지폐가 있다면 그 소식을 전하기 위해서 그걸 선생에게 드리기라도 하겠습니다. 그러지 않고야 내이름이 브라운이 아니죠……." 그는 무시무시하게 히쭉 웃더군……. "젠틀맨 브라운이랍니다."

「깊은숨을 쉬며 이런 말을 하고 있는 동안 그는 긴 갈색의 망가진 얼굴에 박힌 노란 눈으로 날 쏘아보고 있었어. 그는 왼팔을 번쩍 들었고, 잿빛 턱수염 자락은 앉은 자세에서 무릎에 닿을 만큼 늘어졌는데, 더럽고 조잡한 담요가 그의 다리를 덮고 있었지. 나는 방콕에서 호텔을 경영하며 남의 일에 곧잘 참견하던 숌버그를 통해 그를 찾아냈어. 숌버그가 나에게 브라운을 만날 수 있는 곳을 몰래 말해 주었던 거야. 일종의 방랑자가 되어 멍청하게 떠돌던 어떤 백인이 원주민 속에 섞여서 태국 여인과 살고 있었는데, 그가 그 유명한 젠틀맨 브라운에게 임종할 안식처를 제공하는 일을 마치 큰 특전처럼 여기고 있었던 거야. 그 보잘것없는 오두막에서 그가 나에게 이야기를 하며 순간마다 숨을 쉬려고 사투를 벌이고 있는 동안, 우둔하고 거친 얼굴의 태국 여인은 커다란 다리를 드러낸 채 어두운 구석에 앉아 멍청하게 베텔을 씹고 있었어. 이따금 그녀는 일어서서 문간에 들어온 닭을 쫓아내곤 했어. 그녀가 걸어다닐 때면 온 오두막이 흔들리더군. 노란 피부의 못생긴 아이가 이교도들의 작은 신(神)처럼 벌거벗고 불룩한 배를 드러낸 채 손가락을 입에 넣고 침상 곁에 서서 죽어 가는 브라운을 조용히 뚫어지게 바라보느라 여념이 없었지.

「그는 열을 내며 이야기했어. 하지만 한마디 말을 하던 도중에 아마 보이지 않는 손이 그의 목을 움켜잡기라도 했던가 봐. 그는 의혹과 고뇌의 표정으로 말없이 날 쳐다보기만 하더군. 내가 기다리다 지친 나머지 그가 이야기를 마치고 기고만장한 기분을 표명할 기회를 허용하지 않은 채 그만 가 버릴까 그는 두려워하는 듯했어. 그는 그날 밤에 죽었는데, 그 무렵에 나는 이미 더 알아낼 것도 없었지.

　「그러나 지금은 브라운 이야기를 이 정도로 끝내세.

　「그보다 팔 개월 앞서서 사마랑으로 온 나는 여느 때처럼 스타인을 보러 갔어. 그의 집 정원 쪽 베란다에서 한 말레이인이 수줍은 듯이 나에게 인사를 하더군. 파투산에 있던 짐의 집에서 그를 보았던 기억이 났어. 저녁이면 찾아와서 전쟁 회고담을 끝도 없이 늘어놓거나 나라 일을 의논하던 부기스족 사람들 사이에 그가 끼어 있었던 거야. 한번은 짐이 그를 가리키면서 점잖은 소상인으로서 바다까지 나갈 수도 있는 소규모의 원주민 선박을 소유하고 있을 뿐 아니라 '방책을 함락하는 데 가장 큰 공을 세운 사람들 중의 하나'라고 말한 적이 있었어. 나는 그를 보고 놀라지 않았지. 사마랑까지 진출하는 파투산 사람이라면 당연히 스타인을 찾아가게 되어 있었거든. 나는 그에게 답례하고 지나갔지. 스타인의 방 문간에서 나는 또 한 사람의 말레이인과 마주쳤는데 보아하니 탐 이탐이더라구.

　「나는 즉시 그에게 거기서 무슨 일을 하고 있느냐고 물었지. 짐이 방문 중인지도 모르겠다는 생각이 들더군. 그런 생각을 하니 반가워서 흥분되더군. 탐 이탐은 뭐라고 대답해야 할지 모르는 표정이었어. "투안 짐은 안에 있소?" 내가 참으며 물었어. "아닙니다." 그는 잠시 동안 고개를 숙이고 중얼거리더니 갑자기 진지해지면서 "그분은 싸우려 하지 않았어요. 그분은 싸우려 하지 않았다고요."라고 같은 말을 되풀이했어. 그가 더는 말은 하지 못하는 듯해서 나는 그를 밀치고 들어갔지.

「키가 커서 허리가 휘어 있던 스타인은 나비 상자들이 줄지어 놓여 있던 그 방 한가운데에 혼자 앉아 있더군. "아하! 자넨가?" 그는 안경 낀 눈으로 쳐다보며 쓸쓸히 말했어. 그는 황갈색의 느슨한 알파카 저고리를 걸치고 있었는데 무릎에 이르도록 단추라곤 끼우지 않았더군. 파나마 모자를 쓰고 있는 그의 창백한 뺨에 깊은 주름이 보였어. "어떻게 된 건가?" 내가 겁을 내며 물었어. "탐 이탐이 와 있던데……." "색시를 만나 보게. 색시를 만나 봐. 이곳에 와 있으니까." 그는 마음이 내키지 않는 듯한 동작을 보이며 말했어. 나는 그를 붙잡으려 했지만, 그는 점잖게 고집을 피우며 내 열띤 물음에는 주의하려 하지 않았어. "색시가 와 있네. 색시가 와 있어." 그는 크게 마음의 동요를 보이며 거듭 말했어. "그들은 이틀 전에 이곳으로 왔는데, 나 같은 늙은이가, 게다가 이방인이, 할 수 있는 일이 별로 없어서……. 이리 오게나……. 젊은이들은 용서할 줄을 몰라……." 보아하니 그는 몹시 상심하고 있었어. "그들의 생명력, 그 잔인한 생명력이……." 그는 중얼거리면서 집 뒤편으로 날 끌고 가더군. 나는 성이 난 채 불길한 추측을 하며 그를 따라갔지. 거실의 문간에 이르자 그는 나를 막았어. "그가 색시를 무척 좋아했었지?" 그는 심문하듯이 물었고, 나는 내 자신의 대답을 믿을 수 없다는 생각에 몹시 실망하면서 고개를 끄덕이기만 했어. "아주 무서운 일이네." 그가 중얼거렸어. "색시는 나를 이해하지 못해. 나는 이상한 늙은이일 뿐이거든. 아마 자네라면……. 색시는 자네를 아니까, 자네가 이야기를 해보게나. 이렇게 내버려 둘 수 없는 문제야. 색시한테 그를 용서해 주라고 해봐. 아주 무서운 상황이야." "그렇겠군." 나는 내가 아무것도 모르고 있는 데 대해 격분하며 말했어. "하지만 자네는 용서했는가?" 그는 기이한 표정으로 나를 바라보았어. "곧 듣게 될 걸세." 그는 이렇게 말한 후 문을 열고 나를 사정없이 밀어 넣더군.

「스타인의 그 커다란 집과 두 개의 넓은 응접실은, 사람이 살지 않고 살 수도 없는 곳처럼, 깨끗하고 한적했으며 인간의 눈에 보인 적이 없는 듯한 번쩍이는 것들로 가득했었지. 가장 더운 날에도 그곳은 시원했기 때문에 반질거리게 닦아놓은 지하 동굴에 들어간 기분이 나는 곳이었어. 내가 한쪽 응접실을 거쳐 다른 쪽 응접실로 들어가니 색시가 커다란 마호가니 탁자의 끝 부분에 머리를 기대고 얼굴을 두 팔에 묻고 있는 모습이 보였어. 왁스로 닦은 마룻바닥은 얼어붙은 수면처럼 그녀의 모습을 희미하게 비추고 있었지. 등나무 스크린은 내려져 있었고, 창밖의 나뭇잎이 빚어낸 이상하게 푸르스름한 어둠을 통해 강한 바람이 휘몰아치며 창문과 문간에 쳐 놓은 기다란 장막들을 흔들고 있었어. 그녀의 하얀 모습은 눈으로 빚어낸 사람처럼 보였고, 커다란 샹들리에에 드리워진 수정들이 그녀의 머리 위에서 반짝이는 고드름처럼 쨍그랑거리더군. 그녀는 고개를 들고 내가 다가오는 것을 지켜보더군. 그 넓은 방들이 냉랭한 절망의 거처인 것처럼 나는 한기를 느꼈어.

「그녀는 대번에 날 알아보았고, 내가 멈춰 서서 그녀를 내려다보자, "그분은 저를 버렸습니다. 당신네들은 늘 우리를 버리고 떠나가지요. 당신네들의 목표를 위해서죠."라고 조용히 말하더군. 그녀의 얼굴은 굳어 있었고, 모든 생명의 열기가 그녀의 가슴속에 있는 어떤 접근 불가능한 곳으로 숨어 버린 듯했지. "그분과 함께 죽는 것이 쉬웠을 겁니다." 그녀는 말을 계속했고 이해할 수 없는 것들은 단념해 버린다는 듯이 조금은 지겹다는 몸짓을 했어. "그분은 막무가내였습니다. 눈이 먼 것 같더라고요. 그러나 그분에게 말을 하고 있었던 것은 바로 저였지요. 그분의 눈앞에 서 있었던 것도 저였고요. 그분이 사뭇 바라본 것도 바로 저였답니다. 아! 당신네들은 무정하고 배반이나 했지 진실이나 연민은 없다고요. 왜 당신네들은 그리도 간악합니까? 아니면 당신네들은 모두 미쳐 버린 겁니까?"

「나는 그녀의 손을 잡았지만 아무 반응도 없었어. 그래서 놓아주니까 그 손은 마루 쪽으로 늘어지더군. 눈물이나 울부짖음이나 원망보다도 더 무서운 무관심이 세월과 위안을 거역하고 있는 듯하더라니까. 우리가 무슨 말을 해도 그 고요하고 마비시키는 듯한 고통이 자리하고 있는 곳까지 미치지는 못하고 말 것 같은 느낌이 들더군.

「스타인이 "곧 듣게 될 걸세."라고 말한 대로 나는 그 사연을 들었어. 나는 모든 이야기를 들었고 놀람과 위압감을 느끼며 그녀의 굽힘 없고 지겨운 어조에 귀를 기울이고 있었지. 그녀는 자기가 하고 있던 이야기의 참뜻을 이해할 수 없었고, 그녀의 원망으로 인해 나는 그녀에 대해, 그리고 짐에 대해서까지 연민을 느꼈어. 그녀가 이야기를 마친 뒤에도 나는 그 자리에 꼼짝 않고 서 있었지. 그녀는 팔을 탁자에 고인 채 무정한 눈으로 노려보고 있었고, 바람이 몰아치자 그 푸르스름하

게 어둑한 곳에서 수정 조각들이 쨍그랑거렸어. 그녀는 혼잣
말로 계속 속삭이더군. "그런데도 그분은 저를 바라보고 있더
라고요! 그분은 제 얼굴을 보고, 제 목소리며 제 슬픔을 듣고
있었다고요! 제가 그분의 발치에 앉아서 제 뺨을 그분의 무릎
에 기대고 있었고, 또 그분이 손을 제 머리에 얹고 있을 때에
도, 잔인함과 광기의 저주가 그분의 마음속에 자리 잡고 밖으
로 발산될 날만 기다리고 있었던 거예요. 그러다가 그날이 다
가온 거죠!…… 그날 해가 지기도 전에 그분은 저를 더 이상
볼 수 없었습니다. 당신네들이 모두 그렇듯이, 그분도 장님이
되었고 귀가 먹었고 연민을 느낄 수 없게 된 거죠. 그분을 위
해서는 제가 눈물을 흘리지 않을 겁니다. 절대로, 절대로 흘리
지 않을 거예요. 한 방울의 눈물도 흘리지는 않을 겁니다. 그
분은 마치 제가 주검보다 못한 존재인 양 저를 떠나갔습니다.
그분은 잠을 자다 듣거나 보게 된 어떤 저주받은 것에 쫓기는
듯이 도망치고 말았습니다……."

「그녀의 꿋꿋한 눈길은 어떤 꿈의 여세로 그녀의 품에서 떨
어져나간 한 사내의 모습을 뒤쫓느라 긴장하는 듯했어. 그녀
는 내가 말없이 절을 할 때 아무런 내색도 하지 않더군. 나는
기꺼이 그 자리에서 도망쳐 나왔지.

「그날 오후에 나는 그녀를 다시 보았어. 그녀를 두고 나오는
길에 나는 스타인을 찾았지만 집 안에 없더군. 여러 가지 고달
픈 생각에 쫓기며 밖으로 나온 나는 정원으로 들어갔는데, 온
갖 열대 저지대 식물과 수목을 볼 수 있는 이름난 정원이었지.
나는 운하로 만들어 놓은 수로를 따라가다가 장식용 연못 가

까이에 있던 그늘진 벤치에 오랫동안 앉아 있었어. 그 연못에는 깃을 잘린 물새들이 물에 뛰어들며 시끄럽게 풍덩거리고 있더군. 등 뒤에서 끊임없이 가볍게 흔들리던 화식조(火食鳥) 나무의 가지들은 나에게 고국의 젓나무들이 내는 바람 소리를 연상케 했어.

「그칠 줄 모르는 그 슬픈 소리는 내 명상을 위한 알맞은 반주였어. 그녀는 그가 어떤 꿈에 휩쓸려 그만 자기를 버리고 갔다고 했는데, 그 말에 대해서는 아무 답도 할 수가 없더군. 그런 탈선 행위야말로 도저히 용서할 수 없는 것으로 보였으니까. 하지만 우리 인간 자체가 지나친 잔인함과 지나친 헌신이라는 여러 갈래 어두운 오솔길에서 그만 스스로의 위대함과 스스로의 힘에 대한 꿈에 휩쓸린 나머지 맹목적으로 밀고 나가는 게 아닐까? 진실의 추구라는 게 도대체 무얼까?

「내가 집으로 돌아가려고 일어섰을 때 나뭇잎 사이로 스타인의 황갈색 코트가 보였고, 어떤 오솔길 모퉁이에서 나는 그녀와 함께 걷고 있는 그와 마주쳤어. 그녀는 작은 손을 그의 팔에 얹고 있었고, 넓고 평평한 테가 둘린 파나마 모자를 쓴 그가 잿빛 머리카락의 아버지 모습으로 그녀를 굽어보면서 연민과 기사도 정신이 어린 경의까지 표하고 있었어. 나는 비켜섰지만 그들은 나를 마주 보며 멈춰 서더군. 그의 시선은 땅을 향해 자기 발을 보고 있었고, 가냘픈 모습으로 그의 팔에 기대고 있던 여인은 맑고 흔들림 없는 까만 눈으로 내 어깨 너머를 침통하게 응시하고 있었어. "무서운 일이군." 처음에 그는 독일어로 말했어. "끔찍하군! 끔찍해! 어떻게 해야 한

담?" 그는 나에게 이렇게 호소하는 듯했지만, 그녀의 젊음과 그녀의 머리 위에 걸려 있는 그 긴 세월이 나에게는 더 호소력이 있었지. 그래서 비록 아무 말도 할 수 없다는 걸 알고 있었지만 어느새 그녀를 위해 나는 그가 택한 길을 옹호하고 있었어. "색시는 그를 용서해야 하오." 나는 결론 삼아 말했지만 내 목소리는 귀가 먹어 아무 반응도 없는 엄청난 공간 속에 휩싸여 있는 듯했어. "우리 모두는 용서받고 싶어 하지요." 얼마 후에 내가 덧붙였어.

「"제가 어떻게 했는데요?" 그녀는 입술만으로 소리를 내듯이 말했어.

「"색시는 늘 그를 불신하고 있었다오." 내가 말했지.

「"그분도 다른 사람들과 같더군요." 그녀가 천천히 말하더군.

「"다른 사람들과는 달랐지요." 내가 항변했지만, 그녀는 아무 감정의 노출도 없이 고른 어조로 말했어.

「"그분은 거짓이더라고요." 그녀가 이렇게 말했을 때 갑자기 스타인이 끼어들었어. "아냐! 아냐! 아냐! 이 가엾은 것!……." 그는 자기 소매 위에 힘없이 놓여 있던 그녀의 손을 쓰다듬더군. "아냐! 아냐! 거짓은 아니었어! 진실! 진실! 진실한 사람이었지!" 그는 그녀의 돌처럼 굳은 얼굴을 들여다보려고 했어. "너는 이해하지 못하는구나. 아! 왜 이해하지 못하니? ……무서운 일이야." 그는 나에게 말했어. "장차 이 가엾은 아이에게 이해를 시켜야지."

「"자네 자신이 설명할 텐가?" 내가 그를 노려보며 물었지. 그들은 계속 걸어갔어.

「나는 그들을 지켜보고 있었지. 그녀의 가운은 오솔길 위에 질질 끌리고 있었고 검은 머리카락은 매지 않은 채 늘어져 있었어. 그녀는 키가 큰 스타인 곁에서 꼿꼿한 자세로 사뿐사뿐 걷고 있었지. 그가 입고 있던 맵시 없이 긴 코트는 수직 주름을 이루며 그의 구부정한 어깨에 걸려 있었고 그의 두 다리는 느릿느릿 움직이더군. 자네도 기억하겠지만, 유식한 사람이라면 판별해 낼 수 있을 열여섯 가지의 대나무가 있던 숲 너머로 그들은 사라지고 말았어. 나로서는 끝이 뾰쪽한 잎과 깃으로 덮인 듯한 윗부분을 가지고 있던 그 마디 식물 숲의 기막힌 우아함과 아름다움 그리고 아무 동요 없이 번성하고 있는 생명체의 소리만큼이나 분명한 그 숲의 경쾌함이며 활기며 매력에 홀딱 빠져 있었지. 위안을 주는 속삭임이 들리는 곳에서 머뭇거리듯이, 내가 오랫동안 그 대숲을 바라보며 서 있던 기억이 나네. 하늘은 진주 같은 회색이었어. 열대지방에서는 보기 드물게 찌푸린 날씨였는데, 그런 날이면 다른 지역에서 본 해변이며 얼굴들에 대한 기억이 우리를 엄습해 온다고.

「바로 그날 오후에 나는 탐 이탐과 또 한 사람의 말레이인을 데리고 고을로 돌아갔어. 그 재앙이 빚어낸 당혹감, 공포심 및 암울함 속에서 그들은 그 말레이인 소유의 해양 항해용 배를 타고 도망쳐 나왔던 거야. 그 재앙의 충격이 그들의 성품마저 바꾼 듯했어. 재앙으로 인해 여인의 열정은 돌처럼 식었고 늘 실쭉하고 말이 없던 탐 이탐은 수다스러워졌거든. 그의 실쭉함도 영문을 모르겠다는 듯한 겸허함으로 변해 있었는데, 마치 절정의 순간에 어떤 강력한 매력이 실추하고 마는 광경을 그가 지켜보기라도 한 듯하더군. 그 부기스족의 상인은 수줍고 우유부단한 사람으로서 말은 적었지만 의사 표명만은 아주 분명하더군. 두 사람 모두 뭐라 표현할 수 없는 깊은 경이감과 속을 헤아릴 수 없는 불가사의함에 압도되어 있었음이 분명했어.」

이 대목에서 말로의 편지는 서명과 함께 끝났다. 특혜를 입은 독자는 등잔의 심지를 돋우고 나서, 커다란 물결을 이루는 듯하던 도시의 지붕들을 아래에 두고, 바다 위의 등대지기처럼 외로이 앉아, 이야기 원고 뭉치로 향했다.

38장

「앞서 말한 대로, 이야기는 브라운이라는 사람과 더불어 시작된다.」 말로의 서술은 첫 문장이 이러했다. 「서부 태평양 지역을 돌아다닌 적이 있는 사람이라면 그 이름을 들었을 것이다. 호주의 해안 지방에서는 그가 대표적인 악한이었다. 그가 그곳에 자주 나타났기 때문이 아니고 그곳 사람들이 고국에서 온 방문객들에게 들려주는 무법자들의 이야기 속에 그가 늘 등장하곤 했기 때문이다. 그런데 케이프 요크에서 이든 베이에 이르는 지역에 나돌던 그의 비행에 관한 이야기 중에서 가장 경미한 것도 법이 있는 곳에 알려진다면 그를 교수형에 처하기에 충분했을 것이다. 이야기마다 어김없이 그가 어떤 남작의 아들로 여겨졌다는 내용을 전하고 있었다. 그 진위야 어떻든, 그가 초기 금광채굴 시절에 고국에서 온 배에서 직무를 이탈한 건 분명했고, 몇 년 후에는 폴리네시아 지역의 여러 군도에서 공포의 대상이 되어 사람들의 입에 오르내리게 되었다. 그는 원주민들을 납치했고, 홀로 있는 백인 상인을 입고 있던 파자마만 남기고 몽땅 털었다. 강도질을 마치고 그는 십중팔구 바닷가에서 엽총 결투를 하자는 제안을 하곤 했는데, 이 무렵에 상대방이 이미 겁에 질려 반쯤 죽다시피 하지만 않았더라도 그 결투가 그런 대로 공정한 것이 될 수 있었을 것이다. 브라운은 근년의 해적이지만 그의 원형(原型)이 되었던 더 저명한 해적들처럼 치사한 녀석이었다. 하지만 그가 동시대의 악한이었던 위협자 헤이스라든지 말씨가 부드럽던 피스라든지 향수를 뿌리고 구레나룻을 휘날리며 다니던 멋쟁이 악한 더티 딕 등과 구별되는 점은 비행을 저지를 때 보인 그 오만한 기질 및 넓게는 인류 전체, 좁게는 자기의 희생자에게 보인 격렬한 멸시였다. 다른 해적들이 그저 비열하고 탐욕스러운 짐승들이라면 그는 어떤 복합적인 의도 때문에 해적질을 하고 있는 듯했다. 그가 어떤 사람을 상대로 강도짓을 할 때 그의 유일한 목적은 자기가 그 사람을 얼마나 업신여기는지 보여주는 데 있는 것 같았다. 그리고 처음으로 만난 말 없고 죄 없는 사람을 죽이거나 불구자로 만들 때에도 그는 야만적이고 복수심 가득한 열의까지 보였는데, 세상에서 가장 무모한 악한도 그 광경을 보고는 겁에 질리고 말았을 정도였다. 그의 기세가 절정에 달했던 시절 그는 무장한 바크 범선을 소유하고 있었고, 선원으로는 카나카스인들과 도망쳐 나온 포경선 선원들을 섞어 배치하고 있었다. 그는 또 어떤 아주 점잖은 코프라 상회로부터 비밀리에 자금 지원을 받는다고 자랑하고 다녔는데 무슨 근거가 있었는지 나로서는 알 수 없다. 훗날 그는 어떤 선교사의 부인과 도망친 것으로 알려져 있는데, 런던의 클래펌 지역 출신인 그 젊은 여인은 어떤 순간적 열정에 빠진 나머지 마음씨만 고왔지 멋이라고는 없던 녀석과 결혼한 후 갑자기 멜라네시아로 옮겨 와 살다가 어떻게 된 셈인지 그만 방향감각을 상실하고 말았던 것이다. 그건 암울한 이야기였다. 브라운이 그녀를 데리고 가던 날 병들어 있던 그녀는 결국 그의 배에서 죽고 말았다. 그녀의 시신을 놓고 그는 침통하고도 격렬한 슬픔을 한바탕 터뜨렸다고 전해지는데, 이야말로 그 이야기에서도 가장 경이로운 부분이다. 그 후 얼마 되지 않아 그의 행운도 그를 떠나고 말았다. 그는 말레이타 근해의 어떤 암초에서 배를 잃었고 배와 함께 침몰해 버린 것처럼 한동안 보이지도 않았다. 그러다가 그가 누카히바에 나타났다는 소문이 있었는데 거기서 그는 그 지역 정청에서 쓰던 낡은 프랑스 스쿠너 범선을 한 척 샀다. 그가 배를 구입했을 때 무슨 훌륭한 사업을 마음먹고 있었는지 나로서는 알 수 없지만, 고등 판무관이니 영사니 전함이니 국제적 통제니 하는 말들이 나돌던 시절에 남태평양 일대는 너무 열기를 띠고 있어서 브라운 같은 성향을 가진 사내들을 수용할 수 없었음이 분명하다. 그는 자기의 활동 무대를 훨씬 서쪽으로 옮겨야 했음이 명백하다. 왜냐하면 일 년 뒤에 그는 횡령이나 하는 총독과 법망이나 피하는 재무관이 주축을 이루고 있던 마닐라만에서 벌인 어떤 희비가 교차하는 사업에서 믿을 수 없이 대담한 역할을 하면서도 별로 이익을 얻지 못하고 있었기 때문이다. 그 후에 그는 그 썩어 빠진 스쿠너 범선을 타고 필리핀 군도를 돌아다니며 역경과 싸웠고, 결국은 자기의 정해진 과정을 달리다가 '어둠의 힘'의 맹목적 공범자가 되어 짐의 이야기 속으로 항진해 들어갔던 것 같다.

「스페인의 커터 초계정이 그의 배를 나포했을 때 그는 반군들을 위해 약간의 총포 밀수를 하려 했을 뿐이라는 이야기가 있다. 그렇다면 그가 민다나오섬의 남해안 근해에서 무슨 짓을 하고 있었는지 나로서는 알 수 없다. 그러나 그가 해안에 있던 원주민들의 촌락을 공갈협박하며 다녔으리라고 생각된다. 주요한 사실은 그 초계정이 경비원 한 사람만 승선시킨 후 브라운과 함께 잠보앙가까지 동행하게 했다는 것이다. 도중에 무슨 이유에서인지 두 배는 끝내 흐지부지되고 만 스페인의 새 정착지 중의 한 곳에 들려야 했는데, 그곳에서는 어느 공무원이 해안에서 책임을 지고 있었을 뿐만 아니라 멋지고 단단한 연근해 스쿠너 범선 한 척이 그 작은 만에 정박하고 있었다. 브라운은 아무리 보아도 자기 배보다는 훨씬 더 좋은 그 범선을 훔쳐야겠다고 마음먹었다.

「그 스스로 내게 말했듯이, 그의 행운은 소진되고 있었다. 그가 이십 년간 사납게 공격적으로 멸시하며 협박해 오던 세계가 물질적 이득이라는 면에서는 그에게 한 자루의 은화밖에 남기지 않았고, 그는 '악마도 냄새 맡지 못하도록' 그 자루를 자기 선실에 감춰 두었다. 그런데 그게 전부였고 절대로 그것밖에 없었다. 그는 삶이 지겨웠고 죽음을 겁내지 않았다. 어떤 기발한 생각이 있으면 신랄하고 냉소적인 무모함을 보이며 목숨을 걸기도 했던 그였지만 감옥에 갇히는 것만은 지독히 무서워하고 있었다. 자기가 갇히게 될 가능성이 조금이나마 보이면 그는 분별없이 식은땀을 흘리고 진저리를 내며 몸의 피가 물로 변해 버리는 듯한 공포에 시달리곤 했다. 미신적인 사람이 자기가 유령에 사로잡혔다는 생각을 하면서 느낄 만한 그런 공포였다. 그러므로 예비 조사를 위해 그 나포선에 오른 민간인 관리는 하루 종일 어렵게 조사한 후 어두워진 후에야 외투로 몸을 싸고 상륙하면서 브라운이 준 얼마 되지 않는 돈이 그 자루에서 짤랑거리는 소리를 내지 않도록 크게 신경을 썼다. 나중에, 그러니까 이튿날 저녁이라 생각되거니와, 약속을 중시하던 그 관리는 관용 커터 초계정을 긴급한 특수 업무에 내보냈다. 그 초계정의 함장은 나포선의 선원들을 예비 인원으로 활용할 여유가 없었기 때문에 브라운의 스쿠너 범선에 있던 돛을 모조리 압수해 두는 데 만족해야 했고 그의 두 구명정까지 두어 마일 떨어진 해변까지 예인해 두도록 세심한 신경을 썼다.

「그러나 브라운의 선원들 중에는 솔로몬 군도 출신이 한 사람 있었는데, 젊은 시절에 납치되어 브라운에게 헌신하게 된 그는 모든 부하 중에서도 가장 뛰어난 사람이었다. 그 녀석이 약 500야드 떨어져 있던 연근해 범선까지 헤엄쳐 갔는데, 그는 자기 목적의 수행을 위해 활차(滑車)에서 빼낸 물품 이송 장치가 달린 밧줄의 끝부분을 잡고 갔다. 그날 밤 바닷물은 잔잔했고 만은 '암소의 배 속처럼' 어두웠다고 브라운은 묘사했다. 그 솔로몬 군도 사람은 밧줄의 끝을 물고 그 연근해선의 방파벽을 기어 올라갔다. 배의 선원들은 모두 타갈 족이었는데 원주민 마을에서 흥청거리기 위해 상륙해 있었다. 배를 지키던 두 선원은 갑자기 잠이 깨어 그 악마 녀석을 보게 되었다. 그 녀석은 눈을 번뜩이면서 번개처럼 빨리 갑판을 뛰어다녔다. 공포에 질려 온몸이 마비된 두 사람은 무릎을 꿇고 성호를 그으며 뭐라고 중얼중얼 기도하고 있었다. 배의 부엌에서 칼을 찾아낸 솔로몬 군도 사람은 두 사람의 기도를 방해하지 않으며 한 사람씩 차례로 찌르고 나서 같은 칼로 야자열매 껍질 섬유로 짠 밧줄을 톱질하듯이 꾸준히 자르니까 밧줄은 갑자기 두 동강이 나며 철썩 소리를 냈다. 그러자 그는 그 조용한 만에서 조심스럽게 고함을 질렀고, 그동안 어둠 속에서 앞을 노려보며 희소식을 들으려 귀를 기울이고 있던 브라운 일당은 밧줄의 자기네 쪽 끝을 부드럽게 끌어당기기 시작했다. 오 분이 되지 않아서 두 척의 스쿠너 범선은 가볍게 충돌했고 돛대를 삐걱거리며 나란히 서게 되었다.

「브라운의 무리는 한순간도 놓치지 않고 자기네의 총기와 많은 탄약을 가지고 옮겨 탔다. 그들은 모두 열여섯 명이었다. 도망쳐 나온 수병 두 명, 어떤 양키 군함에서 온 여윈 탈영병, 금발의 순박한 스칸디나비아인 두 명, 변변찮은 흑백 혼혈인 한 명, 시원찮은 중국인 요리사, 그 밖에 남태평양이 만들어낸 보잘것없는 인간들이었다. 그들 중의 아무도 상관치 않았다. 브라운은 그들을 자기 뜻대로 굴복시켰고, 교수대는 두려워하지 않으면서도 스페인의 감옥이라는 망령을 겁내고 있던 그는 도망치고 있었다. 그는 그들에게 충분한 보급품을 옮겨 실을 시간을 주지 않았다. 날씨는 조용했고 공기는 이슬을 머금고 있었다. 그들이 밧줄을 벗기고 연안의 희미한 바람에 의지해서 돛을 폈을 때 축축한 돛베는 전혀 펄럭이지 않았다. 그들의 낡은 스쿠너 범선은 그 훔친 배에서 점잖게 떨어져 나가, 검은 덩어리를 이루고 있던 해안과 함께, 조용히 밤 속으로 미끄러져 들어가는 것 같았다.

「그들은 빠져나갔다. 브라운은 마카사르 해협을 따라 항해하던 일을 나에게 상세히 말해 주었다. 그건 괴롭고도 절망적인 이야기였다. 식량과 물이 부족했다. 그들은 몇몇 원주민의 배에 올라가서 조금씩 구했다. 물론 브라운이 훔친 배를 가지고 어떤 항구거나 감히 들어가려고 하지는 않았다. 무엇이건 사려고 해도 그에게는 돈이 없었고, 당국자들에게 보여 줄 증명서도 없었으며, 그를 곤경에서 건져 줄 만한 그럴듯한 거짓말을 둘러댈 수도 없었다. 라우트섬 근해에 정박해 있다가 밤에 기습당한 홀란드 선적의 아랍 바크 범선이 약간의 더러운 쌀과 바나나 한 덩이와 물 한 통을 내어놓았다. 북동쪽에서 찾아온 사흘 동안의 강풍과 연무가 그 스쿠너 범선을 자바해 건너편으로 밀어냈다. 노란 흙탕물 파도가 그 굶주린 악당들을 흠뻑 적셨다. 그들은 우편선이 지정된 항로를 운행하는 것을 보았고, 측면의 철판에 녹이 슨 고국의 선박들이 보급품을 풍족하게 싣고 얕은 바다에 정박한 채 날씨가 좋아지거나 조수가 바뀌기를 기다리고 있는 것을 지나치기도 했다. 가느다란 돛대를 두 개 가진 영국 포함이 하얗고 깔끔한 모습으로 그들의 뱃머리 앞을 멀리 지나가는 날이 있는가 하면, 검고 무거운 마스트를 장착한 홀란드의 코르벳함이 고물 쪽에 나타나서 안개 속을 죽은 듯이 천천히 항진하는 날도 있었다. 그들은 눈에 띄지 않거나 무시당한 채 빠져나갈 수 있었지만, 파리하게 핏기 없는 얼굴을 한 그 방랑자 무리는 배고픔에 미칠 듯했고 두려움에 시달리고 있었다. 브라운의 생각은 마다가스카르로 가자는 것이었다. 거기만 간다면 타마타베에서 그 스쿠너 범선을 팔아도 배의 출처에 대한 심문이 없거나 아니면 배에 관한 위조문서를 구할 수 있다고 여겼는데 전혀 근거 없는 환상은 아니었다. 하지만 긴 인도양 횡단 항해에 앞서 식량이 필요했고 물도 있어야 했다.

「아마도 그는 파투산에 관해 들은 적이 있을 것이다. 아니면 아마도 해도에 작은 글자로 적힌 지명을 우연히 보았을 뿐인지도 모른다. 어쩌면 그곳은 어떤 원주민 국가의 강 상류에 위치한 커다란 마을로서 배가 많이 다니는 항로나 해저 케이블의 단말 지역에서 멀리 떨어져 있어서 전적으로 무방비 상태인 곳일 수도 있었다. 과거에는 그가 사업 삼아 그런 일을 해보았지만, 이번에는 죽느냐 사느냐의 문제 혹은 자유가 걸린 문제로서 절대적으로 필요한 일이었다. 정녕 자유가 걸린 문제였다. 그는 비육우니 쌀이니 고구마니 하는 식량을 얻을 자신이 있었다. 그 미련한 녀석들은 입맛을 다셨다. 스쿠너 범선에 싣고 갈 농산물을 갈취할 수 있을 테고, 손가락으로 퉁기면 쨍그랑 소리를 내는 진짜 돈까지 빼앗을 수 있을지도 모르는 것 아닌가! 그 추장이니 촌장이니 사는 사람들을 위협해서 넉넉하게 내어놓도록 할 수도 있었다. 그는 그 사람들의 발가락을 불에 태우면 태웠지 자기가 낭패 보는 일은 없도록 할 작정이었다고 나에게 말했다. 나는 그의 말을 믿는다. 그의 부하들도 그를 믿었다. 그들은 말이 없는 무리였기 때문에 요란하게 환성을 지르지는 않았으나 탐욕스럽게 준비하고 있었다.

「날씨 면에서 그는 운이 좋았다. 며칠 동안 바람이 없었더라면 스쿠너 범선에 타고 있던 사람들이 말할 수 없는 공포에 빠졌을 것이다. 그러나 육지와 바다에서 불어오는 바람의 도움으로 그는 순다 해협을 통과한 후 일주일도 되지 않아 바투 크링 하구 근처에 정박했는데 그곳은 어촌에서 권총의 사정거리에 있는 곳이었다.

「그들 중 열네 명은 스쿠너 범선에 싣고 다니며 하역 작업에 쓰던 대형 보트를 타고 강을 올라갔고, 두 사람은 열흘 동안 아사(餓死)나 면하게 해 줄 정도의 식량을 가지고 배에 남아 있었다. 조류와 바람의 도움으로 어느 날 오후 일찍 누더기 돛을 단 그 흰 대형 보트는 바닷바람을 등지고 파투산의 강기슭으로 헤치고 들어갔다. 허수아비처럼 생긴 열네 명의 잡배들은 굶주린 눈으로 앞을 노리면서 싸구려 소총의 노리쇠를 만지작거리고 있었다. 브라운은 자기의 출현이 가져올 무서운 경악 상태를 계산에 넣고 있었다. 그들은 마지막 밀물을 타고 들어왔다. 라자의 방책에서는 아무 내색도 없었다. 양쪽으로 보이던 최초의 가옥들에는 인적이 없었다. 몇 척의 카누가 기슭을 따라 전력으로 도망치고 있었다. 브라운은 그 고장의 크기에 놀랐다. 깊은 정적이 지배하고 있었다. 가옥들 사이로 바람이 내리 불고 있었다. 보트는 두 개의 노를 내밀고 계속 상류로 올라갔고, 브라운의 의도는 주민들이 저항할 생각을 하기 전에 고을 한복판에 방어용 거점을 구축하자는 것이었다.

「그러나 바투 크링 어촌의 촌장이 때맞춰 경고를 보낼 수 있었던 것 같다. 고을의 모스크는 도라민이 지은 것으로 박공이 붙어 있고 조각을 한 산호 첨탑이 있었는데, 그 대형 보트가 모스크와 나란히 섰을 때 앞에 있던 빈 공간에는 사람들이 가득했다. 누군가가 고함을 지르니까 뒤이어 강을 따라 여러 개의 징이 울렸다. 위쪽 어느 지점에서는 두 문의 작은 육 파운드 놋쇠 대포가 발사되었고, 포탄이 텅 빈 기슭으로 날아오자 강에서는 물기둥들이 솟아올라 햇빛 속에서 반짝였다. 모스크 앞에서 많은 사람들이 함성을 지르면서 일제 사격을 하니까 총탄이 강물을 가로지르며 수면을 때렸다. 강 양쪽에서 보트를 향한 불규칙하고 파상적인 일제 사격이 있었고 브라운의 부하들도 사납고 빠른 사격으로 응사했다. 내밀고 있던 노들이 들어갔다.

「그 강에서는 만조가 썰물로 빨리 바뀐다. 그래서 강 가운데에서 초연에 거의 가려 있던 보트는 고물 쪽을 앞세우고 떠내려가기 시작했다. 양쪽 강변에도 짙은 초연이 평평한 띠를 이루며 지붕 아래로 깔렸는데 마치 산허리를 가로 지르는 기다란 구름 띠 같았다. 전투를 독려하는 고함 소리, 울리는 징 소리, 깊이 코를 고는 듯한 북소리, 분노의 함성, 일제히 사격하는 총성 같은 것들이 합쳐서 무섭도록 소란했다. 그 가운데서 브라운은 당혹해하며 앉아서 키의 손잡이를 꿋꿋이 잡은 채 자체 방위를 감행하려던 원주민들을 상대로 증오와 분노를 발동시키고 있었다. 부하 두 명이 이미 부상했고, 마을 아래쪽의 퇴로가 퉁크 알랑의 방책에서 나온 보트들로 차단되어 있음을 그는 알고 있었다. 모두 여섯 척의 보트에 사내들이 가득히 타고 있었다. 그가 그렇게 포위되어 있는 동안 좁은 수로의 입구가 그의 눈에 띄었는데 그곳은 짐이 썰물 때 뛰어 들었던 바로 그 지점이었다. 그러나 지금은 물이 찰랑거렸다. 그들은 그곳으로 보트를 끌고 가서 상륙했다. 긴 이야기를 줄여서 말하건대, 그들은 방책에서 약 900야드 떨어진 곳에 있던 작은 구릉 위에 자리 잡았는데, 그곳에서 그들은 방책을 내려다볼 수 있었다. 구릉의 비탈은 헐벗었지만 정상에는 나무가 몇 그루 있었다. 그들은 그것을 베어 흉벽(胸壁)을 쌓았고 어두워지기 전에 참호 속에 꽤 안전하게 숨을 수 있었다. 한편 라자의 보트들은 신기하게도 중립을 지키며 강에 남아 있었다. 해가 지자 강을 따라, 그리고 육지 위에 두 줄로 늘어선 가옥들 사이에서, 덤불을 태우는 불빛 속에 지붕이며 가느다란 종려나무 숲이며 무거운 과일나무 숲이 검게 부각되고 있었다. 브라운은 자기 거점 주위의 풀을 태우라고 명령했다. 구릉의 비탈을 따라 나지막한 테를 이룬 얕은 화염들이 느릿느릿 올라가는 연기 아래서 빠르게 꿈틀거리며 타 내려가고 있었다. 여기저기 건조한 숲에 붙은 높다란 불길이 으르렁거리며 무섭게 타올랐다. 불은 그 작은 집단의 소총 사격을 위한 시계(視界)를 청소한 후 밀림의 가장자리와 수로의 진흙 둑을 따라 꺼진 다음 연기만 내고 있었다. 그 구릉과 라자의 방책 사이의 우묵한 습지에서 떼를 이루어 번성하던 밀림에 이르러 불길은 대나무 줄기들이 터지는 파열음을 내며 꺼지고 말았다. 벨벳 결 같은 어두운 하늘에는 별들이 득실거렸다. 시커멓게 변한 땅에서 나직이 기어 다니는 불씨가 조용히 피어오르곤 했지만 결국은 바람이 조금 불어와서 모든 것을 날려 버렸다. 브라운은 밀물이 충분히 높아져서 그의 퇴로를 차단하고 있던 보트들이 수로로 들어올 수 있게 되면 공격이 있을 것이라고 생각했다. 어쨌든 그는 자기가 타고 온 대형 보트를 가져가려는 시도가 있을 것이라고 확신했다. 구릉 아래에 놓여 있던 그 보트는 희미하게 번질거리는 젖은 진흙 벌에서 시커멓고 높다란 덩어리를 이루고 있었다. 그러나 강에서는 보트들이 아무런 움직임도 보이지 않았다. 브라운은 방책과 라자의 건물들 너머로 등불이 물에 비치는 것을 보았다. 그 빛은 마치 강을 가로질러 정박하고 있는 것 같았다. 기슭에서는 떠다니는 듯한 등불들이 강가를 이리저리 오락가락하고 있었다. 기슭을 따라 강의 만곡부까지 뻗어 있던 가옥들의 기다란 벽에도 고정된 등불이 반짝이고 있었고, 그 만곡부 너머에는 더 많은 등불이 보였으며 내륙 쪽으로도 외딴 등불들이 비쳤다. 브라운의 시력이 미치는 한, 크게 지펴 놓은 불빛에 건물들이며 지붕들이며 검게 박힌 기둥들이 드러나 보였다. 엄청나게 큰 고장이었다. 벌목해 놓은 나무 뒤에 납작하게 엎드리고 있던 열네 명의 필사적인 침입자들은 턱을 쳐들고 고을의 동정을 살폈다. 강 상류로 여러 마일 뻗어 있는 듯한 고을에는 수천 명의 성난 사내들이 득실거렸다. 그들은 서로 말이 없었다. 이따금 요란한 고함 소리와 멀리 어디에선가 발사된 한 발씩의 총성이 들렸다. 그러나 그 거점 주변은 고요하고 어둡고 침묵만 흘렀다. 마치 모든 주민들을 깨어 있게 하던 흥분이 그들과는 아무 관계가 없는 것처럼, 그리고 그들이 이미 모두 죽어 버리기라도 한 것처럼, 그들은 주민들에게 잊혀져 있는 듯했다.」

39장

「그날 밤의 사건들이 아주 중요한 것은 짐이 돌아올 때까지 변하지 않은 채 남아 있던 상황을 초래했기 때문이다. 마침 짐은 일주일 이상 내륙 지방으로 출타 중이었다. 그래서 그 최초의 격퇴를 지휘했던 사람은 다인 와리스였다. "백인의 방식으로 싸우는 법을 알고 있었다."고 전해지는 그 용감하고 이지적인 젊은이는 당장에 그 문제를 결단내고 싶었지만, 그의 백성들이 그에게는 너무 벅찼다. 짐이 누리고 있던 인종적 존엄성이나 초자연적인 불패의 힘을 가지고 있다는 명성이 그에게는 없었던 것이다. 그는 어김없는 진리나 승리를 보고 만질 수 있도록 구현된 존재가 아니었다. 비록 그가 애정과 신임과 찬양의 대상이긴 했지만, 짐이 '우리들' 중의 한 사람인데 반해, 그는 '그들' 중의 한 사람이었을 뿐이다. 더욱이 그 백인 자신은 힘을 쌓아 만든 탑과 같은 존재로서 다칠 수 없었는데 반해, 다인 와리스는 살해될 수도 있었다. 이런 견해들이 비록 말로 표현되지는 않았지만 그 고장의 지도급 인사들의 여론을 지배하고 있었다. 그들은 짐의 요새에 모여서 긴급 상황에 대한 논의를 하기로 했는데 마치 부재 중인 백인의 거처에 가면 지혜와 용기를 찾을 수 있다고 기대하는 듯했다. 브라운 일당의 사격 솜씨가 훌륭했든 아니면 운이 좋았든, 방어하는 사람들에게는 이미 대여섯 명의 부상자가 생겼다. 부상자들은 베란다에 누워서 아낙네들의 간호를 받고 있었다. 고을의 낮은 지대에 사는 아낙과 아이들은 첫 경보가 있자 요새로 보내졌다. 거기서는 주얼이 '짐 자신의 백성들'로부터 복종을 받으며 아주 능률적으로 기세 좋게 지휘하고 있었다. 백성들은 방책 아래쪽의 작은 거주지역을 집단으로 떠나 요새로 들어온 후 주둔군을 형성하고 있었다. 이 난민들은 주얼 주위에서 득실거렸다. 그 사건의 모든 과정을 통해 파국적인 마지막 순간까지 그녀는 비범한 전투적 열의를 보였다. 고을이 위험해졌다는 첫 정보를 접하자마자 다인 와리스가 당장에 찾아간 사람은 그녀였다. 파투산에서는 짐만이 화약을 저장하고 있었기 때문이었다. 짐이 편지를 통해 친밀한 관계를 유지하고 있던 스타인이 홀란드 정부로부터 파투산에 500통의 화약을 수출해도 좋다는 허락을 받아 냈던 것이다. 화약고는 거친 통나무로 지은 작은 오두막이었는데 완전히 흙으로 덮여 있었고 짐의 부재 시에는 주얼이 열쇠를 가지고 있었다. 저녁 11시에 짐의 식당에서 열린 회의에서 그녀는 즉시 행동을 감행하자는 다인 와리스의 의견을 지지했다. 내가 듣기로는, 그녀가 긴 탁자의 첫머리에 있던 짐의 빈 의자 곁에 서서 열띤 전투적 연설을 했으며, 모여 있던 지도급 인사들은 한순간 그녀에게 찬의를 표했다고 한다. 일 년 이상 문밖에 출입하지 않았던 늙은 도라민이 어렵게 그 자리로 옮겨 왔다. 물론 거기서는 그가 우두머리였다. 회의장의 지배적인 분위기는 용서하지 말자는 것이었고 그 늙은이의 말이라면 결정적인 영향을 끼쳤을 것이다. 그러나 자기 아들의 불같은 용기를 잘 아는 그가 명령을 감히 내리려 하지 않았으리라는 것이 내 생각이다. 지연책을 쓰자는 의견이 지배적이었다. 핫지 사만이라는 이름을 가진 사람은 장황하게 말하기를, "이 포악하고 사나운 자들은 어떤 경우든 죽음 앞에 자기네를 내어놓고 있는 셈이다. 그 언덕 위에서 고집스럽게 버티다가 굶어 죽거나, 아니면 자기네 보트를 되찾으려고 하다가 수로 건너편에 매복해 있던 사람들로부터 총격을 받고 죽거나, 아니면 해산해서 밀림으로 들어간 후 거기서 따로따로 죽어 버리게 되어 있다."고 했다. 그는 또 적절한 전술만 쓴다면 전투의 위험 없이 그 간악한 이방인들을 쳐부술 수 있다고 주장했는데 그의 말은 특히 파투산 원주민들에게 상당한 무게를 지니고 있었다. 고을 사람들의 마음을 흔들어놓은 것은 라자의 보트들이 결정적인 순간에 행동을 취하지 않았다는 점이었다. 그 회의에서 라자를 대표하고 있던 사람은 외교적 수완이 있던 카심이었다. 그는 말이 적었고, 미소를 지으며 남의 견해를 듣기만 했고, 아주 정다웠지만 속을 드러내지는 않았다. 회의가 진행되는 동안 거의 매 몇 분마다 연락원들이 도착해서 침입자들이 하고 있는 일들을 보고 했다. 걷잡을 수 없이 과장된 소문들이 난무했다. 강의 어귀에는 커다란 포를 장착한 대형 선박에 많은 사람들이 타고 있으며, 그중의 얼마는 백인이고 얼마는 흑인이지만 모두 피에 굶주린 외모였다고 했다. 그들은 모든 생명체를 멸종시키기 위해 더 많은 보트를 타고 오고 있다고도 했다. 영문 모를 위험이 근접하고 있다는 느낌이 일반 백성들에게 영향을 주었다. 한 번은 마당에 모여 있던 아낙네들이 공포에 질려 비명을 지르며 날뛰었고 아이들이 울기도 했다. 핫지 사만이 나가서 그들을 진정시켰다. 그러자 요새의 초병이 강 위에서 움직이던 어떤 물체를 향해 사격을 했고, 카누에다 안식구들이며 가장 소중한 가재도구며 여남은 마리의 가금류를 싣고 오던 마을 사람을 죽일 뻔했다. 이것 때문에 더 많은 혼란이 일어났다. 그러는 동안 짐의 집 안에서는 주얼 앞에서 멍청한 회의가 계속되고 있었다. 도라민은 사나운 얼굴로 무겁게 앉아서 발언자들을 차례로 바라보면서 황소처럼 천천히 숨을 쉬고 있었다. 카심이 자기 주인의 방책을 방어할 사람들이 필요하므로 라자의 보트들을 불러들이겠다고 공언한 후에도 도라민은 마지막까지 발언하지 않았다. 주얼은 짐의 이름으로 다인 와리스에게 발언을 간청했지만 그는 부친 앞에서 의견을 말하려 하지 않았다. 그녀는 침입자들을 당장에 쫓아내고 싶은 마음에서 다인 와리스에게 짐의 부하들을 내어놓겠다고 말했다. 그러나 그는 도라민을 한두 차례 흘낏 바라본 후에 머리를 저었을 뿐이다. 드디어 회의가 파했을 때 적의 보트에 대한 통제를 확보하기 위해 수로에 가장 근접한 가옥에 강력하게 인원을 배치하자는 결정이 내려졌다. 그 보트 자체를 공개적으로 건드리지는 말자고 했다. 내버려 두면 언덕 위에 있던 강도들이 보트에 올라타고 싶은 유혹을 받게 될 것이고 바로 그때 정조준 사격으로 그들 대부분을 살해할 수 있음이 분명했다. 생존자들의 퇴로를 차단하기 위해서, 그리고 더 많은 자들이 강을 따라 올라오는 것을 방지하기 위해서, 도라민은 다인 와리스에게 명하여 일단의 무장한 부기스족 사람들을 데리고 파투산에서 하류 쪽으로 10마일 떨어진 특정 지점까지 내려가 강변에 진을 치고 카누로 강을 봉쇄하라고 했다. 나는 도라민이 한순간도 증원군의 도착을 두려워했다고는 생각하지 않는다. 오히려 도라민의 조처는 아들을 위험한 곳에서 빼내자는 의도에서 취해졌다는 것이 내 의견이다. 마을로의 기습 공격을 방지하기 위해 낮에 왼쪽 강가의 도로 끝에 방책 건설을 시작할 예정이었다. 늙은 나코다 도라민은 그곳에서 친히 지휘할 의도가 있음을 선언했다. 화약이며 총탄이며 뇌관 같은 것들의 배분이 주얼의 감독 아래 즉시 이루어졌다. 짐의 정확한 위치가 알려지지 않았기 때문에 여러 방면으로 전령을 보내 그를 찾도록 했다. 전령들은 새벽에 출발했지만 그전에 이미 카심은 포위되어 있던 브라운과 연락하는 데 성공했다.

「능숙한 외교가요 라자의 심복이었던 카심은, 요새를 떠나 자기 주인에게 돌아가는 길에, 뜰에서 사람들 틈에 섞여 말없이 어슬렁거리고 있던 코넬리우스를 자기 보트에 태웠다. 자기 자신의 조그마한 계획을 가지고 있던 그는 코넬리우스를 통역으로 이용하려고 했다. 이리하여 아침이 되자 자기가 처한 절망적 상황을 생각하고 있던 브라운은 아래쪽의 우묵한 습지의 숲에서 누군가가 외치는 소리를 듣게 되었다. 긴장으로 떨리던 그 정다운 목소리는 신변의 안전을 약속한다면 아주 중요한 사명을 가지고 올라갈 테니 허락해 달라고 영어로 요청하고 있었다. 브라운은 너무 기뻤다. 누군가가 말을 걸어온다면 그는 이제 사냥꾼에게 쫓기는 야수 신세는 아니었다. 그 목소리는 어느 쪽에서 치명적인 타격이 날아들지 알지 못하는 장님들처럼 쩔쩔매고 있던 그들의 경계심 어린 무서운 압박을 대번에 해소해 주었다. 브라운은 크게 망설이는 척했다. 그 목소리는 자기가 '백인이며 이곳에서 여러 해 동안 살아왔지만 가엾게도 몰락하게 된 늙은이'라고 했다. 그 구릉의 비탈에는 습하고도 싸늘한 안개가 깔려 있었다. 한쪽에서 다른 쪽으로 고함을 더 지르자 브라운은 "그렇거든 올라오시오. 하지만 혼자서 와야 하니 유의하시오!"라고 소리쳤다. 자기가 처해 있었던 고립무원의 처지를 회상하며 분노로 몸을 비틀고 있던 브라운은 나에게 말하기를, 사실 혼자 찾아오건 여럿이 오건 아무 차이도 없었다고 했다. 그들은 몇 야드 이상의 전방을 볼 수 없었기에 누가 어떤 배반을 한다 해도 그들의 처지가 더 나빠질 수도 없었던 것이다. 이윽고 거칠고 더러운 셔츠와 바지로 된 일상복 차림에 테가 망가진 솔라 헬멧을 쓴 코넬리우스가 맨발로 방어 진지를 향해 마음 내키지 않는다는 듯이 기어오르며 자주 걸음을 멈추고 응시하는 자세로 귀를 기울이곤 하는 모습이 희미하게 보였다. "다가오시오! 당신은 안전하오." 브라운이 고함을 지르는 동안 부하들은 응시하고 있었다. 그들의 유일한 생존 희망은 그 남루하고 야비한 차림의 신참자에게 갑자기 집중되었다. 나무 둥치들을 눕혀서 만든 방책을 아무 말 없이 서툴게 타 넘은 코넬리우스는 불만과 불신이 어린 얼굴로 몸을 떨면서 수염이 텁수룩하고 불안하고 잠이 모자라는 악한들이 뭉쳐 있는 광경을 바라보았다.

「코넬리우스와 반시간 동안 은밀한 이야기를 한 후에 브라운은 파투산의 내부 사정에 대해서 눈을 떴다. 그는 당장에 경계 태세를 취했다. 여러 가지 가능성, 그것도 굉장한 가능성이 보였지만, 그는 코넬리우스의 제안을 놓고 협의하기에 앞서 신의를 보장한다는 뜻으로 약간의 음식물을 올려 보내 달라고 요구했다. 코넬리우스는 라자의 궁이 있는 쪽으로 언덕을 느릿느릿 기다시피 내려갔고, 얼마의 지체 끝에 퉁쿠 알랑의 부하 몇 사람이 약간의 쌀과 칠리 고추와 건어물을 가지고 올라왔다. 그나마 없는 것보다는 한량없이 더 나았다. 나중에 코넬리우스가 카심을 데리고 왔는데, 샌들을 신고 목에서 발목까지 암청색의 천을 감은 카심은 완벽하게 호의적인 믿음을 보이면서 걸어왔다. 그는 브라운과 신중히 악수했고, 세 사람은 자리를 옮겨 회담으로 들어갔다. 자기네의 믿음을 되찾은 브라운의 부하들은 서로의 등을 철썩 때렸고, 분주히 취사 준비를 하면서 자기네 두목에게 알겠다는 듯한 눈초리를 던지기도 했다.

「카심은 도라민과 그의 부기스족을 대단히 싫어했지만 새로 성립된 질서를 더 증오했다. 이 백인들이 라자의 추종자들과 힘을 합쳐서 짐이 돌아오기 전에 부기스족을 공격해서 패배시킬 수 있다는 생각이 그에게 떠올랐던 것이다. 그러면 고을 사람들의 총체적 이탈이 틀림없이 뒤따를 것이고, 가난한 사람들을 보호해 주던 그 백인의 지배도 끝장날 것이라고 그는 생각했다. 그 후에 그의 새 동맹자들을 처치할 것이며, 그들에게 우호적인 세력은 없을 거라고 추측했다. 그 녀석에게는 성격의 차이를 완벽하게 알아낼 수 있는 능력이 있었고, 백인들을 여럿 겪어 보았기 때문에 새로 찾아온 자들이 무법자들이며 나라가 없다는 것을 잘 알고 있었다. 브라운은 근엄했고 속을 드러내지 않는 태도를 견지했다. 접근을 허용해 달라고 요구하는 코넬리우스의 목소리를 처음 들었을 때는 브라운이 겨우 도망칠 구멍에 대한 희망을 품었을 뿐이지만, 삼십 분도 지나지 않아서 그의 머릿속에서는 다른 생각들이 들끓었다. 극단적인 궁핍에 몰린 나머지 식품이나 아마도 몇 톤의 고무 원료나 제품 또는 약간의 현금 따위를 빼앗기 위해 그곳을 찾아왔다가 그는 그만 무서운 위험에 휘말리고 말았던 것이다. 이제 카심의 제안을 받게 되자 그는 그 나라 전체를 약탈해야겠다는 생각을 하기 시작했다. 어떤 망할 녀석이 이미 거기서 그런 짓을 했고 그것도 혼자 힘으로 했음이 분명했다. 하지만 썩 잘 해냈을 리가 만무했다. 아마도 그들은 함께 노력해서 모든 것을 찌꺼기만 남도록 짜낸 후에 조용히 빠져나갈 수도 있을 것이다. 카심과 협상하는 도중에 그는 자기가 바깥에 사람을 많이 태운 대형 선박을 가지고 있는 것처럼 여겨지고 있음을 알았다. 카심은 브라운에게 그 많은 대포며 사람을 실은 대형 선박을 지체 없이 강으로 끌고 들어와서 라자를 위해 봉사하라고 간청했다. 브라운은 그럴 의사가 있음을 표명했고, 서로 불신하는 가운데 그 의사를 근거로 회담은 진행되었다. 그날 오전에 정중하고도 능동적인 카심은 세 차례나 내려가서 라자를 만난 후 성큼성큼 바삐 올라오곤 했다. 흥정을 하는 동안 브라운은 선창에 오물 무더기밖에 없는 자기의 보잘것없는 스쿠너 범선이 그곳에서는 무장한 선박으로 여겨지고 있다든지, 그 배에 남아 있는 한 명의 중국인과 부두를 떠돌던 레부카 출신의 절름발이가 많은 인원으로 추측되고 있는 것을 생각하며 음험하게 즐거워했다. 오후에 그는 추가로 음식을 제공받았고, 약간의 돈을 약속받는 동시에 그의 부하들이 안식처를 만들 수 있는 매트도 공급받았다. 그들은 작열하는 태양을 피해 누워서 코를 골았지만, 브라운은 태양에 완전히 노출된 베어 놓은 나무 둥치에 앉아 고을과 강을 보며 눈요기를 하고 있었다. 약탈할 것이 많았다. 그 진지에 머무르기가 편해진 코넬리우스는 브라운 곁에 앉아서 그 일대를 가리키며 충고를 해 주었고 짐의 성격에 대한 자기 나름의 견해를 말하는가 하면 지난 삼 년간 있었던 사건들에 대한 자기 나름의 논평도 했다. 겉으로 무관심한 척 외면하면서도 실은 한마디도 놓치지 않고 주의 깊게 듣고 있던 브라운은 짐이 어떤 부류의 인간인지 분명히 알 수가 없었다. "그의 이름이 뭐라구요? 짐! 짐이라니! 한 사내의 이름으로는 불충분하군." "이곳 사람들은 그를 투안 짐이라고 부른답니다." 코넬리우스가 경멸에 찬 말투로 말했다. "당신네들 말로는 로드 짐에 해

당하지요." "무엇 하는 사람인가요? 어디 출신이지요?" 브라운이 물었다. "어떤 부류의 인간인가요? 영국인인가요?" "네, 네. 영국인이지요. 나도 영국인이고요. 말라카 출신이지요. 그는 바보랍니다. 그를 죽이기만 하세요. 그러면 당신이 이곳의 왕이 됩니다. 모든 것이 그의 소유거든요." 코넬리우스가 설명했다. "머지않아 그가 그 모든 것을 다른 사람과도 나누어 가지도록 해야겠다는 생각이 드는군." 브라운이 꽤 요란하게 의견을 말했다. "아니, 아니지요. 마땅히 해야 할 일은 기회가 잡히는 대로 그를 죽여 버리는 거랍니다. 그러면 당신은 뜻대로 무슨 일이건 할 수 있을 테니까요." 코넬리우스는 열심히 주장하고 있었다. "이곳에서 여러 해 동안 살아온 내가 당신에게 친구로서 충고하는 겁니다."

「브라운은 이런 교섭을 하는 한편 자기의 먹이로 삼아야겠다고 작심한 파투산의 광경을 바라보고 희열하면서 그날 오후 시간을 대부분 보냈고, 부하들은 휴식을 취했다. 바로 그날 다인 와리스의 카누 선단(船團)은 한 척씩 수로에서 가장 멀리 떨어진 강변을 몰래 떠났고 브라운의 퇴각에 대비하여 강 하류를 봉쇄하고 있었다. 브라운은 이 사실을 모르고 있었고, 해가 지기 한 시간 전에 구릉을 올라온 카심도 그 사실을 알리지 않으려고 신경을 썼다. 그는 그 백인의 배가 강을 올라오길 원했기 때문에 강이 봉쇄되었다는 소식이 브라운의 기를 꺾을까 두려웠던 것이다. 그는 브라운에게 '명령'을 보내라고 조르는 동시에 믿음직한 전령을 구해 주겠다는 제안을 했다. 그의 설명에 의하면, 일을 보다 은밀히 진행시키기 위해서 그 전령은 육로로 하구까지 내려가서 배에 '명령'을 전달한다는 것이었다. 얼마의 숙고 끝에 브라운은 수첩에서 한 장을 찢어내어 "우리는 잘 있다. 큰 사업을 진행하고 있다. 이 사람을 억류하라."고 적어 보내는 것이 좋겠다고 판단했다. 카심이 심부름꾼으로 선발한 멍청한 젊은이는 임무를 성실히 수행했고, 그 보답으로 배에 남아 있던 부두 떠돌이와 중국인에게 머리를 떠밀린 채 배의 창고로 들어가게 되었고 출입문은 서둘러 닫혔다. 후에 그의 운명이 어떻게 되었는지 브라운은 말하지 않았다.」

40장

「브라운의 목적은 카심의 외교를 우롱하며 시간을 벌자는 것이었다. 그가 진짜 사업을 한바탕 벌이기 위해서는 그 백인을 협력 상대로 여기지 않을 수 없었다. 원주민들을 그처럼 장악하고 있는 것을 보건대 녀석은 지독히 영리함이 분명했고 그런 녀석이 도움을 주겠다는 제안을 거부하리라고는 상상할 수 없었다. 혼자 힘으로 사업하는 사람에게는 천천히 조심스럽고 위험한 속임수를 써야 할 필요성이 유일한 행동 방향으로 부각되겠지만, 도움만 받는다면 그런 속임수를 쓸 필요도 없어질 테니까. 브라운 자신이 그 능력을 짐에게 제공해 줄 용의가 있었다. 아무도 주저할 수 없었다. 모든 것은 분명한 이해의 달성에 달려 있었다. 물론 그들은 나누어 가지게 될 것이다. 그곳에 요새가 있으며, 코넬리우스를 통해 알았지만, 대포까지 갖춘 진짜 요새라니, 그런 곳이 자기 손에 들어올 것이라는 생각이 그를 흥분시켰다. 일단 그 속으로 들어가기만 하자. 그 다음에는…… 그는 수수한 협상 조건을 내어놓을 것이다. 하지만 너무 낮은 요구는 하지 않을 것이다. 그 사람은 바보 같아 보이지는 않았다. 그들은 형제처럼 함께 사업을 할 것이고…… 결국 언쟁이 벌어지면 총알 한 개가 모든 계산을 끝낼 것이다. 약탈 생각에 음침하게 조바심이 난 그는 당장에 그를 만나 이야기하고 싶었다. 그 땅은 이미 자기 소유물이 되었고 마음대로 찢고 착취한 후 팽개칠 수 있을 듯했다. 우선은 식량을 위해서, 그리고 제2의 수단을 마련하기 위해서, 카심을 우롱해야만 했다. 그러나 가장 중요한 것은 나날이 먹을 것을 구하는 일이었다. 게다가 라자 편에 서서 싸움을 시작함으로써 총알로 자기를 맞이한 백성들에게 교훈을 주자는 생각도 싫지가 않았다. 그는 전투욕에 휩싸여 있었다.

「이 부분의 이야기를 나는 물론 브라운에게 들었지만 브라운 자신의 말을 직접 인용할 수가 없어 유감이다. 죽음의 손길이 그의 목을 누르는 가운데 내 앞에서 자기 생각을 밝히고 있던 브라운의 격렬하되 자주 끊이곤 하던 말 속에는 숨김없는 잔인한 목표며, 자신의 과거에 대한 기이한 복수심으로 가득한 태도며, 모든 인류에 반항하는 자기 의지의 정당성에 대한 맹목적 믿음 등이 들어 있었는데, 이는 한 무리의 떠돌이 살인마들을 끌고 다니던 영도자가 자신을 '신의 채찍'[66]이라 부르며 자랑스러워 하던 때의 심사와 유사했다. 그런 성격의 바탕이 되었던 그 태생적이고 지각없는 포악성은 자신이 처하게 된 절망적인 상황뿐만 아니라 실패, 불운 및 근래에 겪은 궁핍 등으로 더욱 악화되었음이 분명했다. 그러나 가장 주목할 만한 것은 다른 데 있었다. 즉 그가 거짓 동맹 관계를 계획하고, 마음속으로 그 백인의 운명에 대해 이미 결정을 내리는가 하면, 고자세로 당돌하게 카심과 음모를 꾸미면서, 그 자신도 거의 모르는 가운데 실제로 원하고 있었던 것은 바로 자기를 거역했던 그 밀림의 고을을 파괴하여 온통 시신으로 덮이고 불길에 휩싸이게 하자는 것이었음을 누구나 감지할 수 있었다. 숨이 가쁘던 그 무자비한 목소리에 귀를 기울이면서 나는 그가 언덕 위에서 고을을 내려다보면서 그곳에 살인과 약탈의 이미지들이 득실거리게 했을 것임을 상상할 수 있었다. 수로에 가장 가까운 곳은 사람들의 흔적이 보이지 않았지만, 사실은 집집마다 무장하고 경계 중인 사람들을 몇 명씩 숨기고 있었다. 나지막하고 빽빽한 숲이며 땅을 파헤친 부분이며 쓰레기 더미들이 여기저기 산재해 있고 다져진 오솔길들이 그 사이로 나 있던 버려진 땅 너머에서 갑자기 아주 자그마한 사내 하나가 외로이 어슬렁거리며 나타나더니 그 끝자락에 있던 어둠에 갇혀 생기 없어 보이던 건물들 사이에 한적하게 비어 있는 길로 들어갔다. 아마도 강 저편으로 도망쳤던 주민 중의 한 사람이 살림에 쓸 물건을 가지러 왔을 것이다. 그는 수로의 건너편에 있던 언덕에서 그 정도의 거리가 떨어져 있으니 아

---

27) 크리스토퍼 말로는 『탐버레인 대제』(1590)에서 유럽을 침공한 아세아의 유목민 훈족의 왕을 '신의 채찍'이라 불렀다.

주 안전하다고 여겼음이 분명했다. 급하게 세운 가벼운 방책이 그의 친구들로 가득한 그 길 어귀를 둘러싸고 있었다. 그는 느긋하게 움직이며 다녔다. 브라운은 그 사내를 보자 자기 휘하에서 제2인자 노릇을 하고 있던 양키 탈영병을 곁으로 불렀다. 그 깡마르고 흐느적거리던 키다리는 무표정한 얼굴로 게으름을 피우며 장총을 끌고 앞으로 나왔다. 브라운이 원하는 것이 무엇인지 알게 되었을 때 탈영병은 살기와 자만심이 감도는 미소에 이가 드러났고 핏기 없이 가죽만 남은 뺨에 두 가닥의 깊은 주름살이 생겨났다. 그는 자신이 명사수임을 자랑하고 있었다. 그는 무릎을 꿇더니 베어서 눕혀 놓은 나무의 치지 않은 가지들 사이로 단단하게 총을 고인 채 조준해서 발사한 후 결과를 보기 위해 일어났다. 멀리서 그 사내는 총성이 난 쪽으로 머리를 돌리더니 앞으로 한 걸음 나아갔고 멈칫거리는 듯하다가 갑자기 기는 자세로 되었다. 장총에서 나온 날카로운 파열음 뒤에 내린 정적 속에서 그 명사수는 목표물에서 눈을 떼지 않았고 '저기 저 검은 녀석의 건강도 앞으로는 친지들에게 더 이상 걱정거리가 되지 않을 것'이라고 추측했다. 그 사내는 기어서 도망치려고 애를 쓰면서 사지를 빨리 움직이고 있었다. 그 공지에서는 여러 사람이 불안과 경악에 싸여 고함을 질렀다. 그 사내는 고개를 숙이고 납작하게 엎어지더니 더 이상 움직이지 않았다. "우린 그들에게 우리의 능력을 그런 식으로 보여 주었답니다." 브라운이 나에게 말했다. "갑자기 죽게 될지도 모른다는 두려움을 그들에게 심어 주자는 것이 우리의 노림수였지요. 우리는 200대 1로 열세였지만,

그 사격이 그들에게 하룻밤 동안 생각할 거리를 제공해 주었겠죠. 그들 중의 어느 누구도 그런 장거리 사격이 가능하다는 생각을 한 적이 없었을 테니까요. 라자에게 딸려 있던 그 못난 녀석은 눈알이 빠진 듯한 자세로 갑자기 언덕을 내려갑디다.」

「그 이야기를 하면서 그는 파란 입술에 묻은 얇은 거품을 떨리는 손으로 훔치려 했다. "200대 1이었다고요. 200대 1…… 그러니 공포를 심어 주어야…… 공포…… 공포를. 정말이지……." 그 자신의 눈이 튀어나오고 있었다. 그는 뒤로 쓰러지며 깡마른 손가락으로 허공을 할퀴더니 다시 일어나 앉아서 털이 숭숭 돋은 얼굴을 숙인 채 민담에나 나올 만한 짐승 인간처럼 나에게 곁눈을 부라리며 비참하고 끔찍한 고통 때문에 입을 벌렸다가 결국은 그 발작이 지난 뒤에 말을 되찾았다. 세상에는 영영 잊을 수 없는 광경이 있는 법이다.

「더욱이, 적의 사격을 유도함으로써 수로 연변의 숲 속에 숨어 있을지 모르는 사람들의 위치를 확인하기 위해서 브라운은 솔로몬 군도 출신의 부하에게 보트로 내려가 노를 한 개 가져오게 했다. 마치 스파니엘 종(種) 개를 보내 물에 빠뜨린 막대기를 물어 오게 하는 격이었다. 그러나 그 확인 시도는 실패했고, 그 녀석은 어떤 방향에서도 단 한 발의 사격도 당하지 않은 채 돌아왔다. "아무도 없군요." 부하 중의 몇몇이 의견을 말했다. "부자연스러운 일이군요."라고 양키가 말했다. 그 무렵에 카심은 이미 가고 없었는데 그는 깊은 인상을 받고 기뻤지만 불안하기도 했다. 자기의 꼬이고 꼬인 책략을 추구하던 그는 다인 와리스에게 메시지를 보내, 자기가 알기로는, 백인들의 배가 강을 거슬러 올라올 예정이니 경계하라고 했다. 그는 그 배의 병력을 최소한으로 줄여서 말한 후 다인 와리스에게 그 배의 진입을 저지하라고 타일렀다. 이런 이중 첩자 역할은 부기스족의 병력이 갈라지게 하고 전투를 통해 약화시키자는 그의 목표에 부합했다. 한편 그는 그날 하루가 지나는 동안 고을에 모여 있던 부기스족의 우두머리들에게 전갈을 보내 자기가 침입자들의 퇴각을 유도하기 위해 노력 중임을 확신시켰다. 그는 또 요새로 메시지를 보내 라자의 부하들을 위한 탄약 공급을 간청했다. 퉁쿠 알랑이 자기의 접견실 무기 선반에서 녹이 슬고 있던 이십여 자루의 장총에 쓸 탄약을 가져본 지도 오래되었다. 그 구릉과 궁전 사이에 공공연한 소통이 있게 되자 많은 사람들은 마음을 정할 수 없었다. 사내들이 어느 쪽이든 한쪽을 편들어야 할 때가 되었다는 말이 돌기 시작했다. 곧 많은 유혈이 있을 것이고 그 후에는 많은 사람이 곤경에 처하게 되어 있었다. 모든 사람들이 장래에 대한 확신을 가질 수 있던 시절의 질서정연하고 평화로운 삶이라는 사회적 구조는 짐의 손으로 세워진 것이지만, 그날 저녁에는 붕괴되어 피비린내 나는 폐허로 화할 것 같았다. 비교적 가난한 사람들은 이미 숲으로 피했거나 강 상류로 도망치고 있었다. 상당히 많은 상류층 사람들은 라자를 찾아가서 경의를 표할 필요가 있다고 판단했다. 라자 측의 젊은이들은 그들을 무례하게 몰아붙였다. 두려움과 망설임으로 거의 넋이 나간 듯하던 늙은 퉁쿠 알랑은 실쭉하게 침묵하고 있거나 아니면 무엄하게도 빈손으로 찾아온 사람들을 혹독하게 나무랐다. 찾아간 사람들은 대단히 놀라서 자리를 떴고, 늙은 도라민만이 자기 백성들을 결속케 하면서 자기 전술을 굽힘 없이 추구하고 있었다. 즉흥적으로 세운 방책 뒤에 놓인 큼직한 의자에 버티고 앉은 그는 수시로 날아드는 풍문 속에서 귀머거리처럼 미동도 하지 않으며 무엇으로 감싼 듯한 깊은 목소리로 명령을 내리고 있었다.

「어둠이 내려 죽은 사내의 시신부터 가렸다. 사내는 마치 땅바닥에 못 박힌 것처럼 두 팔을 죽 펴고 엎어진 채 버림받고 있었다. 이윽고 회전하던 밤하늘이 파투산 일대를 매끄럽게 돌다가 멎으며 무수한 천체의 반짝이는 빛을 지구 위로 쏟았다. 그 고을의 노출된 부분에서는 유일한 거리를 따라 커다란 불들이 다시 한번 타오르면서 이쪽 끝에서 저쪽 끝까지 경사진 직선 지붕들이며 어지럽게 허물어진 흙벽 조각들이며 여기저기 검은 수직 줄무늬를 이루며 서 있는 일군의 높은 파일들 위에서 높다랗게 불빛을 받고 있는 온전한 오두막 같은 것들을 보여주고 있었다. 그리고 흔들리는 불빛으로 인해 부분적으로 드러나던 그 모든 주거 건물들이 이루는 선이 강 상류 쪽으로 구불구불 가물거리다가 대지의 핵심에 있는 어둠 속으로 사라지는 듯했다. 줄을 지어 소리 없이 타오르는 희미한 불꽃들을 감싸고 있던 엄청난 정적은 언덕의 기슭에 이르러 어둠 속으로 펼쳐져 있었다. 요새 앞쪽 강가에 외로운 모닥불이 타고 있을 뿐 온통 어둡기만 하던 강 저쪽에서는 점차 증대되는 진동음을 허공으로 보내고 있었는데 그 소리는 다수의 사람들이 발을 쿵쿵거리는 소리랄까 많은 사람들이 흥얼거리는 소리랄까 아니면 멀리서 어떤 거대한 폭포가 쏟아지는 소리 같았다. 브라운은 나에게 고백하기를, 그의 모든 경멸과 확고한 자신감에도 불구하고, 결국 자기는 바위 벽에 머리를 부딪친 셈이라는 느낌이 든 것도 바로 그가 부하들에게 등을 돌린 채 그 모든 광경을 바라보며 앉아 있을 때였다고 했다. 그는 자기 보트가 그 당시 수면에 떠 있기만 했더라도 몰래 도망치려 했을 것이고 강에서 오랫동안 추격당하고 바다에서 굶어 죽는 위험도 무릅썼을 것이라고 했다. 도망치는 데 성공했을는지는 아주 의심스러웠다. 하지만 그는 도망치려 하지 않았다. 다음 순간 그는 고을을 습격해 볼까 하는 생각을 언뜻 해 보기도 했다. 하지만 결국 그는 불을 밝혀놓은 거리로 들어가게 되어 여러 가옥에서 쏜 총탄에 개처럼 사살될 것임을 아주 잘 알고 있었다. 그는 자기네가 200대 1로 불리하다고 생각했다. 한편 그의 부하들은 연기만 내고 있는 두 무더기의 모닥불 주위에 옹기종기 모여서 마지막 바나나를 씹으며 카심의 외교 덕분에 구한 몇 개의 얌[28]을 굽고 있었다. 코넬리우스는 그들과 섞여 앉아 실쭉한 표정으로 졸고 있었다.

「그때 백인 중의 한 사람이 배에 약간의 담배가 남아 있다는 것을 기억해 냈고, 솔로몬 군도 출신이 아무 응징을 받지 않고 다녀온 것에 고무된 그는 담배를 가지고 오겠노라고 말했다. 이 말에 다른 모든 사람들은 절망을 떨쳐 버릴 수 있었다. 브라운은 허락을 요청받자 경멸 어린 말투로 "가서, 죽든

───────────────

28) 열대 지방의 주요 식량인 마과의 구근(球根).

살든 해 보라."고 했다. 그 사내는 어둠을 타고 수로로 내려가는 것이 위험하리라고 생각하지 않았다. 그는 나무 둥치 너머로 가랑이를 올려놓더니 사라졌다. 얼마 후에 그가 보트에 오르는 소리가 들렸고 이내 기어 나왔다. 그는 "찾았다."고 소리를 쳤다. 언덕의 밑바닥에서 번쩍하더니 총성이 들렸다. "총에 맞았다."고 사내가 소리 질렀다. "이봐요. 이봐요. 내가 총에 맞았어요." 이 소리를 듣자마자 모든 소총이 발사했다. 그 언덕은 작은 화산처럼 밤공기 속으로 불과 총성을 뿜었다. 브라운과 양키가 욕설과 주먹으로 공포에 질린 사격을 제지하자 수로 쪽에서는 깊고 지겨운 신음 소리가 올라왔고 뒤이어 불평 소리가 들렸는데 그 가슴을 찢을 듯한 슬픔은 핏줄 속의 피를 싸늘하게 하는 독약 같았다. 그러자 수로 건너편에서 누군가가 우렁찬 목소리로 몇 마디를 또렷하게 말했지만 그 뜻을 알 수는 없었다. "아무도 사격을 해서는 안 된다." 브라운이 소리쳤다. "무슨 의미가 있느냐?"……"언덕에서 듣고 있나? 듣고 있나? 듣고 있나?" 그 목소리가 세 번 반복했다. 코넬리우스가 통역한 후 응답을 촉구했다. "말하라. 듣고 있다." 브라운이 소리쳤다. 그러자 그 목소리는 낭랑하게 부풀린 사자(使者)의 목소리로, 그 막연한 황무지의 가장자리를 부단히 옮겨 다니면서, 파투산에 사는 부기스족과 언덕 위의 백인들 및 그들과 함께 있는 사람들 사이에는 신의나 연민이나 대화나 평화가 있을 수 없을 것이라고 선언했다. 숲이 바스락거리더니 아무렇게나 쏘는 일제사격이 있었다. "젠장, 바보같이!" 양키가 투덜대면서 화가 난 듯이 개머리판을 땅에 댔다. 코넬리우스가 통역했다. 언덕 아래서는 부상자가 "날 좀 데리고 가세요. 나 좀 데리고 올라가 주세요."라고 두 번 부르짖은 후에 신음이 섞인 목소리로 불평을 계속했다. 그가 시커멓게 탄 비탈에 있을 때나 나중에 보트 속에 웅크리고 있는 동안은 안전했었다. 담배를 찾아내자 기쁜 나머지 그는 그만 자기 처지를 잊고 위험한 쪽으로 배를 타 넘고 말았던 것이다. 그 하얀 보트는 마른 땅에 높다랗게 놓여 있었기 때문에 그의 모습을 드러냈고, 폭이 7야드를 넘지 않던 그 수로의 건너편 둑에 마침 한 사내가 웅크리고 있었던 것이다.

「그는 근자에 파투산으로 온 톤다노의 부기스족이었고 그날 오후에 살해된 사람의 친척이었다. 이미 유명해진 그 장거리 사격 솜씨는 지켜본 사람들을 공포에 질리게 했다. 전적으로 안전해 보이던 그가 친구들이 보는 앞에서 사격을 받고는 입에 농담이 가시지도 않은 채 쓰러졌으니 사람들은 그 행위의 포악함을 보고 격한 분노를 느꼈다. 죽은 이의 친척은 이름이 사라파였는데 그때 몇 피트밖에 떨어지지 않은 방책 안에서 도라민과 함께 있었다. 그들을 알고 있는 사람이라면 그가 어둠 속에서 혼자 메시지를 전하겠다고 자원한 것이 드물게 용기 있는 일임을 인정해야 할 것이다. 그는 빈터를 기어서 건넌 후에 왼쪽으로 우회하여 보트 맞은편으로 가게 되었다. 브라운의 부하가 고함을 질렀을 때 그는 깜짝 놀랐다. 그는 앉은 자세로 총을 어깨에 대었고 상대방이 보트에서 뛰어나오며 몸을 노출하자 방아쇠를 당겨 그 가엾은 녀석의 복부에 정통으로 조잡한 총탄이 세 발이나 박히게 했다. 그러고 나서 얼굴을 땅에 대고 납작하게 엎드린 그는 이제 죽었구나 생각했는데, 그때 그의 오른쪽에 있던 숲으로 총탄이 얇은 우박처럼 획획 날아왔다. 그 후에 그는 사뭇 은폐물 뒤에 몸을 숨기고 웅크린 채 자기의 메시지를 소리쳐 전달했다. 마지막 말을 한 뒤에 그는 옆으로 뛰어내렸고 한동안 엎디어 있다가 아무 해도 입지 않고 주거 지역으로 돌아갔다. 그가 그날 밤에 성취한 명성을 자손들은 영영 잊지 않고 기억하려 할 것이다.

「한편 언덕 위에서 버림받고 있던 무리는 고개를 숙인 채 두 무더기의 모닥불 재가 꺼지게 내버려 두었다. 그들은 입술을 꼭 다물고 눈길을 떨어뜨리며 낙담한 채 땅바닥에 앉아서 아래쪽에서 들려오는 동료의 신음에 귀를 기울이고 있었다. 그는 워낙 튼튼한 사람이라 쉽게 죽지 않았고 더러 요란하게 앓다가도 때로는 기이하고 내밀한 고통의 소리를 내곤 했다. 이따금 그는 비명을 올렸지만 한동안 침묵이 흐른 후에는 정신착란을 일으킨 듯이 알아들을 수도 없는 불평을 길게 중얼거렸다. 그는 잠시도 그치지 않았다.

「숨을 죽이고 욕을 하고 있던 양키가 언덕을 내려갈 채비를 하는 것을 보고 브라운이 아무 감동도 받지 않은 듯이 "무슨 소용이 있다고 그래?"라고 한번 말했다. "하기야 그렇습니다." 탈영병은 브라운의 말에 동의하고 머뭇거리다가 그만두고 말았다. "이곳에서는 부상자라 해도 격려해줄 수가 없지요. 다만, 선장님, 그의 신음 소리는 다른 모든 사람들로 하여금 앞일을 아주 심각하게 생각해 보도록 해야겠다는 심산에서 나온 것이군요." "물 좀 주세요!" 지극히 또렷하고 힘 있는 목소리로 부상자가 외치더니 이내 가냘픈 신음 소리를 냈다. "그래, 물이라고. 물만 있으면 되는 거야." 탈영병이 체념한 듯이 혼자 중얼거렸다. "곧 물이 많아지겠지. 조수가 밀려드니까."

「드디어 조수가 밀려들었고 고통스러운 불평과 비명을 잠재우고 말았다. 브라운이 두 손바닥으로 턱을 고이고 앉아서 오를 수 없는 산허리를 응시하듯이 파투산을 바라보고 있다가 멀리 고을 어디에선가 울려오는 6파운드 놋쇠 대포의 짤막한 포성을 들었을 때는 새벽이 가까웠다. "저게 무슨 소리요?" 그는 자기 주위에서 서성이고 있던 코넬리우스에게 물었다. 코넬리우스는 귀를 기울였다. 무엇에 감싸인 듯한 함성이 고을을 건너 강 하류로 굴러가는 듯했다. 커다란 북이 고동치자 다른 북들이 화답하듯 고동치면서 둥둥 소리를 길게 내고 있었다. 어둠에 싸여 있던 고을의 반쪽에서는 작은 등불이 여기저기 반짝이기 시작했고, 이미 불빛으로 밝혀져 있던 부분은 깊고 긴 중얼거림으로 웅성거리고 있었다. "그가 돌아왔군요." 코넬리우스가 말했다. "뭣이? 벌써? 틀림없소?" 브라운이 물었다. "네! 네! 틀림없습니다. 저 소리 좀 들어 보세요." "무엇 때문에 저 소동들이오?" 브라운이 물었다. "기뻐서 저러지요." 코넬리우스가 콧방귀를 뀌었다. "그는 아주 위대한 사람이니까요. 하지만 그는 아이들처럼 아는 게 없답니다. 그래서 사람들은 그를 즐겁게 하기 위해 저 난리죠. 저들은 저럴 줄밖에 모르니까요." "이봐요." 브라운이 말했다. "저 사람하고는 어떻게 접촉하지요?" "와서 당신에게 말을 걸 겁니다." 코넬리우스가 말했다. "무슨 뜻이오? 이곳으로 산책이라도 온단 말이오?" 코넬리우스가 어둠 속에서 힘차게 고개를 끄덕였다. "네. 그는 당장에 이곳으로 와서 당신에게 말을 걸 겁니다. 바보 같으니까요. 얼마나 바본지 보여 드릴게요." 브라운은 믿을 수가 없었다. "보여 드릴게요. 보여 드리죠." 코넬리우스가 거듭 말했다. "그는 겁이 없어요. 아무것도 겁내지 않는답니다. 그는 찾아와서 자기 백성들을 건드리지 말라고 당신에게 명할 겁니다. 누구나 그의 백성을 건드려서는 안 되지요. 그는 어린아이 같다고요. 그는 곧장 당신을 찾아올 겁니다." 불행히도, 브라운이 훗날 '그 야비한 스컹크 같은 놈'이라고 불렀던 코넬리우스는 짐을 잘 알고 있었던 것이다. "네, 틀림없이 옵니다." 그는 열의를 가지고 말을 계속했다. "그러니, 선장님, 저 키다리 총잡이에게 그를 사살하라고 말하세요. 그 사람만 죽여 버리면 모든 사람이 겁을 먹을 것이고 당신은 그들에게 무슨 짓이라도 할 수 있을 겁니다. 무엇이든 빼앗고 나서 떠나고 싶을 때 떠나면 되는 거죠. 하! 하! 하! 좋다고요……." 그는 조바심과 열의로 춤을 추다시피 했다. 어깨 너머로 그를 바라보던 브라운은 잔인한 새벽빛을 받은 부하들이 누더기를 걸치고 이슬에 젖은 채 핼쑥하게 겁먹은 표정으로 진지의 식어 버린 모닥불 재와 쓰레기 사이에 앉아 있는 것을 볼 수 있었다.」

41장

「그들 앞에서 날이 활짝 새도록 마지막까지 서쪽 강둑에 피워 놓은 불들은 환하고 또렷하게 타고 있었다. 날이 밝자 브라운은 맨 앞에 있던 가옥들 사이에서 매듭을 짓듯 꼼짝 않고 서 있던 유색 인종들에게 둘러싸인 한 사내를 보았다. 그는 유럽인의 복장에 헬멧을 쓰고 있었는데 온통 하얀색 차림이었다. "저게 그 사람이니까 보세요. 보시라고요." 코넬리우스가 흥분해서 말했다. 브라운의 부하들은 모두 벌떡 일어나서 그의 등 뒤로 몰려 왔지만 눈에는 빛이 없었다. 발랄한 색깔의 옷을 입고 검은 얼굴을 한 사람들이 하얀 차림의 사내를 둘러싼 채 구릉을 바라보고 있었다. 브라운은 사람들이 아무것도 걸치지 않은 팔을 쳐들어 눈 위의 햇빛을 가린다든지 갈색 팔로 언덕 쪽을 가리키는 것을 볼 수 있었다. 그는 어떻게 해

야 할 것인가? 둘러보니 사방에서 그와 마주하고 있던 밀림은
마치 불평등한 시합이 곧 벌어질 투기장을 에워싸고 있는 듯
했다. 그는 부하들을 다시 한번 바라보았다. 경멸, 지겨움, 삶
의 욕구 및 한 번 더 기회를 노리다가 죽어도 다른 곳에서 죽
었으면 좋겠다는 소망 등이 그의 가슴속에서 다투고 있었다.
브라운이 그 모습의 윤곽을 근거로 추측하건대, 그 백인은 그
땅의 모든 힘을 지원 받으면서 쌍안경으로 그의 위치를 살피
고 있는 듯했다. 브라운은 통나무 위로 뛰어올라 팔을 치켜들
고 손바닥을 밖으로 내밀었다. 유색인들이 두 번씩이나 백인
을 둘러쌌다가 물러선 후에야 백인은 그들을 벗어나 혼자 천
천히 걷고 있었다. 가시덤불 사이로 보였다 사라졌다 하던 짐
이 거의 수로에 닿을 때까지 브라운은 통나무 위에 서 있다가
결국은 뛰어내렸고 강의 자기 쪽에서 짐을 맞으려고 언덕을
내려갔다.

　「내가 생각하건대, 두 사람이 만난 곳은 짐이 두 번째로 목
숨을 구하기 위해 필사적으로 뛰어내림으로써 파투산에서의
삶을 시작한 후 그곳 사람들의 신임과 사랑과 믿음을 얻게 되
었던 바로 그 지점에서 그리 멀지 않은 곳이거나 아니면 바로
그곳이었을 수도 있다. 그들은 수로를 사이에 두고 마주 서서
입을 열기 전에 우선 꿋꿋한 시선으로 서로를 이해하려고 애
썼다. 그들의 눈초리에 적대감이 표현되고 있었음이 틀림없다.
나는 브라운이 첫눈에 짐을 미워했음을 알고 있다. 그가 품
고 있었을 희망은 순식간에 모조리 사라졌다. 짐은 그가 기대
하던 사람이 아니었던 것이다. 바로 그런 이유에서 그는 짐을

미워했다. 햇볕에 검게 그을린 홀쭉한 얼굴에다 소매의 팔꿈치 부분을 잘라 낸 체크무늬 플란넬 셔츠를 걸치고 있던 그는 마음속으로 상대의 젊음이며 자신감이며 맑은 눈이며 차분한 태도를 저주했다. 그 녀석은 자기보다 한참 앞서서 들어와 있었던 게 아닌가! 그는 무슨 도움이건 선뜻 내어줄 사람으로 보이지도 않았다. 그는 소유, 안전 및 권세 같은 유리한 점을 모두 자기편에 가지고 있었다. 그는 압도적인 세력과 한편이 아닌가! 그는 굶주리거나 절망하지 않았고 조금도 겁을 내는 것 같지도 않았다. 게다가 하얀 헬멧에서 캔버스 천의 각반이나 하얀 칠을 한 구두에 이르기까지 깔끔하기만 한 짐의 복장에는, 브라운의 암담하고 격분한 눈으로 보기에, 그간 자기 방식의 삶에서 그가 멸시하고 배격해 왔던 것과 관계있을 듯한 무엇이 들어 있었다.

「"당신은 누구요?" 드디어 짐이 일상적인 목소리로 물었다. "내 이름은 브라운이오." 상대방에서 큰 소리로 대답했다. "브라운 선장이지요. 당신의 이름은 무엇이오?" 짐은 잠시 동안 가만히 있더니 그 물음을 듣지 못한 것처럼 조용히 말을 이었다. "무엇 때문에 이곳에 왔소?" "알고 싶소?" 브라운은 신랄하게 대답했다. "그 대답이야 쉽지. 굶주림 때문에 왔으니까. 그런데 당신은 무엇 때문에 왔소?"

「"그 녀석은 이 물음에 깜짝 놀랍디다." 브라운은 두 사람 사이에 있었던 그 기이한 대화의 서두 부분을 내게 말했다. 두 사람은 수로의 진흙 바닥만을 사이에 두고 있었지만 모든 인류를 포괄하는 삶의 관념에 있어서는 서로 상반되는 극단에 서 있었던 것이다. "그 녀석은 내 물음에 깜짝 놀라며 얼굴이 붉어지더군요. 물음치고는 너무 엄청난 물음이었던가 봐요. 그가 날 죽은 사람이나 다름없다고 여기면서 마음대로 할 수야 있겠지만, 그 자신도 실제 형편이 나보다 조금도 더 나을 것이 없다는 것을 내가 그에게 말했지요. 언덕 위에서는 내 부하가 사뭇 그에게 총을 겨누면서 내 신호만 기다리고 있었거든요. 이런 협박에 그가 깜짝 놀랄 이유는 없었어요. 그는 자진해서 수로로 걸어왔으니까요. 내가 말했지요. '우리 두 사람은 모두 죽은 몸이나 다름없다는 데 합의하고, 이 점을 근거로 평등한 입장에서 이야기를 하자고요. 죽음 앞에서는 누구나 평등하니까.' 나는 덫에 갇힌 쥐의 처지임을 인정했지요. 하지만 우리가 어쩌다 덫으로 몰리게 되었으며, 갇힌 쥐도 물 수는 있다고 했지요. 그 순간 그는 내 말을 가로채면서, '쥐가 죽을 때까지 덫 가까이 가지 않으면 물리지 않겠지.'라고 합디다. 그래서 나는 그에게 그런 게임이야 그가 거느리고 있던 원주민들에게나 어울리는 짓이며 그처럼 피부색이 하얀 사람이라면 쥐라도 그렇게 대접할 수야 없을 거라고 했지요. 네, 나는 그와 따지고 싶었답니다. 하지만 목숨을 구걸할 생각은 없었지요. 내 동료들도, 뭐 그렇고 그런 사람들이긴 했지만, 어쨌든 그와 같은 인간이었으니까요. 우리가 그에게서 바란 것이라고는 제발 터놓고 담판을 해 보자는 것뿐이었습니다. '젠장.' 그가 나무 기둥처럼 그곳에 가만히 서 있기에 내가 말했습니다. '매일같이 쌍안경을 들고 나와서 우리 중의 몇 사람이나 아직 살아 있는지를 세어 볼 생각은 아니겠지요. 이봐요. 그 망할 놈의 원주민 무리를 끌고 나와 싸우든지, 아니면 우리가 바다로 나가서 굶어 죽도록 내보내 주시오. 진정이오. 당신은 원주민들이 당신의 백성이라느니 당신도 그들 중의 하나라느니 하고 허세를 부리지만 한때는 당신도 백인이었잖소. 안 그렇소? 이런다고 해서 당신이 얻는 것이 뭐요? 당신은 이곳에서 무얼 얻었기에 그리 소중하단 말이오? 여보시오, 설마 우리더러 이곳으로 내려오라는 뜻은 아니겠지요? 당신네는 200대 1로 우세하오. 우리에게 은폐물이 없는 곳으로 내려오라는 소리는 아니겠지요? 당신네가 우리를 끝장내기 전에 우리도 당신네에게 약간의 타격은 가할 수 있음을 미리 말해 두리다. 당신은 우리가 비겁하게도 죄 없는 사람들에게 덤벼들었다고 하지만, 내 자신이 거의 아무 죄도 없이 굶어 죽는 판인데 원주민들에게 아무 죄도 없다는 사실이 내게 무슨 의미가 있겠소? 하지만 나는 비겁하지는 않소. 당신도 비겁하지 않기 바라오. 원주민들을 끌고 나오시오. 아니면 우리가 무슨 수를 써서라도 당신의 그 죄가 없다는 백성들의 반쯤을 초연으로 싸서 천당으로 데리고 가겠소.'"

「그 이야기를 하는 동안 브라운의 꼴은 끔찍했다. 그 비참한 오두막의 보잘것없는 침상에서 해골이나 다름없는 몰골로 그는 고통에 시달리며 무릎이 얼굴이 닿도록 웅크린 채 악의에 찬 얼굴을 기고만장하게 쳐들어 나를 바라보고 있었던 것이다.

「"그게 내가 그에게 한 말이었지요. 무슨 말을 해야 할지 알고 있었거든요." 그는 다시 말을 시작했는데 처음에는 힘이 없었지만 믿을 수 없는 속도로 기운을 내며 자기의 경멸을 불길 같은 말로 표현했다. "우리가 살아 있는 해골의 모습으로 밀림에 들어가서 헤매다가 하나씩 쓰러진 후 미처 숨이 끊어지기도 전에 개미 떼의 공격을 받는 신세가 될 생각은 없었다고요. 없었고말고요!…… 그는 '당신네는 그보다 나은 대접을 받은 자격이 없소.'라고 합디다. '그렇다면 당신은 어떤 대접을 받을 자격이 있단 말이오?' 내가 그를 향해 소리쳤답니다. '보아하니 당신은 이곳에서 어슬렁거리며 책임이 어떻고 죄 없는 생명들이 어떻고 그 오라질 놈의 임무가 어떻고 떠드는데. 내가 당신에 대해 알고 있는 것 이상으로 당신이 나에 대해서 무얼 알고 있단 말이오? 나는 양식을 얻으러 이곳에 들어왔소. 알겠소? 우리의 배를 채울 양식 말이오. 하지만 당신은 무엇 때문에 이곳에 들어왔소? 이곳에 와서 무엇을 구하고 있었소? 지금 우리가 청하는 건 우리와 일전을 하든지 아니면 원래 우리가 있던 곳으로 돌아가게 길을 내어 달라는 것뿐이오……' 그는 자기의 작은 콧수염을 끌어당기면서 '당장이라도 당신네와 싸우겠소.'라고 말합디다. '날 쏠 테면 쏘아 보시오. 덤벼 보시오.' 내가 말했지요. '내가 결판을 낼 곳이 이곳이든 다른 어떤 곳이든 내게는 마찬가지요. 지독히도 나쁜 운수가 이젠 나도 지긋지긋하다니까. 하지만 그건 너무 안이한 짓이 될 거요. 나와 같은 배를 타고 있는 부하들이 있거든. 나는 혼자서 곤경을 탈출하기 위해 부하들을 궁지에 남겨 놓을 사람이 아니니까.' 내가 이렇게 말했더니 그는 잠시 동안 서서 생각에 잠기더니 머리를 하류 쪽으로 치켜들면서 '저쪽에서'

내가 도대체 무슨 짓을 하고 다녔기에 그처럼 곤혹을 겪고 있는지 알고 싶어 하더군요. '우리가 그간 겪어온 이야기나 나누자고 이렇게 만난 겁니까?' 내가 물었어요. '당신부터 말해 보시오. 싫다고요? 나도 당신 이야기는 듣고 싶지 않소. 혼자만의 비밀로 해 두시오. 그게 내 쪽 이야기보다 더 나을 것이 없을 테니까. 그간 나는 그렇게 살아왔고, 당신은 마치 더러운 땅에 발을 대지 않고 날아다닐 날개라도 가진 사람처럼 말하지만 당신 또한 나처럼 살아왔을 거요. 그렇소, 땅은 더럽지만 내게는 날개가 없소. 내가 이곳에 오게 된 것은 일생 동안 딱 한 가지를 겁냈기 때문이오. 무얼 겁냈는지 알고 싶소? 감옥이오. 감옥은 겁나는 곳이지. 그게 당신에게 조금이나마 도움이 된다면 알아두는 게 좋을 거요. 당신은 이 망할 놈의 곳에서 상당한 노략질을 하고 있는 듯한데, 무엇이 겁나서 이런 곳에 들어오게 되었는지 묻지는 않겠소. 그건 당신의 행운이겠고, 내 행운이야 당장에 사살해 주십사고 빌거나 아니면 쫓겨나서 내 방식으로 자유로이 살다가 굶어 죽을 수 있는 은혜나 베풀어 달라고 비는 특권이 고작이지.'"

「그의 쇠잔한 육신이 너무 격렬하고 너무 자신 있고 너무나 악의적인 희열로 부들부들 떨고 있었기 때문에 그 오두막에서 그를 기다리고 있던 사신(死神)마저 쫓겨난 듯했다. 그의 미쳐버린 자애(自愛)의 시체가 마치 어둡고 무서운 무덤에서 일어나듯이 그 누더기며 궁핍을 떨치고 일어섰다. 그 당시에 그가 짐에게 얼마나 거짓말을 했으며 이제 나에게는 얼마나 거짓말을 했는지 그리고 자기 자신에게는 늘 얼마나 거짓

말을 해 왔는지를 알 수는 없다. 허영심은 늘 우리의 기억을 상대로 음침한 속임수를 쓰는 법이며, 모든 열정의 진실은 그 것을 기억 속에서 되살아나게 할 약간의 거짓을 필요로 하는 법이다. 거지꼴을 하고 저승의 문턱에 서 있던 그는 자기가 저 지른 비행의 밑바닥으로부터 이 세상을 향해 뺨을 때리고 침 을 뱉는가 하면 엄청난 멸시와 거역을 쏟아 붓기도 했다. 그간 그는 사내들이며 아낙네들, 야만인들, 상인들, 악당들 및 선교 사들을 압도해 왔고 "그 굼뜬 얼굴을 한 거지."라는 짐까지도 압도했다. 그가 죽음의 문턱에서 승리를 거두었다든지, 모든 세상을 자기가 발로 짓밟았다는 식의 사후(死後)에나 생길 법 한 환상이 그에게 있었음을 나는 아낌없이 인정해 주었다. 그 추잡하고 역겨운 고통 속에서 그가 나에게 허풍을 떨고 있는 동안 나는 그의 전성시대와 관련된 재미있는 이야기를 생각하 지 않을 수 없었다. 일 년이 넘도록 젠틀맨 브라운의 배가 나 타났다 하면 감청색 바다 위에 녹색 숲이 띠처럼 둘렸고 하 얀 해변 위의 선교사의 집이 검은 점으로 보이던 작은 섬 근 해를 한꺼번에 여러 날씩 떠돌곤 했다. 섬에 상륙한 젠틀맨 브 라운은 멜라네시아 지역을 살기에 너무 힘든 곳이라고 여기 던 로맨틱한 여인을 매혹하는 한편 그녀의 남편에게는 주목 할 만한 인물을 개종할 수도 있겠다는 희망을 주고 있었다. 사 람들은 그 가엾은 사람이 '브라운 선장을 보다 나은 삶의 길 로' 인도해야겠다는 의도를 누차 피력하는 것을 들었다……. 어떤 심술궂은 떠돌이가 말한 대로, 그는 '하느님의 영광을 위 해 젠틀맨 브라운을 붙잡아 서부 태평양 일대에서 활약하는 상선의 선장이 어떤 부류의 인간인가를 세상 사람들이 우러러보게' 하려 했던 것이다. 죽어가는 한 여인을 데리고 도망친 후 그녀의 시신 위에 눈물을 흘렸던 사람도 바로 브라운이었다. "마치 몸집이 큰 갓난아기처럼 굴더군요." 그 당시 그의 간부 선원 노릇을 했던 사람은 입에 침이 마르도록 이야기했다. "그가 왜 그 일에 그토록 빠졌는지 나로서는, 병약한 카나카스 노동자들의 발길에 차여 죽으면 죽었지 도저히 모르겠더군요. 그런데요. 그가 그녀를 배로 데리고 왔을 때 그녀의 병세는 너무 깊어서 그를 알아보지도 못했지요. 그녀는 그저 그의 침상에 누워서 무섭게 반짝이는 눈으로 대들보만 쳐다보다가 죽었으니까요. 지독히 고약한 열병이었던가 봐요……" 내가 그 모든 것을 회상하고 있는 동안 더러운 침상에서 납빛 손으로 헝클어진 턱수염 뭉치를 쓰다듬으면서 그는 너무 깔끔해서 범접할 수 없어 보이던 그 망할 자식을 상대로 자기의 불리한 처지를 유리하게 되돌리고 정확히 겨눈 타격을 가하던 경위를 나에게 말해 주었다. 그는 짐을 쉽게 겁먹게 할 수는 없었지만, 자기 앞에는 "길이 유료도로처럼 활짝 열려 있어서 거기에 들어서서 짐의 하찮은 영혼을 마음대로 흔들었다 뒤집었다 뒤엎었다 할 수 있었다."고 말했다.」

42장

「그가 아마도 그 곧게 난 길을 바라보는 일 이상의 것을 할
수 있었으리라 생각되지는 않는다. 그는 자기가 본 것 때문에
어리둥절하고 있었던 것 같다. 왜냐하면 그는 하던 이야기를
중단하고 몇 차례나 "거기서 나는 그를 거의 종잡을 수 없더
군요. 그의 정체를 알 수가 없었으니까요. 그는 대체 누구였습
니까?"라고 말했기 때문이다. 그는 나를 향해 사납게 눈을 부
라린 후에 기뻐 날뛰면서 냉소하듯 말을 계속하곤 했다. 내가
보기에, 두 사람이 수로를 사이에 두고 나누던 대화는 일종의
무시무시한 결투였으며 그 결말을 미리 알고 있던 운명의 여
신은 냉혹한 눈으로 그들을 바라보고 있었을 것이다. 물론 브
라운이 짐의 영혼을 속속들이 뒤집어 놓진 못했다. 그러나 브
라운으로서는 도저히 이해할 수 없었던 짐의 정신이 그 결투

의 쓴맛을 최대한으로 맛보게 되었다는 것만은 내가 장담할 수 있다. 그들은 짐 자신이 살기에 부적합하다고 여기던 '저쪽 세상'에서 온 백인들이었고, 그가 버리고 온 세계는 이 백인 사자(使者)들과 함께 그를 은둔지까지 뒤쫓고 있었던 것이다. 그의 사업에 대한 위협, 충격 및 위험이 그를 찾아온 것의 전부였다. 내가 생각하기에, 짐의 성격을 헤아려 보려던 브라운을 곤혹스럽게 한 것은 다름 아니라 바로 짐이 이따금 던지는 몇 마디 말 속에 일관해서 배어 있던 회한과 체념이 혼재하는 슬픈 감정이었다. 일부 위대한 사람들이 대체로 위대해질 수 있는 것은 자기네가 도구로 이용하려고 마음먹은 사람들에게서 사업에 도움이 되는 정확한 자질을 간파해 내는 능력을 가지고 있기 때문이다. 그런데 브라운도 마치 자신이 실로 위대하기라도 한 것처럼, 자기 희생자들에게서 최대의 장점과 최대의 약점을 간파해 내는 악마 같은 능력을 가지고 있었다. 짐이라는 사람은 앞에서 굽실거림으로써 극복할 수 있는 인물이 아니었음을 브라운은 나에게 인정했다. 그래서 그는 자기 자신이야말로 불운이나 비난이나 재앙 같은 것들과 겁도 없이 맞설 수 있는 인물이란 점을 부각시키려고 했다. 그는 총 몇 자루를 밀수하는 일이 큰 죄냐고 따졌고, 파투산을 찾아온 것만 해도, 그게 구걸하러 온 것이 아니라고 말할 수 있는 권리가 누구에게 있겠느냐고 했다. 찾아온 사연에 대해는 아무것도 물어볼 생각을 하지 않고 강 양쪽에서 망할 놈의 원주민들을 풀어 그를 공격하게 한 것이 아니냐고도 했다. 그의 이런 주장은 물론 뻔뻔스러운 것이었다. 왜냐하면 사실 다인 와리스가 취한 정력적인 조처가 최대의 재앙을 방지했기 때문이다. 브라운이 나에게 분명히 말한 대로, 그는 그곳이 큰 고장이라는 것을 알고 당장에 작심하기를 거점이 확보되는 대로 주민들을 겁주고 공포에 질리게 하기 위해서 좌우로 불을 지르고 눈에 보이는 생명체는 모조리 사살하는 일부터 시작하려 했던 것이다. 세력의 불균형이 너무 두드러졌기 때문에 그렇게 하는 것이야말로 그의 목적 달성을 조금이나마 가능하게 할 유일한 방안이었다고 주장하면서 브라운은 발작적인 기침에 시달리고 있었다. 그러나 그는 짐에게 그런 말을 하지는 않았다. 그들이 그간 겪어 온 고초와 굶주림은 모두 생생한 사실이었다. 그 무리들의 꼴을 보면 그걸 충분히 알 수 있었다. 그는 낭랑한 휘파람 소리로 부하들을 불러 통나무 방책 위에 한 줄로 늘어세워서 잘 보이게 했고, 짐은 그들을 환하게 볼 수 있었다. 원주민 사내를 살해하기는 했지만, 궁지에서 치사한 전투를 하다 보면 그럴 수도 있지 않느냐고 했다. 그 사내는 가슴에 관통상을 입고 깨끗이 살해되었기에, 수로에 쓰러져 있는 가엾은 자기 부하의 경우와는 다르다는 것이었다. 총탄에 창자가 찢어진 그가 죽어 가며 내는 소리를 그들은 여섯 시간 동안이나 들어야 했던 것이다. 어쨌든 양쪽에서 한 사람씩 목숨을 잃었으니 피장파장이라는 거였다……. 이런 말을 하고 있던 브라운은 마치 악운이 가하는 박차 때문에 어디로 가고 있는지 방향조차 알고자 하지 않으며 계속 앞으로 내닫기만 하는 사람의 지겨움과 무모함을 보이고 있었다. 절망하고 있는 인간이나 보일 그런 무례한 솔직함을 보이면서 그는 짐에게 묻기를, 그 당장에 '어둠 속에서 자기 목숨을 구하고자 하는 사람이라면 다른 누가 가고 있느냐는 개의치 않을 것이며 그 사람들의 수가 세 명이든 서른 명이든 삼백 명이든 문제 삼지 않을 것임'을 이해하지 못하겠느냐고 했는데, 마치 악마가 그의 귀에 대고 충고하는 듯했다. "내 말에 그는 놀라서 움찔합니다." 브라운은 나에게 자랑했다. "이내 그는 내 앞에서 의로운 사람 행세하기를 그만둡니다. 그는 천둥 구름처럼 암담한 표정으로 그 자리에 말없이 서서 나를 외면한 채 땅을 보고 있었거든요." 그는 짐에게 당신은 일생 동안 어수룩한 짓을 한 적이 없느냐, 그래서 손에 잡히는 것이면 무슨 수단을 써서라도 절망의 구렁에서 빠져나가려고 애쓰는 사람에게 이렇게 잔인하게 구느냐고 묻는 등 여러 면으로 따졌다. 그런데 그 험악한 주장 속에는 그들이 공유하는 혈통과 그들에게 공통된 경험을 가정하는 미묘한 언급이 있었고, 그들은 같은 죄를 지었으며 그들의 생각과 감정을 결속케 하는 은밀한 지식을 공유하고 있다는 기분 나쁜 암시도 있었다.

「드디어 브라운이 자세를 최대로 낮추고는 곁눈질로 짐을 지켜보았다. 짐은 수로의 자기 쪽에서 생각에 잠긴 채 자기 다리를 채찍으로 때리고 있었다. 눈에 보이는 가옥들은 마치 역병이 모든 생명의 숨결을 쓸어버린 듯이 조용하기만 했다. 하지만 보이지 않는 눈들이 가옥 속에 숨어서 수로를 사이에 두고 맞선 두 사람과 땅에 얹혀 있던 하얀 보트, 그리고 물에 반쯤 잠긴 채 진창 속에 박혀 있던 시신을 지켜보고 있었다. 강위에는 카누들이 다시 움직이고 있었다. 백인 통치자가 돌아온 후에 파투산 사람들은 세속적 제도들이 안정을 찾았다는 믿음을 회복했기 때문이었다. 오른쪽 강둑이며 주택용 선착장이며 강기슭에 묶어 둔 뗏목이며 심지어는 오두막 목욕 터의 지붕까지도 사람들로 덮여 있었는데 그들은 비록 보이지 않고 들리지 않는 곳이기는 했으나 라자의 방책 너머의 언덕을 긴장된 눈으로 바라보고 있었다. 번뜩이는 강물에 의해 양쪽으로 갈라져 있던 숲으로 불규칙하게 에워싸인 넓은 땅 내부에는 정적이 감돌고 있었다. "당신은 이곳 해안을 떠나겠다는 약속을 하겠소?" 짐이 물었다. 브라운은 손을 들었다가 떨어뜨렸는데 말하자면 모든 것을 포기하고 불가피한 운명을 받아들이겠다는 몸짓이었다. "그리고 무기도 버리겠소?" 짐은 말을 이었다. 브라운은 일어나 앉더니 수로 너머로 눈을 부라렸다. "무기를 버리라니! 못 버리겠으니 우리의 굳센 손에서 빼앗아 보도록 하시오. 당신은 내가 공포에 질려 미칠 지경이라고 생각하시오? 그렇지는 않소! 배에 두고 온 후장포(後裝砲)를 제외한다면, 내가 가진 것이라고는 지금 걸치고 있는 이 누더기와 총기밖에 없소. 앞으로 배를 만날 때마다 식량을 구걸하면서 혹시 마다가스카르까지 갈 수 있다면 그곳에서 이 무기들을 팔아 볼까 한다오."

「이 말을 듣고 짐은 아무 말도 하지 않았다. 이윽고 그는 손에 들고 있던 채찍을 던져 버리고 마치 혼잣말을 하듯이 "나한테 그럴 권한이 있는지 모르겠군."이라고 말했다……. "모르겠다니! 그러고도 방금 나더러 무기를 버리라고 하다니! 그것 참 별꼴이군." 브라운이 소리쳤다. "저들이 당신에게는 말

을 이렇게 한 후에 나에게는 저렇게 행동한다고 칩시다." 그는
눈에 띄게 차분해졌다. "당신에게 권한이 있다고 말해 두어야
겠소. 그렇지 않다면 우리가 이렇게 협상을 한다고 해서 무슨
의미가 있겠소?" 그는 말을 이었다. "당신은 무엇 때문에 이곳
으로 찾아온 거요? 심심해서 왔소?"

「"좋소." 오랫동안 침묵하고 있던 짐이 갑자기 머리를 들며
말했다. "당신이 아무 방해도 받지 않고 가든지 아니면 한바
탕 싸울 수 있도록 해 주겠소." 그는 뒤꿈치로 획 돌아서더니
걸어가 버렸다.

「브라운은 즉시 일어났지만, 짐이 가장 가까운 집들 사이로
사라지는 것을 확인하고 나서야 언덕을 올라갔다. 그 후 그는
다시 짐을 보지 않았다. 돌아오는 길에 그는 두 어깨 사이로
고개를 푹 숙이고 있던 코넬리우스를 만났다. 그는 브라운 앞
에 서서 불쾌하고 불만스러운 목소리로 "왜 그를 죽이지 않았
지요?" 하고 물었다. 브라운은 재미있다는 듯이 미소를 지으
며 "죽이지 않는 편이 더 낫기 때문이오."라고 답했다. "그렇지
가 않아요. 않다고요" 코넬리우스는 힘을 내어 항의했다. "죽
이는 게 상책이지. 나는 이곳에서 여러 해 살아 왔다고요." 브
라운은 신기하다는 듯이 코넬리우스를 바라보았다. 자기에게
무력으로 항거하는 그곳 사람들의 삶에는 여러 측면이 있었
지만, 모두 자기로서는 알아낼 수 없는 것들이었다. 코넬리우
스는 절망하며 강 쪽으로 살금살금 걸어갔다. 그는 새로 사귄
친구들을 떠나고 있었다. 그는 사태가 실망스럽게 진행되는 것
을 받아들였지만 실쭉하게 고집을 피우느라 그 작고 노란 노

안(老顏)을 더욱 찡그리고 있었다. 내려가는 길에 이곳저곳을 곁눈질하면서도 그는 자기의 고정관념만은 절대로 포기하지 않았다.

「이 대목부터는 사건들이 마치 어떤 어두운 샘물에서 흘러나오듯이 사람들의 가슴에서 흘러나오며 거침없이 빨리 진행되었다. 그리고 대체로 탐 이탐의 눈을 통해 우리는 짐이 주민들 사이에 섞여 있는 모습을 보게 된다. 주얼의 눈도 그를 지켜보기는 했지만 그녀의 삶은 짐의 삶과 너무 엉켜 있었다. 그녀의 열정이며, 의혹이며, 분노가 있었고 무엇보다도 그녀의 공포와 용서할 줄 모르는 애정이 있었다. 그 충실한 하인으로 말하자면 다른 사람들처럼 사태를 이해할 수는 없었지만 그에게 작용하고 있는 것은 충성심뿐이었다. 그가 자기 주인에게 바친 충성과 믿음은 너무 강해서 결국 그는 자기의 놀라움마저 진정시킨 후에 슬픔에 잠긴 채 주인의 영문 모를 실패를 받아들이고 있었다. 그의 눈은 오직 한 사람의 모습만 지켜보았고, 미궁처럼 곤혹스러운 상황을 거치면서도 주인을 지키고 보살피고 그에게 복종하려는 자세를 견지했다.

「그의 주인은 백인들을 상대로 한 협상을 마친 후 거리의 방책을 향해 천천히 걸어오고 있었다. 그의 귀환을 보고 모든 사람들은 기뻐했다. 그가 나가 있는 동안 사람들은 그가 살해된다든지 그 후에 일어날 수 있는 일들을 생각하며 두려워하고 있었던 것이다. 짐은 도라민이 쉬고 있던 가옥으로 들어가서 그 부기스족 정착민의 우두머리와 단둘이서 오랜 시간을 보냈다. 그가 앞으로 취해야 할 행동 노선을 도라민과 의

논했음이 분명했지만 그들이 대화를 나눌 때 다른 아무도 함께 있지 않았다. 문에 바짝 붙어 있던 탐 이탐만이 자기 주인이 "네, 모든 사람들에게 이게 내 소망이라는 것을 알리도록 하겠습니다. 하지만, 오, 도라민, 다른 모든 사람들에 앞서 당신에게 먼저 말씀드렸습니다. 당신에게만. 내가 당신의 마음과 당신의 가장 큰 소망을 이해하듯이 당신도 내 마음을 이해하시니까요. 그리고 내가 백성들의 이익밖에 생각하지 않는다는 것도 잘 알고 계시니까요."라고 말하는 것을 들었다. 이윽고 그의 주인이 문간에 친 장막을 들추며 밖으로 나왔고, 탐 이탐은 방 안에서 도라민이 두 손을 무릎에 올려놓고 의자에 앉아 두 발 사이를 내려다보고 있는 것을 흘낏 보았다. 그후 그는 주인을 따라 요새로 갔는데 그곳에는 부기스족과 파투산 주민 중의 우두머리 급 인사들이 모두 회의에 소집되어 있었다. 탐 이탐 자신은 약간의 전투가 있게 되길 바랐다. 그는 "그건 또 하나의 구릉을 점령하는 일에 불과했을 테니까요."라고 유감스럽다는 듯이 외쳤다. 하지만 많은 고을 사람들이 바란 것은 그 탐욕스러운 이방인들이 너무 많은 용감한 주민들의 임전 태세를 보고 놀라서 떠나도록 유도하자는 것이었다. 그들이 가 버렸으면 좋겠다는 것이었다. 날이 새기 전에 요새에서 포를 쏘고 큰북을 울려서 짐의 도착을 알렸기 때문에 파투산을 덮고 있던 공포는 마치 바위에 부딪힌 파도처럼 부서져버렸고 물보라처럼 들끓는 흥분과 호기심과 끝없는 억측만 남겨 놓았다. 주민들 중의 절반은 마을의 방위를 위해 집에서 나와 있었다. 강 왼쪽의 거리에 거처하며 요새 주변에서 북적거리고 있던 그들은 위험한 강둑에 위치한 자기네의 버림받은 주택들이 혹시나 화염에 싸이게 되지나 않을까 시시각각 가슴을 졸이고 있었다. 주민들의 일반적인 소망은 사태의 신속한 해결이었다. 주얼의 보살핌으로 피난민들에게 음식이 제공되었다. 자기네 편의 백인이 어떻게 처리하는지 그들은 알지 못했다. 어떤 사람들은 이번 싸움이 셰리프 알리의 전쟁보다 더 고약하다고 말했다. 그때는 많은 사람들이 전쟁이 어떻게 끝나든 상관치 않았다. 그러나 지금은 모든 사람들이 싸움에 지는 날이면 무엇인가를 잃게 되어 있었다. 그들은 고을의 두 지역 사이를 오가던 카누들의 동향을 관심 있게 지켜보고 있었다. 두 척의 부기스족 전투선이 강을 보호하기 위해 강 한복판에 정박하고 있었고 그 배의 이물 쪽에서는 한 가닥씩의 연기가 피어오르고 있었다. 배에서 사람들이 점심밥을 짓고 있을 때 짐은 브라운 및 도라민과의 회담을 차례로 마친 후 강을 건너 자기 요새의 수문으로 들어갔다. 안쪽에 있던 사람들이 그를 에워쌌기 때문에 그는 자기 집 쪽으로 갈 수도 없을 지경이었다. 간밤에 귀환한 그는 자기를 맞기 위해 선착장으로 내려온 주얼과 몇 마디를 나눈 후 바로 강 건너편에 있던 촌장 및 전투원들과 합세했기 때문에, 주민들은 귀환한 그를 아직 보지 못했던 것이다. 사람들은 그를 반기며 인사했다. 한 노파가 사람들을 밀치고 앞으로 나와서 원망하는 말투로 도라민에게 가 있는 자기의 두 아들이 강도들의 손에 해를 입지 않게 해 달라고 짐에게 요구해서 사람들을 한바탕 웃겼다. 곁에 서 있던 몇 사람이 그녀를 밀쳐 내려고 했지만 그녀는 몸부림치며 소리를 지르기를, "이거 놔. 이 모슬렘들아, 어쩌자는 거야? 이렇게들 웃고 있는 건 당치 않아. 저들은 살인을 마음먹고 있는 잔인하고 피에 굶주린 강도들이 아니냐?"라고 했다. "그분을 놔 주세요." 짐이 말했다. 갑자기 조용해지자 그는 천천히 말을 이었다. "모든 사람들이 무사하도록 해 주겠습니다." 커다란 안도의 한숨과 요란한 만족의 표명이 가라앉기도 전에 짐은 집으로 들어갔다.

「브라운이 안전하게 바다로 나갈 수 있도록 해 주어야겠다고 짐이 마음먹고 있음이 분명했다. 그의 운명은, 거역되자, 그에게 어떤 행동을 강요하고 있었다. 노골적인 반대에 직면한 그는 처음으로 자기 의지를 확인해야 했다. "논의가 분분했는데 처음에는 제 주인께서 잠자코 계셨습니다." 탐 이탐이 말했다. "어두워지더군요. 그래서 저는 기다란 탁자 위에 초를 켰습니다. 촌장들은 양쪽에 앉아 있었고, 아씨께서는 제 주인의 오른쪽에 앉아 있었습니다."

「그가 입을 열었을 때, 전에 겪어 본 적이 없는 어려움이 오직 그의 결심을 더욱 확고하게 만드는 듯했다. 구릉 위의 백인들은 그의 대답을 기다리고 있었다. 그들의 우두머리는 자기네의 언어로 짐에게 말함으로써 다른 어떤 언어로도 설명하기 어려웠을 사안들을 분명하게 했던 것이다. 그들은 비행을 저지르고 다니는 자들이며 고통으로 인해 눈이 멀게 된 나머지 옳고 그른 것을 판단하지 못했다. 이미 여러 목숨을 잃은 것은 사실이지만 무엇 때문에 더 많은 목숨을 잃어야 한단 말인가? 짐은 그 자리에 모여 자기 말을 듣고 있던 촌장들에게 당신들의 행복이야말로 곧 내 행복이요 당신들의 상실은 곧 내 상실이며 당신들의 슬픔은 곧 내 슬픔이기도 하다고 선언했다. 그는 침통한 표정으로 귀를 기울이고 있던 얼굴들을 둘러보면서 그간 자기들은 나란히 서서 싸우거나 일해 왔다는 것을 기억해 달라고 했다. 그들은 짐의 용기를 알고 있었다. ……그때 누군가가 중얼거리는 소리에 그는 말을 중단했다. ……짐은 자기가 그들을 속인 적이 없다는 말도 했다. 여러 해 동안 그들은 함께 살아왔으며, 그 땅과 백성들을 한없이 사랑한다고도 했다. 그는 그 턱수염을 기른 백인들의 퇴각을 허용해 준다면, 백성들이 입게 될 피해에 대해서는 자기가 목숨을 걸고 책임질 용의가 있다고 했다. 그들은 악당이지만 그들의 운명 또한 불행하다고도 했다. 짐이 그들에게 그릇된 조언을 했거나, 그의 말 때문에 그들이 고통을 겪은 적이 있느냐고 묻기도 했다. 그는 이 백인들과 그들의 추종자들이 목숨을 부지하고 떠날 수 있게 해 주는 것이 최선책이라고 믿으며, 그것을 두고 작은 선물이라고 했다. "당신네들은 그간 나를 시험해 보고 내가 언제나 진실하다는 것을 확인했겠지요. 이제는 내가 당신들에게 그들을 떠나게 해 주자고 요청하는 바입니다." 그는 도라민 쪽을 향했다. 늙은 나코다는 아무 동의(動議)도 하지 않았다. 그래서 짐이 말했다. "그렇다면 당신의 아들이요 내 친구인 다인 와리스를 불러들이시죠. 이 일을 내가 주도하지는 않을 겁니다."

43장

「그의 의자 뒤에 서 있던 탐 이탐은 경악했다. 짐의 선언은 엄청난 센세이션을 일으켰다. "그 사람들을 내보냅시다. 그게 내 판단으로는 최선책입니다. 내 판단이 아직까지는 당신네들을 속인 적이 없지 않습니까." 짐이 주장했다. 침묵이 흘렀다. 어두운 뜰에서는 많은 사람들이 숨을 죽이고 속삭이거나 발을 끌며 다니는 소리가 들렸다. 도라민은 그 무거운 머리를 쳐들고 사람들의 속마음을 읽기란 손으로 하늘을 건드리는 일만큼 어렵다고 하면서도 동의는 했다. 다른 사람들도 "그게 최선책입니다." 또는 "보내 줍시다."라고 하며 차례로 의견을 폈다. 그러나 대부분의 사람들은 "투안 짐을 신임한다."고 말했을 뿐이다.

「짐의 의견에 대해 이런 식으로 순박하게 동의하는 것을 보면, 전체 상황의 요지를 알 수 있고, 주민들의 믿음 및 그의 진실성, 그리고 자신이 보기에도 자기가 결코 대오에서 벗어나는 일이 없는 완벽한 인간들과 맞먹는 것처럼 보이게 하는 충직성이 입증되고 있었음을 알 수 있다. "로맨틱하군! 로맨틱해!"라고 했던 스타인의 말이 먼 거리를 넘어 울려오는 듯하다. 그런 먼 거리가 있기에, 그의 결함과 미덕에 대해서, 그리고 커다란 슬픔 및 영원한 이별의 곤혹스러움 속에서 그를 위한 한 방울의 눈물도 흘리기를 거절하는 여인의 열렬하고 집요한 애정에 대해서 무관심하기만 한 세계로 그가 다시 넘겨지는 일은 없을 것이다. 지난 삼 년간의 삶에서 보인 그의 진실성이 주민들의 무지며 공포며 분노를 누르고 이기는 그 순간부터 짐은 더 이상 내가 마지막으로 보았던 모습으로 나타나지 않는다. 그는 침침한 해변과 어두워진 바다 위에 남은 희미한 빛을 모두 끌어 모으고 있던 하얀 점으로 보이지 않으며, 오히려 그를 가장 사랑하던 여인에게까지 잔인하고 불가사의한 존재로 남아 있던 그의 영혼의 고독 속에서 그는 더 크고 더 가련한 모습으로 보인다.

「그가 브라운을 불신하지 않았음이 분명하다. 그의 이야기를 의심할 이유는 없었다. 그 진실성은 그가 자기 행동의 도덕성 및 그 결과를 받아들이면서 보인 거친 솔직함과 일종의 꿋꿋한 진지함에 의해 보장되는 듯했다. 그러나 짐은 그 사내의 거의 불가해한 자기중심적 성향을 모르고 있었다. 그 성향은, 자기의 의지가 거역되고 좌절될 경우, 그로 하여금 마치 행동 제지를 받은 폭군이나 보일 만한 분노와 복수심으로 광분케 했던 것이다. 짐이 브라운을 불신한 것은 아니었지만, 어떤 오해로 인해 충돌과 유혈로 끝나는 일이 있을까 봐 걱정했던 것은 분명했다. 이런 이유 때문에, 말레이족 촌장들이 떠나자마자, 그는 주얼에게 고을 사람들을 지휘하러 갈 테니 먹을 것 좀 달라고 했다. 그녀가 피로할 텐데 그런 걱정일랑 말라고 하니까, 그는 어떤 불상사라도 생기면 자신을 결코 용서할 수 없을 것이라고 했다. "나는 이곳에 사는 모든 사람들의 목숨을 지킬 책임이 있소." 그가 말했다. 처음에 그는 우울해 보였다. 그래서 그녀는 스타인이 짐에게 선물한 정찬 식기에 담긴 음식을 탐 이탐으로부터 받아 들고 손수 식탁 시중을 들었다. 얼마쯤 지나자 그는 다시 기분이 좋아졌고, 주얼에게 하룻밤 더 요새를 지휘해 달라고 당부했다. "주민들이 위험할 때는 우리가 잠을 잘 수 없소." 그가 말했다. 나중에 그는 농담 삼아 말하기를 주얼이야말로 모든 주민들 중에서도 가장 훌륭한 사나이라고 했다. "만약에 당신과 다인 와리스가 당신의 소원대로 했더라면 이 가엾은 악당들이 한 사람도 살아남지 못했을 거요." "그들은 참으로 나쁜 사람인가요?" 그녀가 그의 의자에 몸을 기대면서 물었다. "인간이란 주변 사람들에 비해 별로 더 나쁘지 않으면서도 이따금 아주 간악하게 행동할 때가 있다오." 그는 약간 머뭇거리다가 말했다.

「탐 이탐은 요새 바깥에 있는 선착장까지 주인을 따라갔다. 밤하늘은 맑았지만 달이 없어서 강 가운데는 어두웠다. 그러나 양쪽 강둑 아래쪽 물은 '라마단 저녁처럼'[68] 많은 불빛을 반영하고 있었다고 탐 이탐이 말했다. 전투선들은 어두운 뱃길을 따라 조용히 떠다니거나 아니면 닻을 내린 채 요란한 물결에 밀려 제자리에서 둥실거렸다. 그날 저녁 탐 이탐은 카누에서 함참 동안 노 젓기를 했고 주인을 따라 오래 걸어 다녔다. 두 사람은 불을 피워 놓은 곳을 찾아 거리를 오르내렸는가 하면, 내륙으로는 작은 집단의 사람들이 들판을 경계하고 있던 고을 외곽을 찾아 다녔다. 투안 짐이 명령을 내리면 사람들은 복종했다. 마지막으로 그들은 라자의 방책을 찾았는데 그날 밤에는 짐의 편에서 파견된 사람들이 그곳에 배치되어 있었다. 늙은 라자는 그날 아침 일찍 자기 아낙들을 대부분 거느리고 강의 지류에 있던 정글 마을 근처의 작은 가옥으로 도피하고 없었다. 뒤에 남은 카심이 부산을 떨며 회의에 참석해서 전날 있었던 외교 협상의 내용을 해명했다. 그는 상당한 냉대를 받았지만 웃음과 조용한 경계심을 간신히 유지했고, 짐이 부하들과 함께 그날 밤 방책을 점령하겠다는 준엄한 제안을 했을 때도 자기로서는 지극히 반가울 뿐이라고 말했다. 회의가 파한 후에 그는 자리를 뜨는 촌장들을 붙잡고서 요란하게 만족스러운 어투로 라자의 부재시에도 라자의 재산은 보호받는다고 공언했다.

「10시경에 짐의 부하들이 들이닥쳤다. 그 방책에서는 수로의 입구를 내려다볼 수 있었기에 짐은 브라운이 아래쪽을 통과할 때까지 거기 머물 예정이었다. 말뚝을 박아서 만든 방벽

29) 라마단은 이슬람교의 달력에서 아홉 번째 달을 가리킨다. 이 한 달 동안 이슬람교도들은 일출부터 일몰까지 금식하고 여유가 있는 사람들은 밤을 대낮처럼 밝힌다.

바깥의 평평한 풀밭에 작은 불이 지펴졌고, 탐 이탐은 주인을 위해서 작은 접는 의자를 놓았다. 짐은 그에게 잠을 좀 자 두라고 했다. 탐 이탐은 조금 떨어진 곳에 매트를 폈다. 그는 날이 새기 전에 중요한 임무 수행에 나서야 한다는 것을 알았지만 잠을 잘 수가 없었다. 그의 주인은 머리를 숙이고 뒷짐을 진 채 불 앞에서 오락가락했다. 그의 얼굴은 슬픔에 잠겨 있었다. 주인이 다가올 때마다 탐 이탐은 자는 척하면서 자기가 지켜보고 있다는 사실을 주인이 눈치채지 못하게 했다. 드디어 주인은 가만히 서서 누워 있던 그를 내려다보면서 "시간이 되었다."고 조용히 말했다.

「탐 이탐은 곧장 일어나서 준비했다. 그의 사명은 브라운의 보트보다 한 시간 이상 앞서 강 하류로 내려가 다인 와리스에게 백인들이 아무 위협도 받지 않고 빠져나가도록 허용되어야 한다는 최종 공식 통보를 하는 일이었다. 짐은 이 일을 다른 사람에게 맡기고 싶지 않았다. 출발에 앞서 탐 이탐은 신표(信標)를 요구했는데, 짐의 곁에서 그가 맡고 있는 역할이 잘 알려져 있었기 때문에 그런 요구는 형식적인 의미밖에 없었다. 그는 "투안, 이번 통보가 중요할 뿐더러 제가 지금 나으리의 명령을 전달하러 가기 때문입니다."라고 말했다. 그의 주인은 처음에 양쪽 주머니를 차례로 뒤지다가, 결국은 그간 습관적으로 집게손가락에 끼고 다니던 스타인의 반지를 빼내어 탐 이탐에게 주었다. 탐 이탐이 심부름 길을 떠났을 때 구릉 위에 있던 브라운의 진영은 아직 어둠에 싸여 있었고, 오직 그의 부하들이 베어서 눕혀 놓은 나무의 가지 사이로 한 가닥 작은 불빛이 보였을 뿐이다.

「전날 저녁 일찌감치 브라운은 짐이 보낸 접은 종이쪽지를 받았는데 거기에는 "안전한 통행을 허용하오. 아침 조수에 보트를 띄울 수 있는 대로 출발하시오. 부하들에게는 주의를 주시오. 수로 양쪽의 숲과 하구에 있는 방책에는 잘 무장한 병력이 가득하오. 당신에게 승산도 없겠지만, 당신이 유혈을 원하리라고는 생각하지 않소."라고 적혀 있었다. 브라운은 읽고 나서 그 종이를 조각조각 찢은 후 그 쪽지를 전해 온 코넬리우스를 향해 조롱하는 투로 말했다. "잘 있으시오. 내 멋진 친구." 코넬리우스는 그날 오후 요새에 있었고 짐의 집 주변에서 어슬렁거렸던 것이다. 짐이 그를 선발해서 쪽지를 전달하게 한 것은 그가 영어를 할 수 있을 뿐더러 브라운에게 얼굴이 알려져 있었기 때문이다. 어둑한 시간에 접근해 오는 말레이인이라면 혹시 겁에 질린 백인들에게 사살될 수도 있었지만 그에게는 그럴 염려가 거의 없었던 것이다.

「코넬리우스는 쪽지를 전달한 후에 가지 않았다. 브라운은 작은 모닥불 곁에 앉아 있었고, 다른 백인들은 모두 누워 있었다. "당신이 알고 싶어 할 만한 것을 말해 줄까 하오." 코넬리우스가 화난 듯이 투덜댔다. 브라운은 못 들은 척했다. 상대방이 말을 이었다. "당신은 그를 죽이지 않았는데 그 결과로 무얼 얻었소? 부기스족의 가옥들을 약탈한다든지 라자로부터 돈을 뜯어낼 수도 있었을 텐데, 당신은 아무것도 얻지 못하고 말았소." "이곳에서 당장에 꺼지는 게 좋겠소." 브라운은 그를 쳐다보지도 않고 으르렁거렸다. 하지만 코넬리우스는 그의 곁에 털썩 주저앉은 후 이따금 그의 팔꿈치를 건드리면서 아주 빠르게 속삭이기 시작했다. 그가 말한 내용을 듣고 처음에는 브라운이 일어나 앉아 욕을 했다. 그는 그저 강 하류 쪽에 다인 와리스의 무장한 집단이 있다는 말만 들었던 것이다. 처음에 브라운은 자기가 철저히 속아서 배반당한다고 여겼지만, 한순간 곰곰이 생각해 본 끝에 아무 배반도 의도되지는 않았을 거라고 확신했다. 그가 아무 말도 하지 않자 얼마 후에 코넬리우스는 철저히 무관심하다는 듯한 어조로, 강을 빠져나가는 데는 다른 수로도 있으며 자기가 잘 알고 있다고 했다. "알아 두면 좋겠군." 브라운이 관심을 보이며 말했다. 그러자 코넬리우스는 고을에서 있었던 일을 이야기하기 시작했고 회의에서 오간 말도 되풀이했는데, 마치 잠을 깨워서는 안 될 사람들 사이에서 말하듯이 브라운의 귀에 대고 나직하고 고른 어조로 말했다. "그 사람은 이제 내가 아무 해도 끼치지 못할 거라고 여기는군요?" 브라운은 아주 낮은 목소리로 투덜댔다……. "네, 그는 바보니까요. 어린 아이지요. 그는 이곳에서 나에게도 강도짓을 했다니까요." 코넬리우스가 싱거운 어조로 말을 계속했다. "뿐만 아니라 그는 이곳 사람들이 모두 자기 말을 믿도록 만들었지요. 하지만 어떤 일이 일어나서 사람들이 그의 말을 더 이상 믿지 않게 된다면 그가 설 자리는 없어집니다. 그리고 선장님, 그 부기스족의 다인[30]이 지금 강 하류

---

30) 말레이어에서 높은 지위를 가진 사람 앞에 붙이는 존칭. 따라서 '다인 와리스'는 '와리스 님' '와리스 나으리' 정도에 해당한다고 할 수 있다.

에서 당신네를 기다리고 있는데, 처음 왔을 때 당신네를 이 언덕으로 몰아낸 사람이 바로 그였지요." 브라운은 흥미 없다는 듯한 말투로 그런 사람이라면 피하는 것이 좋을 거라고 했다. 그랬더니 코넬리우스는 초연히 생각에 잠긴 듯한 태도로 말하기를 자기는 브라운의 보트가 와리스의 진영을 지나갈 수 있는 넓은 뒷길 수로를 잘 알고 있다고 했다. "아주 조용히 지나가야 합니다." 그는 마치 뒷궁리를 하듯이 말했다. "왜냐하면 그의 진영과 아주 가까운 곳을 한 군데 지나가야 하기 때문이죠. 바짝 붙다시피 지나가야 한다고요. 그들은 보트를 땅 위에 올려놓고 야영 중이랍니다." "오, 쥐 죽은 듯이 가만히 있을 테니 그건 걱정 마시오." 브라운이 말했다. 코넬리우스는 자기가 브라운에게 수로를 안내할 경우에는 자기의 카누까지 예인해 가야 한다는 조건을 달았다. "나는 빨리 되돌아 와야 할 테니까요." 그가 그 이유를 설명했다.

「백인 강도들이 자기네 보트를 타고 내려온다는 보고가 외곽 감시초소에서 방책으로 전달된 것은 날이 새기 두 시간 전이었다. 순식간에 파투산의 한쪽 끝에서 다른 끝까지 모든 무장 인원은 경계 상태에 들어갔다. 그러나 강의 양쪽 둑은 너무 조용해서, 갑자기 흐릿한 불길을 올리곤 하는 모닥불들이 없었다면, 고을은 평화 시처럼 잠들어 있는 것처럼 보였을 것이다. 물 위에 나직이 깔린 안개가 아무것도 보여 주지 않는 환상적 회색빛을 만들어 내고 있었다. 브라운의 대형 보트가 수로에서 강으로 미끄러져 들어갔을 때 짐은 라자의 방책 앞에 있는 낮은 돌출부에 서 있었다. 그곳은 그가 처음으로 파투산의 땅을 밟았던 곳이기도 했다. 그림자 같은 것이 하나 나타나서 회색 안개 속에 외로이 움직였지만 그 큰 덩치의 정체가 계속 눈에 포착되지는 않았다. 그쪽에서 나직이 중얼거리는 소리가 들렸다. 키의 손잡이를 잡고 있던 브라운은 짐의 조용한 말소리를 들었다. "안전한 뱃길이오. 안개가 끼어 있는 동안은 물살에 배를 맡기고 내려가는 것이 좋을 거요. 하지만 안개는 곧 걷힐 거요." "알았소. 곧 걷히겠지요." 브라운이 대답했다.

「삼사십 명쯤 되는 사내들이 방책의 바깥에서 총을 받쳐 든 채 서서 숨을 죽이고 있었다. 내가 스타인의 집 베란다에서 보았던 부기스족의 쾌속 범선 선주가 그때 그들 틈에 섞여 있었는데, 그가 나에게 말하기를 보트가 그 낮은 돌출부를 스치듯이 지나갈 때 한순간 커져서 산더미처럼 그 지점에 걸려 있는 것처럼 보였다고 했다. "당신이 해상으로 나가서 하루쯤 기다려도 괜찮겠다면, 내가 거세한 황소와 약간의 얌을 조달하는 대로 보내도록 하겠소." 짐이 소리쳤다. 그 그림자는 계속 움직이고 있었다. "네. 그렇게 하시오." 안개에 싸인 멍한 목소리가 대답했다. 많은 사람들이 조심스럽게 경청하고 있었지만 아무도 그 말의 뜻은 알지 못했다. 그러자 보트에 타고 있던 브라운과 부하들은 떠내려갔는데 유령처럼 아무 소리도 없이 사라졌다.

「이렇게 안개에 가려진 채 브라운은 보트의 고물에서 코넬리우스와 나란히 앉아 파투산을 벗어났다. "아마도 거세한 작은 황소를 한 마리쯤 얻게 되겠군요." 코넬리우스가 말했다.

"오, 그렇겠지. 거세한 황소에다 얌까지. 그는 말한 대로 보내 줄 거요. 그는 늘 진실만 말하니까. 그는 내가 가졌던 것을 모두 훔쳤다오. 보아하니 당신은 많은 가옥의 약탈보다 거세한 작은 황소 한 마리를 더 바라는 것 같소." "입을 다물고 있는 것이 좋을 거요. 계속 입을 놀리면 부하들이 당신을 이 망할 놈의 안개 속으로 던져 버릴 거요." 브라운이 말했다. 보트는 가만히 서 있는 것 같았다. 아무것도 보이지 않았다. 보트 바로 곁에 있는 강물도 보이지 않았다. 오직 물의 작은 입자만이 날아다니다 응결해서 그들의 수염이며 얼굴을 따라 방울방울 흘러내렸다. 브라운은 참으로 음산했다고 나에게 말했다. 그들 각자는 마치 혼자서 보트를 타고 표류하면서 비록 감지할 수는 없었지만 혹시 유령들이 한숨짓거나 투덜대고 있는 게 아닐까 하는 생각에 시달리고 있었다. "날 던져 버리겠다고요? 하지만 나는 내 위치를 알고 있는걸요." 코넬리우스가 실쭉하게 중얼댔다. "나는 이곳에서 오랫동안 살아왔다고요." "아무리 오래 살았어도 이런 안개 속에서야 볼 수가 없을걸." 브라운은 이렇게 말하면서 쓸모가 없게 된 키의 손잡이에 맥없이 기댄 채 팔을 앞뒤로 흔들고 있었다. "그렇잖아요. 오래 살아서 볼 수가 있다니까요." 코넬리우스가 큰소리를 쳤다. "그거 아주 쓸모가 있겠군." 브라운이 논평했다. "이렇게 안개가 눈을 가리는데도 당신이 말했던 그 뒤쪽 수로를 찾을 수가 있단 말이군." 코넬리우스는 투덜대다가 얼마쯤 침묵을 지킨 뒤에 "당신네들은 너무 지쳐서 노를 저을 수도 없는 거요?"라고 물었다. "절대로 그렇진 않소." 브라운이 갑자기 소리를 질렀다. "자, 모두들 노를 잡도록." 안개 속에서 툭툭 부딪는 소리가 들렸고, 얼마쯤 지난 뒤에 그 소리는 보이지 않는 놋좆에 끼인 노가 보이지 않게 휩쓸며 내는 규칙적인 마찰음으로 정착했다. 그 소리를 제외한다면 아무것도 변한 것이 없었다. 물에 잠긴 노의 날이 내는 가벼운 첨벙거림이 없었더라면 구름 속에서 기구(氣球)를 타고 노를 젓는 기분이나 다름없었을 거라고 브라운은 말했다. 그 후 코넬리우스는 입을 열지 않았고, 오직 보트 뒤에 예인되어 오던 자기의 카누에 스며든 물을 누군가가 좀 퍼내 달라고 싸울 듯한 말투로 요청했을 뿐이다. 차츰 안개가 하얗게 변했고 앞쪽이 훤해졌다. 브라운은 왼쪽으로 어둠을 보았는데 마치 떠나가는 밤의 이면을 보고 있는 기분이었다. 갑자기 머리 위에 잎이 무성한 커다란 나뭇가지 하나가 나타났고, 조용히 물방울만 떨어뜨리고 있던 잔가지들의 끝 부분이 그의 바로 곁에 가느다랗게 휘어져 있었다. 코넬리우스는 말없이 브라운의 손에서 키의 손잡이를 빼앗았다.」

44장

「그들이 다시 말을 나누었다고는 생각되지 않는다. 보트는 어떤 좁은 곁 수로로 들어갔고, 거기서는 허물어지고 있는 둑에 노를 대고 보트를 앞으로 밀었다. 수림의 꼭대기까지 가득 찬 안개 위로 거대한 검정 날개들이 펼쳐져 있듯이 어둠이 덮고 있었다. 머리 위의 가지들은 어두운 안개 속으로 커다란 물방울들을 소낙비처럼 떨어뜨리고 있었다. 코넬리우스가 뭐라 중얼대자 브라운은 부하들에게 실탄을 장전하라고 명했다. "이 쓸사나운 병신들아. 망하는 날 망하더라도 우선 그놈들에게 보복할 수 있는 기회를 너희들에게 허용하겠다." 그는 부하들에게 이렇게 말했다. "그러니 이놈들아 이 기회를 놓치지 않도록 해라." 부하들은 나직이 으르렁거림으로써 그 말에 화답했다. 코넬리우스는 자기 카누의 안전에 몹시 신경을 썼다.

「한편, 탐 이탐은 자기 행선지에 도달했다. 안개가 그를 약간 지체시켰지만 그는 강의 남쪽 기슭에 딱 붙어서 꾸준히 노를 저었던 것이다. 이윽고 햇빛이 젖빛 유리 공 속에서 타오르는 불처럼 나타났다. 강 양쪽 기슭은 시커먼 얼룩처럼 보였는데 그 속에서 기둥처럼 생긴 형상들과 비틀린 나뭇가지의 그림자를 암시하는 것들이 높다랗게 뻗친 것을 볼 수 있었다. 강물 위의 안개는 여전히 짙었지만 사람들은 강 위를 엄밀히 감시하고 있었다. 탐 이탐이 야영지에 접근하자 하얀 수증기 속에서 두 사람의 모습이 나타났고 요란한 목소리로 그에게 말을 걸었다. 그는 응답했고 얼마 후에 카누 한 척이 그의 곁에 와 닿았다. 그는 노를 저어 온 사람들과 새 소식을 교환했는데 만사는 잘 되어 가고 있었다. 어려운 일들은 지나간 셈이었다. 그러자 카누를 타고 온 사람들이 그의 통나무배 측면을 잡고 있던 손을 놓더니 아무렇게나 사라져 버렸다. 그가 계속 나아가니까 결국 강물 위로 조용히 그에게 다가오는 목소리가 들렸고 마침 소용돌이치며 걷히고 있던 안개 아래의 모래밭에 피워 놓은 많은 모닥불들이 가늘고도 높다란 수목과 관목 숲을 배경으로 불타고 있는 것이 보였다. 그가 수하(誰何) 제지를 당한 것을 보면 그곳 또한 경계 중이었다. 그는 자기 이름을 큰 소리로 대면서 마지막 노질을 두 차례 해서 카누를 모래언덕 위에 올려놓았다. 대규모 야영장이었다. 여러 집단으로 나뉘어 웅크리고 있던 사내들이 숨을 죽인 목소리로 이른 아침 담소를 나누고 있었다. 하얀 안개 위로 가느다란 실 같은 연기가 모락모락 피어오르고 있었다. 간부들을 위한 안식처들이 땅 위로 높다랗게 세워져 있었다. 소총들은 작은 피라미드를 이루며 세워져 있었다. 그리고 모닥불마다 긴 창이 한 자루씩 모래에 꽂혀 있었다.

「탐 이탐은 아주 중대한 사명을 띠고 온 듯한 모습으로 다인 와리스에게 인도해 달라고 요구했다. 자기 백인 주인의 친구는 대나무로 높다랗게 지은 침상 위에 누워 있었는데 막대기에 매트를 덮은 오두막으로 밤이슬을 피하고 있었다. 다인 와리스는 깨어 있었고 조잡하게 지은 사원 같던 그의 침소 앞에는 불이 환하게 타고 있었다. 도라민 나코다의 외아들은 탐 이탐의 인사에 다정하게 답했다. 탐 이탐은 자기가 전하는 말의 진실성을 보증하는 반지를 그에게 전했다. 다인 와리스는 팔꿈치를 받치고 누운 채 그에게 모든 소식을 말하라고 명했다. 탐 이탐은 성스러운 제문(祭文)처럼 "좋은 소식입니다."라는 말로 시작한 후 짐의 말을 전달했다. 백인들은 모든 촌장들의 동의를 받아 떠나므로 강 하류로 내려가도록 허용되어야 한다는 내용이었다. 한두 가지 질문을 받고 탐 이탐은 마지막 회의에서 논의되었던 일들을 보고했다. 다인 와리스는 끝까지 경청하면서 그 반지를 만지작거리다가 결국은 자기 오른손 집게손가락에 끼웠다. 말을 다 들은 후에 그는 탐 이탐을 놓아주며 음식을 들고 휴식을 취하게 했다. 오후에 귀환한다는 명령도 재깍 내려졌다. 그러고 나서 다인 와리스는 눈을 뜬 채 다시 누웠고 그의 몸종들은 불 옆에서 그가 먹을 음식을 장만하고 있었다. 탐 이탐도 불 옆에 앉아 고을의 새 소식을 들으러 어슬렁거리며 다가온 사내들과 이야기하고 있었다.

태양이 안개를 집어삼키고 있었다. 백인들이 타고 있는 배가 언제 나타날지 모르는 강 본류의 기슭에서는 엄중한 경계가 계속되었다.

「브라운이 보복을 한 것은 바로 그때였다. 스무 해 동안이나 세상을 멸시하며 무모하게 협박을 일삼아 온 그에게 도둑들이 으레 거둬들이는 성공이라는 공물(貢物)을 바치지 못하겠다고 한 세상에 대한 보복이었다. 그것은 냉혹하고 포악한 행위였으며 마치 자기가 저지른 불굴의 항거에 대한 기억처럼 임종의 자리에 누운 그에게 위안을 주었다. 그는 부기스족 야영지와는 반대되는 섬의 뒤쪽으로 부하들을 몰래 상륙하게 한 후 그들을 인솔하고 섬을 건넜다. 상륙하는 순간 몰래 빠져나가려고 하던 코넬리우스는 잠시 동안 소리 없이 승강이한 끝에 체념하고 덤불이 가장 성긴 곳까지 길을 안내했다. 뒤따르던 브라운은 큼직한 손으로 코넬리우스의 깡마른 두 손을 등 뒤쪽으로 움켜잡고 가면서 이따금 사납게 그를 앞으로 밀쳤다. 물고기처럼 말이 없던 코넬리우스는 비열했지만 자기의 목적에는 충실했고, 이제 그 성취가 그의 눈앞에 희미하게 떠오르고 있었다. 숲의 가장자리에서 브라운의 부하들은 몸을 은폐한 채 흩어져서 기다렸다. 그들의 눈앞에 야영지의 전경이 빤히 드러나 있었고 아무도 그들 쪽을 바라보지 않았다. 그 섬 뒤쪽에 좁은 수로가 있다는 것을 백인들이 알고 있으리라고는 아무도 꿈조차 꾸지 못했다. 결정적인 순간이 되었다고 판단하자 브라운은 "맛을 보여 줘라."고 소리쳤고 열네 발의 총탄이 한꺼번에 요란하게 발사되었다.

「탐 이탐이 나에게 말하기를, 그 기습은 너무 엄청나서 첫 번째 사격이 있고 난 후 상당한 시간이 흐르도록 죽거나 부상한 사람들을 제외하고 성한 사람들은 아무도 꼼짝하지 않았다고 한다. 이윽고 한 사내가 비명을 올렸고 뒤이어 모든 사람들은 굉장한 경악과 두려움으로 고함을 질렀다. 맹목적인 공포에 질린 그들은 마치 물을 두려워하는 소 떼처럼 강가에서 물결을 이루며 우왕좌왕했다. 그때 몇몇 사람은 강물로 뛰어들었지만, 대부분은 마지막 사격이 있은 후에야 뛰어들었다. 브라운의 부하들은 그 군중을 향해 세 차례 사격을 가했고, 유일하게 몸을 드러내고 있던 브라운은 욕을 하면서 "낮게 조준해라! 낮게 조준해라!"라고 소리를 지르고 있었다.

「첫 일제 사격 후에 탐 이탐은 이미 무슨 일이 일어났는지를 알았다고 말한다. 총을 맞지는 않았지만 그는 엎어져서 죽은 듯이 누워서 눈만 뜨고 있었다. 침상에 누워 있던 다인 와리스는 첫 번째 총성을 듣고 벌떡 일어나서 탁 트인 강변으로 뛰어나가다가 두 번째 사격 때 이마에 총탄을 맞았다. 그가 두 팔을 활짝 펼치면서 쓰러지는 것을 탐 이탐은 보았다. 그전까지는 두렵지가 않던 탐 이탐도 그 광경을 보고 나서는 굉장한 두려움를 느꼈다고 한다. 백인들은 내습해 올 때처럼 눈에 띄지 않게 퇴각했다.

「이런 식으로 브라운은 악운에 대해 보복했다. 이 끔찍한 돌발 행위에 있어서조차 범상한 욕망의 외피(外皮) 속에 정당성이라는 추상 개념을 지니고 다니는 사람에게나 있을 법한 일종의 우월성이 나타나 있었다는 사실에 주목해야 한다. 그

것은 천박하고 배반적인 살육 행위가 아니었고, 교훈을 주고 앙갚음하자는 것이었다. 그리고 그것은 우리의 애매하면서도 끔찍한 인간적 속성이 발휘된 사례인바, 그 속성은 표면 아래 숨어 있되 불행히도 우리가 생각하고 싶은 만큼 깊이 숨어 있지 않다.

「그 후 백인들은 탐 이탐의 눈에 보이지 않게 떠났고 사람들의 눈에서 완전히 사라져 버리는 듯했다. 스쿠너 범선도 도난당한 물건처럼 감쪽같이 사라지고 말았다. 그러나 한 달 뒤에 인도양을 지나던 화물선이 하얀색의 대형 보트를 한 척 구조했다는 이야기가 전해지고 있다. 그 보트에서 피골이 상접한 노란 얼굴에 유리알 같은 눈을 반짝이며 속삭이던 두 사내가 브라운이라고 자처하던 세 번째 사내의 권위를 받들고 있었다. 브라운의 신고에 의하면 그의 스쿠너 범선은 자바에서 생산된 사탕을 싣고 남쪽으로 항해하던 중 배에 너무 많은 물이 스며들어 결국은 침몰했으며, 자기와 두 동료는 여섯 명의 선원 중의 생존자라고 했다. 두 사람은 그들을 구조했던 기선에서 죽었다. 브라운은 살아남아서 내 눈에 띄었고, 그 결과 그가 끝까지 자기의 악역을 수행했다는 사실을 내가 여기서 증언할 수 있게 되었다.

「하지만 브라운 일당은 떠나면서 코넬리우스의 카누를 떼어 버리지 않았던 것 같다. 사격이 처음 시작되었을 때, 브라운은 이별의 축복 인사 삼아 발길질을 하며 코넬리우스를 놓아주었다. 죽은 자들 사이에서 일어난 탐 이탐은 시신과 꺼져 가는 모닥불 사이로 그 기독교도가 뛰어다니는 것을 보았다.

그는 작은 비명을 올리고 있었다. 갑자기 그는 강물로 뛰어가서 부기스족이 타고 온 보트 중의 한 척을 물에 띄우려고 미친 듯이 애쓰고 있었다. "그 무거운 카누를 쳐다보며 머리를 긁적이고 있다가 그는 결국은 저를 보게 되었습니다." 탐 이탐이 말했다. "그 사람은 어떻게 되었소?" 내가 물었다. 날 빤히 쳐다보고 있던 탐 이탐은 자기 오른손으로 암시적인 제스처를 해 보였다. "두 차례 쳤지요. 투안." 그가 말했다. "제가 다가서는 것을 보고 그는 땅바닥에 쿵 나자빠지더니 발로 차는 시늉을 하면서 비명을 지르더군요. 그는 놀란 암탉처럼 꽥 소리를 지르다가 결국은 칼날 맛을 보았지요. 그러더니 조용해지면서 눈에서 생명이 사라지는 동안 저를 노려보고 있었습니다."

「그리고 나서 탐 이탐은 더 머뭇거리지 않았다. 그는 자기 자신이 누구보다 앞서 그 무서운 소식을 요새에 전할 필요가 있음을 알고 있었다. 물론 다인 와리스 일행 중에는 살아남은 사람들이 많이 있었다. 그러나 극단적인 공포에 질린 나머지 몇몇은 강을 헤엄쳐 건넜고 몇몇은 숲으로 도망쳤다. 사실 그들은 누가 그런 공격을 가했는지, 더 많은 백인 강도들이 들이닥치고 있지나 않은지, 이미 그들이 전 지역을 다 장악하고 있지나 않은지 전혀 모르고 있었다. 그들은 자기네가 어떤 거대한 음모의 희생자이며 전적으로 파멸할 운명에 처해 있다고 상상했다. 그래서 몇몇 작은 집단의 주민들은 사흘이 지나도록 고을로 돌아오지 않았다고 오늘날 전해진다. 그러나 몇몇 사람은 당장에 파투산으로 돌아가려고 했으며, 그날 아침에 강을 초계하고 있던 카누 중의 한 척은 공격을 당하던 바로 그 시점에 야영지가 보이는 곳에 있었다. 그 카누에 타고 있던 사람들이 처음에는 배에서 뛰어내려 강 건너편으로 헤엄쳐 간 것이 사실이지만 나중에 그들은 자기네 보트로 돌아가서 겁에 질린 채 강 상류로 올라갔다. 탐 이탐은 이들보다 한 시간 앞질러 파투산에 도달했다.」

45장

「탐 이탐이 미친 듯이 노를 저으며 고을이 있는 강변으로 들어왔을 때, 가옥들 앞쪽의 선착장에서 무리 짓고 있던 아낙네들은 다인 와리스의 작은 선단이 귀환하기를 기다리며 강을 지켜보고 있었다. 고을에는 축제 분위기가 감돌고 있었다. 아직도 손에 창과 총을 든 사내들이 강변에서 무리 지어 움직이거나 가만히 서 있었다. 중국인 가게들은 일찍 문을 열었다. 그러나 시장은 아직도 텅 비어 있었고, 요새 모퉁이에 배치된 보초병이 탐 이탐을 알아보고 안쪽에 있던 사람들에게 소리를 질렀다. 문이 활짝 열렸다. 탐 이탐은 강변으로 뛰어내린 후 곧장 달려갔다. 그가 처음 만난 사람은 집에서 내려오고 있던 주얼이었다.

「혼란에 빠져 헐떡이던 탐 이탐은 사나운 눈으로 입술을 떨면서 그녀 앞에 한동안 서 있었는데 마치 갑자기 그에게 마력이 걸린 듯했다. 그러더니 그는 아주 빨리 소식을 털어놓았다. "그들이 다인 와리스와 많은 사람들을 죽였습니다." 그녀가 두 손을 마주 치며 처음 한 말은 "문들을 닫으세요."였다. 요새를 지키던 사람들은 대부분 집으로 돌아가고 없었지만, 탐 이탐은 당직 차례를 기다리며 요새 안에 남아 있던 사람들에게 서둘러 문을 닫게 했다. 사람들이 이리저리 뛰어다니는 동안 주얼은 뜰 가운데에 서 있었다. 탐 이탐이 지나칠 때 그녀는 절망적인 어조로 "도라민이……"라고 말했다. 다시 그녀를 지나치며 그는 그녀의 속마음에 재빨리 답했다. "네. 하지만 파투산에서 모든 탄약은 우리가 가지고 있습니다." 그녀는 그의 팔을 잡고 집 쪽을 가리키며 "그분을 불러내세요."라고 떨리는 목소리로 속삭였다.

「탐 이탐은 계단을 뛰어 올라갔다. 그의 주인은 아직도 자고 있었다. "접니다. 탐 이탐입니다." 그는 문간에서 소리쳤다. "긴급한 소식이 있습니다." 짐이 베개에 기댄 채 돌아눕고 눈을 뜨자 그는 즉시 털어놓았다. "투안, 운수가 나쁜 날입니다. 저주받은 날입니다." 그의 주인은 다인 와리스가 그랬던 것처럼 팔꿈치에 기대며 몸을 일으켰다. 그러자 탐 이탐은 차근차근히 이야기하려고 애를 쓰면서 입을 열었다. 그는 다인 와리스를 팡글리마[31]라고 부르면서 이렇게 말했다. "팡글리마께서는 자기 뱃사람들의 우두머리에게 말씀하시길 '탐 이탐에게

---

31) 말레이어로 '우두머리' 혹은 '추장'이라는 뜻.

먹을 것을 좀 줘라.'고 하셨습니다." 이때 그의 주인은 바닥에 발을 대면서 그를 바라보았는데 그 얼굴이 너무 혼란해 보였기 때문에 탐 이탐의 말은 그만 목에 걸리고 말았다.

「"말해 보아라." 짐이 말했다. "그가 죽었느냐?" "제발 나으리께선 무사하시기를." 탐 이탐이 부르짖었다. "가장 잔혹한 배반이었습니다. 그분께선 첫 번째 총성을 듣고 달려 나오시다가 쓰러지셨습니다." ……그의 주인은 창가로 걸어가더니 주먹으로 덧창을 쳤다. 방이 환해졌다. 그러자 그는 꿋꿋하고 빠른 목소리로 탐 이탐에게 즉각 추격할 수 있도록 보트 선단을 모이게 하라느니 이 사람 저 사람을 찾아가라느니 심부름꾼을 보내라느니 하는 지시를 내렸다. 이런 말을 하는 동안 그는 침대에 앉아서 허리를 굽히고 서둘러 신발 끈을 매더니 갑자기 탐 이탐을 쳐다보았다. "왜 여기 서 있는 거야?" 그는 아주 새빨간 얼굴로 물었다. "시간이 없다." 탐 이탐은 움직이지 않았다. "용서하십시오. 투안. 하지만…… 하지만……." 그는 더듬기 시작했다. "뭐라고?" 그의 주인은 험상궂은 얼굴을 하고 두 손으로는 침대의 가장자리를 움켜쥔 채 몸을 앞으로 내밀며 고함질렀다. "나으리의 하인이 백성들 앞에 나간다면 안전하지 않습니다." 잠시 동안 머뭇거리던 탐 이탐이 말했다.

「그제야 짐은 이해할 수 있었다. 그는 어떤 충동적인 뛰어내림이라는 사소한 일 때문에 한 세상을 피해 나온 적이 있었는데, 이제는 자기 손수 성취한 과업이 허물어져서 머리 위로 쏟아져 내리고 있었다. 그 자신의 백성들 사이에서 그가 부리는 하인이 안전하게 다니지도 못하게 되다니! 바로 그 순간 이런 재난에 대응하는 유일한 방안이 그에게 떠올랐고 그 방안대로 대응해야겠다고 그가 결심했으리라고 나는 믿는다. 그러나 내가 아는 것은 그가 아무 말도 없이 자기 방에서 나와 긴 탁자 앞에 앉았다고 하는 사실뿐이다. 그 탁자의 첫머리에 앉아서 그는 날마다 마음속에 확실히 살아 있던 진실을 선언하며 자기 세계의 일들을 정리하고 있었던 것이다. 암흑의 힘이 그에게서 두 번씩이나 마음의 평화를 빼앗아 가게 할 수는 없는 일이었다. 그는 석상처럼 앉아 있었다. 탐 이탐은 존경 어린 말투로 자위책을 마련하자는 의견을 넌지시 폈다. 그의 사랑하는 여인이 들어와서 말을 걸었지만, 그는 손짓을 했고 그 손짓 속에 담긴 좀 가만히 있어 달라는 말없는 호소에 그녀는 압도되고 말았다. 그녀는 베란다로 나가서 마치 자기 몸을 던져 외부의 위험으로부터 그를 보호하려는 듯이 입구에 앉아 있었다.

「그의 머릿속에 무슨 생각과 무슨 기억이 스치고 있었을까? 누가 알랴? 모든 것이 사라졌다. 한때 자기가 맡았던 일에 충실치 못했던 적이 있는 그가 이제 모든 사람들의 신임을 다시 상실하고 말았다. 그가 누구에겐가 편지를 쓰려고 마음을 먹었다가 그만둔 것도 바로 그때였다고 생각된다. 외로움이 그를 엄습해 왔다. 사람들은 그에게 목숨을 맡기고 있었는데, 그런 것만 없었던들. 하지만 그가 말했던 것처럼, 사람들에게 그 자신을 이해시킬 수는 없었다. 바깥사람들이 듣기에 그는 아무 소리도 내지 않았다. 나중에 저녁 무렵이 되자 그는 문간으로 와서 탐 이탐을 찾았다. "어떻더냐?" 그가 물었다. "많은 곡성이 들리고 분노도 대단합니다." 탐 이탐이 말했다. 짐은 그를

쳐다보았다. "너는 알겠지." 그가 중얼댔다. "네, 투안." 탐 이
탐이 말했다. "이 하인은 알고 있습니다. 그래서 문을 닫아 두
었습니다. 우리는 싸워야 할 테니까요." "싸우다니! 무엇을 위
해서?" 그가 물었다. "우리의 목숨을 위해서죠." "나에게는 목
숨이 없다." 그가 말했다. 탐 이탐은 문간에 있던 여인의 비명
을 들었다. "혹시 아나요?" 탐 이탐이 말했다. "대담하고 약게
만 군다면 우리가 도망칠 수도 있지요. 주민들은 마음속으로
크게 두려워하고 있으니까요." 그는 보트를 타고 공해로 나갈
생각을 막연히 하면서 짐과 여인을 함께 있게 남겨 두고 밖으
로 나왔다.

「주얼은 자기의 행복을 확보하기 위해 짐과 실랑이하며 보
냈던 한 시간 남짓 동안에 있었던 일을 나에게 말해 주었지만
여기다 그것을 적어 볼 용기가 나에게는 없다. 그에게 무슨 희
망이라도 있었는지, 그가 무엇을 기대했으며 무슨 상상을 했
는지 알 수도 없다. 그는 굽히지 않았고 자기 완고함이 빚은
외로움이 점차 깊어짐에 따라 그의 정신은 폐허로 변한 자기
존재를 초월해서 상승하고 있는 듯했다. 그녀는 그의 귀에 대
고 "싸워요!"라고 외쳤다. 싸워야 할 이유가 없다니, 그녀로서
는 이해가 되지 않았다. 그는 다른 방식으로 자기의 힘을 증명
하고 파멸적인 운명 자체를 정복하려 하고 있었다. 그는 뜰로
나왔고, 머리카락을 늘어뜨리고 험상궂은 얼굴을 한 그녀가
헐떡이며 비틀비틀 그의 뒤를 따라 나와서는 문간에 기대고
있었다. "문들을 열어라." 그가 명했다. 나중에 그는 울안에 남
아 있던 사람들에게 자기네 집으로 돌아가도 좋다고 허락했

다. "언제 돌아올까요, 투안?" 그들 중의 한 사람이 겁을 먹고 물었다. "영영 돌아오지 말아라." 그는 암담한 어조로 말했다.

「슬픔이 거처하던 집이 열리면서 터져 나온 광풍 같은 울음과 애도가 강 위를 휩쓸고 지나간 뒤에 고을에는 정적이 내렸다. 그러나 속삭임 속에 여러 풍문이 난무하면서 사람들의 가슴은 경악과 무서운 의혹으로 가득 찼다. 강도들이 커다란 배에 다른 많은 사람들을 싣고 되돌아올 것이라느니, 그렇게 되면 그 땅에는 어느 누구를 위한 피난처도 없을 것이라고 했다. 지진이 났을 때 같은 철저한 불안정이 사람들의 마음에 가득했고, 그들은 마치 어떤 무서운 조짐 앞에 서 있듯이 서로의 얼굴을 쳐다보며 자기네들의 억측을 속삭이고 있었다.

「다인 와리스의 시신이 도라민의 마을로 운구되어 왔을 때 밀림 위로 해가 지고 있었다. 연만한 모친이 돌아오는 아들을 맞도록 문간으로 내려보낸 하얀 시트로 단정하게 감싼 시신을 네 명의 사내들이 운구했다. 그들은 도라민의 발 앞에 시신을 내려놓았고, 노인은 두 무릎에 손을 하나씩 놓은 채 오랫동안 가만히 내려다보고 있었다. 그의 머리 위에서 줄기와 잎을 분간할 수 없는 종려나무들이 조용히 흔들렸고 과일나무 잎도 살랑거렸다. 드디어 늙은 나코다가 눈을 쳐들고 보니 자기 백성 중의 사내들은 한 사람도 빠짐없이 모두 와 있었다. 그는 빠진 사람의 얼굴을 찾아내려는 것처럼 군중을 천천히 살펴보았다. 그의 턱이 다시 가슴으로 떨어졌다. 많은 사람들의 속삭임이 나무 잎의 가벼운 살랑거림과 뒤섞였다.

「탐 이탐과 주얼을 사마랑으로 데리고 나왔던 말레이인도 거기 현장에 있었다. 그는 나에게 '많은 사람들처럼 화가 나 있지는 않았으나 천둥을 머금은 구름처럼 사람들의 머리 위에 걸려 있던 인간 운명의 돌발적인 성격' 앞에서 굉장한 경외와 경이로움을 충격적으로 느꼈다고 말했다. 도라민의 지시로 시신을 덮고 있던 시트를 벗기자 사람들이 흔히 백인 지배자의 친구라고 부르던 다인 와리스가 마치 잠을 깨려는 것처럼 눈까풀을 약간 벌린 채 변치 않은 모습으로 누워 있었다고 그는 나에게 말해 주었다. 도라민은 마치 땅에 떨어진 물건을 찾는 것처럼 몸을 앞으로 더 숙이고 있었던 것이다. 그는 시신을 발끝에서 머리까지 살폈는데 아마도 상처를 찾고 있었을 것이다. 상처는 이마에 있었는데 작았다. 곁에 서 있던 사람이 허리를 굽혀 싸늘하게 식은 손가락에서 은반지를 뺐을 때 아무도 말이 없었다. 그는 말없이 도라민 앞에 반지를 받쳐 들었다. 그 눈에 익은 신표를 보자 사람들 사이에는 불안과 공포의 속삭임이 있었다. 늙은 나코다는 반지를 노려보더니 갑자기 통렬한 비명을 올렸다. 깊은 가슴속에서 나오는 고통과 분노의 포효는 부상한 황소의 울음처럼 우렁찼고, 말은 없어도 명백하게 분간될 수 있었던 엄청난 규모의 분노와 슬픔으로 듣는 이의 가슴속에 굉장한 공포를 불어넣었다. 그 후 네 사내가 시신을 옆으로 옮기는 동안 잠시 깊은 정적이 있었다. 그들은 시신을 한 나무 아래에 두었고, 그 순간 집안의 모든 아낙네들이 길게 비명을 올리면서 함께 울기 시작했다. 그들은 귀를 찢을 듯한 울음으로 애도했다. 해는 지고 있었고, 비명이 섞인 애도가 이따금 끊어질 때면 두 명의 늙은이가 노래하듯

코란을 외는 소리만이 들렸다.

「이 무렵에 짐은 포차(砲車)에 기대고 집 쪽으로 등을 돌린 채 강물을 바라보고 있었다. 문간에서는 뛰어다니다가 갑자기 멈추게 된 사람처럼 헐떡이고 있던 여인이 뜰 건너편에 있던 짐을 쳐다보고 있었다. 탐 이탐은 혹시 일어날지 모르는 일을 참을성 있게 기다리면서 주인으로부터 그리 멀리 떨어지지 않은 곳에 서 있었다. 조용히 생각에 잠겨 있는 듯하던 짐이 갑자기 그를 향해 "이 일도 끝낼 때가 되었다."라고 말했다.

「"투안?" 탐 이탐이 날렵하게 앞으로 나오면서 말했다. 그는 주인의 의도를 몰랐다. 하지만 짐이 움직이자 주얼도 움직이며 텅 빈 공간으로 걸어 내려왔다. 그 집에 살던 다른 사람들은 아무도 보이지 않았던 것 같다. 그녀는 가볍게 비틀거렸고 도중에 짐을 불렀지만 그는 다시 마음 편하게 강을 바라보고 있는 듯했다. 그는 대포에 등을 대며 돌아섰다. "싸울 작정이세요?" 그녀가 울부짖었다. "싸워야 할 이유가 없소." 그가 말했다. "잃은 것도 없고." 이 말을 하면서 그는 그녀 쪽으로 한 걸음 다가섰다. "도망하실 작정이세요?" 그녀가 다시 울부짖었다. "도망이란 없소." 그는 갑자기 걸음을 멈추며 말했다. 그녀 또한 멈춰 서서 말없이 그를 삼킬 듯한 눈으로 쳐다보고 있었다. "그렇다면 떠나시나요?" 그녀가 천천히 말했다. 그는 머리를 숙였다. "아! 당신은 미쳤거나 아니면 거짓이군요." 그녀는 사실 그를 빤히 바라보며 소리쳤다. "제가 당신께 절 버리고 떠나시라고 애원하던 날 밤을 기억하세요? 당신은 그럴 수 없다고 했지요. 그건 불가능하다고 했어요. 불가능하다고요! 당신이 영영 절 버리지 않겠다고 말한 걸 기억하세요? 왜 그랬나요? 저는 당신께 약속해 달라는 요구를 하지도 않았어요. 당신은 요구받지도 않은 약속을 했다고요. 기억해 보세요." "그만 하시오. 가엾은 것 같으니." 그가 말했다. "나는 함께 살 만한 자격이 없는 사람이오."

「탐 이탐은 그들이 말하는 동안 그녀가 신들린 사람처럼 요란하고 의미 없는 웃음을 웃곤 했다고 전했다. 그의 주인은 두 손을 머리에 얹었다. 그는 일상생활을 하듯이 옷을 갖춰 입고 있었지만 모자는 쓰지 않고 있었다. 그녀는 갑자기 웃음을 멈췄다. "마지막으로." 그녀가 위협하듯이 울부짖었다. "자위책은 쓰실 건가요?" "아무도 날 건드릴 수 없소." 그는 지극한 이기주의를 마지막으로 번뜩이며 말했다. 주얼이 서 있던 자리에서 몸을 앞으로 숙이면서 두 팔을 펴고 날쌔게 그에게 달려가는 것을 탐 이탐은 보았다. 그녀는 짐의 가슴에 몸을 던지고 목을 끌어안았다.

「"아! 하지만 난 당신을 이렇게 붙잡겠어요." 그녀가 울부짖었다……. "당신은 제 사람이니까요!"

「그녀는 그의 어깨에 기대고 흐느꼈다. 파투산의 하늘은 마치 혈관이 터져서 피가 콸콸 흐르듯이 핏빛으로 붉어지고 있었다. 나뭇가지 사이로 거대한 태양이 둥지를 틀었고, 그 아래쪽 밀림은 범접을 금하는 듯한 검은 얼굴을 하고 있었다.

「그날 저녁에 하늘의 표정은 성이 난 듯 무서웠다고 탐 이탐은 나에게 말했다. 나는 그 말을 믿을 수 있다. 왜냐하면 바로 그날 그 지역에서는 공기가 맥 빠지게 흔들리고 있었을 뿐이지만 해변에서 60마일 이내의 곳에 온대성 저기압 선풍이 지나고 있었기 때문이다.

　"갑자기 짐이 그녀의 팔을 붙잡고 움켜잡은 두 손을 풀려고 하는 것을 탐 이탐은 보았다. 그녀는 머리를 뒤로 젖힌 채 두 팔로 짐에게 매달려 있어서 머리카락이 땅에 닿았다. "이리 좀 와다오!" 주인이 부르니까 탐 이탐은 그녀를 떼어서 앉히는 일을 도왔다. 그녀의 손가락들을 떼어 내기는 어려웠다. 짐은 몸을 숙여 그녀의 얼굴을 빤히 들여다보다가 갑자기 선착장 쪽으로 달려갔다. 탐 이탐이 주인 뒤를 따라가다가 머리를 돌리니까 그녀가 일어서려고 애를 쓰는 모습이 보였다. 그녀는 그들을 몇 발자국 뒤쫓다가 무릎을 무겁게 땅에 대며 쓰러졌다. "투안! 투안! 뒤 좀 돌아보세요." 탐 이탐이 소리쳤다. 하지만 짐은 이미 카누에 올라서서 손에 노를 잡고 있었다. 그는 뒤돌아보지 않았다. 카누가 물 위에 떴을 때 탐 이탐은 뒤쫓아가서 간신히 기어오를 수 있었다. 여인은 수문에서 무릎을 꿇은 자세로 두 손을 모아 쥐고 있었다. 한동안 애소하는 자세로 있던 그녀는 결국 벌떡 일어났다. "당신은 거짓이군요!" 그녀는 짐을 향해 소리쳤다. "날 용서하시오." 그가 소리쳤다. "영영 용서하지 못해요!" 그녀가 되받아 소리쳤다.

　「주인이 노를 젓는 사이에 자기가 앉아 있는 것이 꼴사나울 듯해서 탐 이탐은 짐의 손에서 노를 빼앗았다. 그들이 강 건너편에 도착했을 때 주인은 그에게 더 이상 따라오지 못하게 했다. 그러나 탐 이탐은 멀찍이 떨어져서 그를 따르며 도라민의 마을까지 언덕길을 올라갔다.

「어두워지기 시작했다. 여기저기서 횃불이 번쩍였다. 그들이 만난 사람들은 놀라서 질린 듯했고 짐이 지나갈 수 있도록 급히 비켜섰다. 위쪽에서는 아낙네들의 울음소리가 들렸다. 뜰에는 무장한 부기스족과 그들의 추종자들 그리고 파투산의 주민들이 가득했다.

「그 모임이 실로 무얼 의미했는지 나로서는 알 수 없다. 그게 전쟁의 준비였을까, 아니면 보복하자는 것이었을까, 아니면 임박한 침략을 격퇴하자는 것이었을까. 긴 수염에 누더기를 걸친 백인들이 되돌아올까 봐 주민들이 떨면서 경계하던 일을 그만두기까지는 여러 날이 지나야 했고, 그 백인들이 짐과 어떤 관계였는지 그들로서는 영영 이해할 수 없었다. 그 순박한 사람들이 생각하기에도 짐이라는 사람은 언제나 구름에 가려져 있는 것처럼 보일 뿐이다.

「그 큰 체구에 처참한 얼굴을 한 도라민은 혼자 안락의자에 앉아서 무릎에 두 자루의 부싯돌 권총을 올려놓고 무장한 군중을 향하고 있었다. 짐이 나타나자 누군가가 소리를 질렀고 모든 사람들은 함께 머리를 짐 쪽으로 돌렸다. 군중은 짐의 좌우에서 길을 터 주었고 그는 자기를 외면하고 있는 사람들 사이로 좁게 난 길을 따라 나아갔다. 속삭이는 소리가 그의 뒤에서 들렸다. "저 사람이 이 모든 불행을 일으킨 장본인이야." 또는 "저 사람에게는 죽지 않게 하는 부적이 있대."라고 중얼거리는 소리도 들렸다……. 그는 아마 그 소리를 들었을 것이다.

「횃불이 환하게 비치는 곳으로 그가 들어섰을 때 아낙네들은 울음을 뚝 그쳤다. 도라민은 머리를 들지 않았고 짐은 한 동안 그의 앞에 말없이 서 있었다. 그는 왼쪽을 바라보더니 차근차근 그쪽으로 걸어갔다. 시신의 머리맡에는 다인 와리스 의 모친이 웅크리고 있었고 헝클어진 잿빛 머리카락이 그녀의 얼굴을 가리고 있었다. 짐은 천천히 다가가서 시트를 들고 죽 은 친구를 바라본 후에 말없이 시트를 내려놓았다. 천천히 그 는 되돌아왔다.

「"그가 왔군! 그가 왔어!"라는 중얼거림이 사람들의 입에 서 입으로 옮겨 다녔고 그 소리 쪽으로 그는 옮겨갔다. "이번 일의 책임은 그에게 있지." 누군가가 큰 목소리로 말했다. 그는 이 말을 듣고 군중을 향했다. "네, 내 책임입니다." 몇몇 사람 들이 뒤로 물러섰다. 짐은 도라민 앞에서 한동안 기다렸다가 조용히 말했다. "슬픔에 잠긴 제가 왔습니다." 그는 다시 기다 렸다. "저는 마음의 준비를 하고 무장은 하지 않은 채 왔습니 다." 그가 거듭 말했다.

「몸을 가누기 어려운 노인이 멍에를 진 황소처럼 그 큰 이 마를 낮추면서 무릎 위의 부싯돌 권총을 움켜잡고 일어서려 고 애를 썼다. 그의 목에서는 인간의 소리가 아닌 숨 막히는 듯한 그르럭 소리가 났고 뒤에서 두 명의 시종이 그를 도왔다. 그의 무릎에 놓였던 반지가 떨어지더니 백인의 발 쪽으로 굴 러갔고 가엾은 짐이 그 부적을 흘낏 내려다보는 것을 사람들 은 지켜보았다. 하얀 물보라가 가장자리를 두르고 있는 성벽 같은 밀림 안쪽에서, 그리고 서녁으로 지는 태양 아래서는 마 치 밤의 요새처럼 보이는 해변의 안쪽에서, 그가 명성과 애정과 성공을 거둘 수 있도록 길을 터 준 바로 그 부적이었다. 제 발로 서려고 안간힘을 쓰던 도라민과 부축하던 두 사람의 시종은 한 덩어리가 되어 흔들흔들 비틀거리고 있었다. 그의 작은 눈이 미칠 듯한 고통과 분노의 표정으로 사납게 반짝이며 짐을 노려보는 것을 옆에 있던 사람들은 눈여겨보았다. 그러자 짐이 횃불 빛을 받으며 머리를 드러낸 채 굳은 자세로 서서 그의 얼굴을 똑바로 바라보는 동안, 도라민은 허리를 굽히고 있던 한 젊은이의 목에 왼팔로 무겁게 매달리면서 오른손을 신중하게 쳐들더니 자기 아들 친구의 가슴을 쏘았다.

「도라민이 손을 쳐들었을 때 짐의 뒤에서 좌우로 갈라졌던 군중은 총성이 나자 우르르 앞으로 몰려 나왔다. 그들이 전하는 바에 의하면 그 백인은 좌우로 모든 사람들의 얼굴을 향해 자랑스럽고 굽힘 없는 눈길을 보냈다고 한다. 그러고 난 후에 그는 손을 입술에 대고 앞으로 쓰러져 죽었다.

「그게 끝이었다. 그는 구름에 가려진 채 떠나갔으며, 심중을 헤아릴 길이 없었고, 잊혀졌으되, 용서받지는 못했고, 지나치게 로맨틱했다. 그가 소년다운 꿈을 꾸던 그 걷잡을 수 없던 시절에도 이런 비범한 성공의 유혹적인 형상을 보지는 못했을 것이다. 왜냐하면 그가 자랑스럽고 굽힘 없는 눈길을 보냈던 그 짧은 마지막 순간에 그는 한 동방의 신부(新婦)처럼 베일을 쓰고 자기 곁에 다가온 그 기회의 얼굴을 바라보았기 때문이다.

「그러나 우리는 그가 명성을 챙기는 무명의 정복자가 되어 자기의 도도한 이기주의가 보내는 손짓과 부름을 받고 샘 많은 연인의 품에서 자기 자신을 떼어 내고 있는 모습을 볼 수 있다. 그는 허깨비 같은 이상적 행위와 무자비한 혼례를 올리기 위해서 살아 있는 여인을 버리고 떠나고 있다. 그가 이제는 아주 만족하고 있는 걸까? 나는 궁금하다. 우리는 알아야겠다. 그는 우리 중의 한 사람이다. 게다가 한때는 나도, 불러낸 유령처럼, 그의 영원한 지조를 책임지기 위해 일어선 적이 있지 않았던가? 도대체 나는 그렇게나 잘못 판단했던 걸까? 그가 이제는 이 세상에 없건만, 존재하고 있을 것이라는 현실적인 느낌이 아주 엄청나고 아주 압도적인 힘으로 나에게 다가오는 날들이 있다. 그러나 정말이지, 그가 와해되어 버린 망령처럼 현세의 열정 속에서 길을 잃고 헤매다가 허깨비들로 구성된 자신의 세계가 요구하면 충직하게 굴복하기 위해 내 눈앞에서 사라지는 순간들도 있다.

「누가 알랴? 그는 속을 헤아릴 수 없는 사람으로 가 버렸고, 그 가엾은 여인은 스타인의 집에서 아무 소리 없이 무기력한 삶을 살고 있다. 스타인도 근년에는 무척 늙었다. 스스로 늙었다는 것을 느끼고 있는 그는 자기가 수집한 나비 쪽으로 손을 저으면서 "이 모든 것을 버리고 떠날 준비를 하고 있다."는 말을 자주 한다.」

1899년 9월~1900년 7월

콘래드의 『로드 짐』 —주제와 기법의 현대성

1

조지프 콘래드는 소설에 있어서의 모더니즘을 선도한 작가였다. 서양문학에 있어서의 모더니스트 작풍(作風)은 대체로 1914년의 제1차 세계대전 발발을 전후하여 일기 시작한 문예사조와 관계있는 것으로 여겨지고 있지만, 영국서는 19세기가 저물 무렵에 작품 발표를 시작한 콘래드에 의해 이미 실험되고 있었다. 콘래드는 대표적인 현대 영국 소설가들보다 30년쯤 앞서 태어났고 문단 진출이 좀 늦기는 했지만 다른 작가들보다 십 년 혹은 이십 년쯤 앞서 이미 '현대' 소설을 쓰고 있었던 것이다. 그는 첫 소설을 1895년에 발표한 후 이내 서너 편의 장편소설을 포함한 작품들을 더 썼지만, 현대 소설의 성격을 본격적으로 드러낸 소설은 『로드 짐』이 처음이라 할 수 있으며, 이 소설이 20세기의 시초에 발간되었다는 것은 문학사적으로 주목할 만하다.

콘래드는 『로드 짐』을 쓸 무렵에 의식적 혹은 무의식적으로 소설에 있어서의 새로운 주제와 새로운 형식의 필요성을 절감하고 있었다. 콘래드와 더불어 두 편의 소설을 합작해서 발표한 바 있는 포드 매독스 포드는 콘래드가 세상을 떠난 직후에 쓴 회고록에서 "우리는 소설이 필요로 하는 것은 바로 '새로운 형식'이라는 데 의견의 일치를 보았다."고 말하고 있다.

콘래드가 "새로운 형식"을 필요로 하게 된 배경으로 우리는 무엇보다 그의 예술가적 기질이 지닌 특성을 들 수 있다. 그는 『나르시서스 호의 검둥이』라는 소설에 붙인 유명한 서문에서 예술가는 가시 세계의 모든 면면 속에 숨은 진실을 찾아내어 이를 밝힘으로써 대중에게 호소할 수 있어야 한다고 말한 바 있지만, 실제 창작에 임해서는 이런 진실 찾기가 결코 쉬운 일이 아님을 절감하고 있었다. 그는 어느 에세이에서 "삶은 삶이요, 예술은 예술이지만, 진실은 삶이나 예술 그 어느 것 속에서도 찾기 힘들다."고 푸념한 바 있다. 또 그는 어떤 친구에게 보낸 편지에서 진실은 모든 것이 사라져도 늘 살아남지만, "음산하고 눈에 잘 잡히지 않는 그늘 같은 것이어서 그 이미지를 포착하기가 불가능하다."고 말한 바 있다. 진실을 붙잡기가 힘든 이유는, 그가 보기에, 실체(reality)가 그 성질상 도대체 견고한 것이 되지 못하기 때문이다. 그는 같은 친구에게 보낸 다른 편지에서 "이따금 나는 실존이 자아내는 일종의 악몽 상태에 빠진 채 모든 현실감을 상실하기도 한다."고 말하기도 했다.

진실과 현실에 대한 이 같은 불신과 회의는 콘래드의 작품

쓰기를 어렵게 했다. 이 점은 콘래드 자신의 분신이라 해도 과언이 아닌 작중 서술자 말로에 의해 누차 증언되고 있다. 이를테면 『로드 짐』보다 한 해 앞서 1899년에 발표된 『암흑의 핵심』에서 말로는 이야기꾼으로서의 자기 자신 혹은 작가 콘래드가 당면하고 있던 서술상의 어려움에 대해 다음과 같이 말하고 있다.

내 이야기를 듣고 그것을 마음속으로 그려볼 수 있는가? 무엇이건 그려볼 수가 있는가? 나는 자네들에게 꿈을 이야기하고 있는 것 같아. 꿈이란 아무리 말로써 전달하려 해도, 그 꿈속의 느낌 즉 몸부림치는 거역의 떨림 속에서 부조리함이며 놀라움이며 당혹스러움 등이 뒤섞인 느낌, 그리고 꿈의 본질이라고 할 수 있는 그 믿기 어려운 것들에 의해 붙잡혀 있는 것 같은 느낌을 전달한다는 것은 불가능하므로 꿈 이야기란 원래 헛된 노력이란 말일세.

그러므로 콘래드가 모더니스트 소설가로서 선구적인 역할을 할 수 있었던 것도 어떤 의미에 있어서는 그의 작가적 기질상 필연적이었다고 할 수 있다. 그가 작품의 소재로 삼은 체험의 내용은 그 성격에 있어서 재래의 소설 기법으로는 고스란히 수용될 수가 없는 것이었을 뿐만 아니라 그 체험을 평가하고 작품화하는 그의 작가적 시각 또한 회의주의에 젖어 있었기 때문에, 그의 소설 쓰기는 무언가 "새로운 형식"의 소설 기법을 불가피하게 요구하고 있었다.

그는 1896년에 당대의 평론가 에드워드 가네트에게 보낸 편지 속에서 다음과 같이 말한 적도 있다.

인생에서 느끼는 모든 환희는 불완전하고, 슬픔도 불완전하며, 악행이나 영웅적 행위 또한 불완전한가 하면, 우리가 당하는 고통 또한 불완전하지요. 사건이 물밀듯이 몰려오지만, 사실 아무 일도 일어나지는 않아요. 내가 무슨 말을 하는지 이해하시겠지요. 여러 기회가 있지만 어느 것도 오래 지속되지는 않거든요. 소년들이 읽는 모험담 속에서라면 물론 그렇지가 않겠지만, 내가 쓰는 이야기들은 어느 것도 완결되는 것이 없어요.

여기서 콘래드는 자기의 이야기가 담고 있는 체험의 내용이 '닫힌' 형태의 소설 속에서는 결코 온전히 수용될 없으며, 그 성격상 오직 '열린' 형식을 요구할 수밖에 없음을 분명히 하고 있는데, 작품 소재에 대한 이런 기본적 인식은 1899년에 씌어진 『암흑의 핵심』 속에서 이미 극명하게 표명되고 있었다. 이 작품에서 콘래드는 말로가 하는 이야기의 특성을 말하면서, "그에게 한 에피소드의 의미는 호두 알맹이처럼 껍질 속에 들어 있지 않았고 껍질 밖에서 그 이야기를 둘러싸고 있었는데, 이야기가 그 의미를 끌어내되 마치 한 이글거리는 빛이 주위에 흐린 안개를 풍겨 내듯 했다."고 은유적으로 정의하고 있다.

여기서 호두 속의 "알맹이"와 그 껍질을 둘러싸고 있는 "이글거리는 빛" 또는 "흐린 안개"의 은유는 각각 재래 소설과 콘래드의 소설에서 찾을 수 있는 의미의 내용과 성격을 대표하고 있다. 특히 이 은유는 말로의 이야기 속에 담긴 체험의 내용과 거기서 자아내어지는 의미가 재래의 소설 형식으로는 원만히 수용되기 어렵다는 것을 말하고 있다. 콘래드가 포드와 함께 "새로운 형식"의 필요성을 절감한 것도 다름 아니라 바로 그런 어려움을 인식하고 있었기 때문이라 할 수 있다.

2

『로드 짐』은 콘래드가 『청춘』 및 『암흑의 핵심』에 이어서 쓴 세 번째 '말로의 이야기'이다. 이 소설은, 앞서 나온 두 이야기가 콘래드 자신의 체험에 근거한 것과는 달리, 자서전적 성격을 거의 지니고 있지 않다. 그 줄거리를 아주 단순화해서 진술해 본다면 신의의 배반과 뒤이은 속죄라고 할 수 있다. 어떤 동남아 지역의 기선 한 척이 조난하자 짐이라는 이름으로만 알려진 한 간부 선원은 승객들의 안위를 외면한 채 다른 간부들과 함께 구명정으로 탈출한다. 그 후 그 기선은 침몰하지 않았음이 알려지고 그 선원은 자기가 선원 수칙을 저버린 데 대한 책임으로 선원 자격증을 박탈당한 후 동남아 각지를 떠돈다. 결국 그는 어떤 오지에 정착하게 되고 자기의 비행에 대해 아무것도 모르는 원주민들 사이에서 지배자적 지위에 오르는 데 성공하지만, 이내 바깥세상에서 찾아온 해적 일당과의 대결에서 실패한 후 자살이나 다름없는 죽음을 맞는다. 그러나 이 소설이 이런 줄거리만큼 간단히 읽혀지지 않는 데에 문제가 있다. 그 간부 선원의 배신은 여느 배신처럼 단순하지가 않고, 그의 속죄적 제스처도 그 동기와 양태가 아주 복잡하단다. 그래서 작가 콘래드는 그 간부 선원의 행적과 정신적 여정을 그리기 위해 『로드 짐』이라는 결코 읽기에 쉽지 않은 소설을 써야 했고 또 그 쓰기의 전략상 말로라는 이야기꾼을 고용해야 했다.

『로드 짐』에서도 『암흑의 핵심』에 있어서처럼, 말로가 한 이야기꾼으로서 당면하는 문제는 숨김없이 노출되고 있으며, 어떻게 보면 그 문제의식이 한층 심화되었다고 할 수도 있다. 그러나 이 작품의 현대적 성격을 단순히 서술자의 문제로만 간주할 수는 없다. 그러므로 여기서는 『로드 짐』이 지닌 현대 소설로서의 성격을 주인공 짐의 성격 구성과 말로의 문제를 포함한 서술 기법이라는 두 가지 측면에서 살펴보기로 한다.

우선 주인공 짐의 성격이 재래 소설의 전형적 주인공들과는 판이하다는 점에 주목할 필요가 있다. 재래 소설에서는 작가가 작중인물을 처음 제시할 때 그 성격을 확정지은 후 이를 공들여 묘사하곤 했으며, 그 인물이 일련의 사건과 상황에 처해 드러내는 행태를 통해 그 성격이 구현되게 했다. 그러나 짐을 비롯한 많은 현대 소설의 주인공들은, 재래 소설의 주인공들과는 달리, 신념을 가지고 꿈과 이상을 용기 있게 추구하거나 자기 나름의 믿음을 굳건하게 실천하지 못한다. 그들은 또 자기네 힘으로는 통제할 수 없는 어떤 상황 속에서 완전히 무력한 상태에 몰리거나, 아니면 자기네가 신봉할 수 없는 가치들과 갈등하는가 하면 지배적 가치들을 배반함으로써 도덕적 고립을 자초하기도 한다. 이런 면에서 볼 때, 재래의 주인공들이 영어로 흔히 '히어로'라고 일컬어지곤 한 데 비해 현대의 주인공들이 많은 경우 '안티 히어로'로 일컬어지고 있는 것도 그리 놀랄 일은 아니다.

『로드 짐』이 처음 간행되었을 때 서평가들은 이 소설의 주인공이 재래 소설의 주인공들과는 아주 다르다는 점을 지적했다. 즉 그들은 짐에게서 어딘지 성격적 견고성을 결하고 있을 뿐만 아니라 난해할 정도로 복잡하며 인격적 분열까지 보이고 있는 한 현대인의 모습을 보고 있었던 것이다. 사실, 짐은 워낙 복잡한 인물이기 때문에 그의 성격을 몇 마디로 요약해서 설명할 수는 없다. 그러므로 여기서 우리는 편의상 성격적 특징과 행동의 도적적 함의라는 두 가지 측면에서 짐이라는 인물을 생각해 보기로 한다.

첫째, 짐의 성격을 그리는 데 흔히 쓰이곤 하는 형용어인 "로맨틱"이라는 말의 뜻부터 살펴보기로 하자. 『로드 짐』 속에서 스타인이라는 의사(擬似) 철학자는 말로로부터 짐에 대한 이야기를 듣자마자 "잘 알겠네. 그는 로맨틱하구먼."이라고 단언한다. 그는 또 어떤 사람이 로맨틱하다는 것은 아주 좋을 수도 있지만 "대단히 나쁜 것"이라고 말하는데 이 대목은 아주 시사적이다. 재래의 소설 속에 나오는 많은 로맨틱한 주인공들처럼 한 사람이 로맨틱하다는 것만으로도 일생을 별문제 없이 자족적으로 살 수만 있다면 로맨틱한 성격이 하나의 확실한 축복으로 될 수도 있다. 그러나 스타인과 당대의 많은 지식인들은 이미 급변하는 사회가 로맨틱한 인물들로 하여금 자족적인 삶을 영위하도록 허용하지 않는다는 점을 예리하게 의식하고 있었다. 특히 타고난 회의주의자였던 콘래드는 자기 시대가 더 이상 로맨틱한 영웅주의를 무조건 용납하지 않는다는 것을 누구보다 잘 알고 있었다. 그는 다윈 이후의 서구 사회가 급격한 변화와 심각한 정신적 위기를 겪고 있기 때문에 그 어느 가치도 견고하게 보전될 수 없고 따라서 로맨틱한 꿈의 추구도 긍정적인 측면을 지니기보다는 오히려 부정적으로 작용할 수 있다는 것을 감지하고 있었다.

짐이 로맨틱한 인물이라는 것을 말해 주는 가장 결정적인 점은 그가 풍부한 상상력의 소유자라는 데서 찾아볼 수 있다. 그는 어린 시절부터 "로맨틱한 문학작품"을 탐독함으로써 스스로 작중 주인공 같은 인물이 되기를 꿈꾸었고 이 꿈을 실현하기 위해서 간부 선원직을 지망했다. 그러나 그의 꿈과 실제 행동 간에 커다란 장벽 또는 괴리가 가로 놓여 있다는 사실이 드러나기까지 오랜 시간이 걸리지 않았다. 그는 견습 선원으로 훈련을 받고 있던 시절에 인명 구조에 동참할 기회를 놓친 후에 "패배의 고통"을 느낀 적이 있다. 그러나 그가 참으로 영웅이 될 기회를 놓친 것은 기선 파트나호에서 800여 명의 이슬람교 순례자들을 버리고 바다로 뛰어내렸을 때였다. 나중에 이 기선이 침몰하지 않고 항구로 무사히 예인되었다는 사실을 알았을 때 짐은 자기가 일생일대의 기회를 놓쳐 버린 것을 아쉬워했지만 물론 부질없는 일이었다. 그러므로 로맨틱한 과업의 성취라는 그 있기 어려운 세계 속으로 그가 아무리 진지하게 침투해 들어가려 해도 그것은 늘 그에게 더 많은 좌절감과 죄책감만 안겨 줄 뿐이었다. 스타인이 짐을 두고서 로맨틱하다는 것은 좋은 점도 있지만 "아주 나쁜 것"이라고 단정했던 것도 이와 같은 짐의 성격적 특징에 비추어 볼 때 그 뜻이 더 잘 드러난다.

사실, 짐의 로맨틱한 상상력은 그가 한 선원으로서나 사회인으로서 실패만 거듭하게 하는 결정적인 요인이다. 우선 그가 파트나호로부터 뛰어내린 것만 해도 기실 로맨틱한 상상력이 걷잡을 수 없이 그를 괴롭히고 있었기 때문이다. 그는 말로에게 자기가 배를 버린 것은 스스로의 목숨을 구하자는 단순한 동기에서보다도 배가 침몰할 경우에 800명의 승객들이 벌이게 될 아수라장 속의 아비규환을 상상하고 견딜 수 없었기 때문이라고 변명하고 있다. 이 소설의 주된 서술자인 말로는 별 유보 없이 이 변명을 수용하고 있고, 우리도 짐의 사람됨에 비추어 이 변명을 액면 그대로 받아들이고 싶다.

아마 그는 죽음을 겁내지 않았을 거야. 하지만 정말이지, 그가 위급한 상황은 겁내고 있었다고. 그의 밉살스러운 상상력은 그에게 공포가 빚어내는 모든 무서운 상황이며, 이리저리 쿵쾅쿵쾅 뛰어 다니는 사람들이며, 불쌍한 비명이며, 파도에 휩쓸리는 구명정 같은, 그가 일찍이 들은 적이 있던 해난 사고의 모든 무서운 상황을 떠올리고 있었던 거야. 그는 죽어도 좋다고 체념했을지 모르나, 더 이상 공포의 상황을 겪지 말고 일종의 평화로운 몽환 상태에서 조용히 죽고 싶었을 거야.(제7장)

이처럼 짐의 로맨틱한 상상력은 그를 한 영웅으로 만드는

데 조금이나마 보탬이 되기커녕 오히려 그를 파멸시키는 데에 결정적으로 작용할 뿐이다. 바로 이 점에서 짐이라는 인물은, 재래 소설의 견고한 주인공들과는 달리, 이상과 현실간의 괴리를 절감하며 인격적 분열 혹은 파탄을 겪을 수도 있는 한 현대인의 모습으로 부각된다고 할 수 있다.

다음으로 우리가 주목해야 할 점은 짐이 겪는 도덕적 파탄 및 속죄의 과정이다. 사실 『로드 짐』의 줄거리를 한마디로 요약한다면 고칠 수 없는 성격적 약점을 가진 인물이 주요한 사회적·도덕적 가치의 배반을 포함하는 일련의 실패를 겪은 후에 소외되었다가 결국 자기 나름대로 속죄 의식(儀式)을 거친 후에 자멸하는 이야기라 할 수 있다. 그리고 그의 도덕적 실패는 크게 두 가지로 나누어서 논의될 수 있다. 첫째는 파트나호로부터 뛰어내린 행위이고, 둘째는 파투산에서 젠틀맨 브라운과의 대결에서 겪는 패배이다.

짐이 파트나호를 버리고 바다로 뛰어내린 것은 명백한 선원 정신의 위반이기 때문에 그 행위의 잘잘못을 놓고 왈가왈부할 여지는 전혀 없다. 그는 이 행위에 대한 책임을 지고 해난 심판소에 불려 가서 심판을 받고 선원 자격을 박탈당하지만 이 또한 논란의 여지를 남기지 않는 사필귀정의 결과라고 할 수 있다. 그러나 여기서 우리가 주목해야 할 점은 파트나호의 다른 동료 선원들이 해난 심판관들 앞에 서기를 거부하고 도피해 버리는데 비해 짐은 혼자 남아서 선원 자격 박탈이라는 수모를 겪는다는 사실이다.

그는 자기가 파트나호에서 뛰어내린 경위를 말로에게 해명하면서 "저는 뛰어…… 내렸던 것 같아요."라고 말하는데, 이처럼 마치 남의 말을 하듯 하는 어법은 짐이 겁을 먹고 뛰어내린 자아와 그것을 개탄하는 자아로 분열되어 있음을 암시한다. 비록 그의 한쪽 자아가 배와 승객들을 함께 버림으로써 선원 정신 위반이라는 중대한 과오를 범했지만, 다른 쪽 자아는 서슴없이 그 결과에 대해 책임지려 한다. 그는 또 자기가 뛰어내린 행위는 사실 자기가 의도한 것 이상의 것이라고 변명하면서 이 문제에 있어서 옳고 그른 것 사이에는 종이 한 장의 차이밖에 없다고 주장하는데, 우리는 이 말의 진지성을 의심하고 싶지 않다.

짐이 주위의 권유를 물리치고 해난 심판소에서 심판을 받기로 마음먹는 데서 이미 진정한 의미의 속죄적 자세가 나타나고 있었다. 그가 만약에 심판의 결과에 승복한 후 이 속죄적 자세에다 자기 삶을 적응시킬 수만 있었다면 종래의 소설에서 볼 수 있는 아주 단순한 히어로의 모습을 보였을 것이다. 그러나 짐의 경우에 문제는 그리 단순하지 않다. 그는 "내가 배에서 뛰어내렸는지는 몰라도 도망치지는 않는다."고 말하는 한편 "나는 이번 일을 극복해야 하며 조금도 회피해서는 안된다."고 다짐하는데 이 말이 그의 진심을 드러내고 있음을 의심할 수 없다. 그러나 이 확신을 실천에 옮기는 데 있어서 짐은 심각한 심리적 갈등과 정신적 고통을 겪는다. 이 점은 그가 선원 자격을 박탈당한 후에 동남아시아의 항구들을 떠돌면서 자기의 손상된 명예에 대해 보이는 거의 병적이고 반사적인 행동을 통해 잘 반증되고 있다. 따라서 짐이 도망치기를 거부한 것도 진정한 속죄적 자세의 표현이라기보다는 오히려 로맨틱한 자아상에 보다 충실하려는 그 나름의 허영심과 관계 있다고 보아야 할지도 모른다.

이런 점을 감안할 때 더 이상 자존심의 손상을 감수하지 말고 도망치라는 주위로부터의 권유를 뿌리치는 짐의 자세가 근본적으로는 이기주의에 근거하고 있다고 보는 말로의 다음 주장은 상당한 설득력을 띤다.

전체적으로 정확히 말하건대, 그 거래에서 나는 비난을 받을 짓은 전혀 하지 않았어. 그러나 내 부도덕성에서 나온 그 미묘한 의도는 죄인의 도덕적인 순박성과의 싸움에서 그만 지고 말았다니까. 물론 그도 이기적이었어. 하지만 그의 이기성은 더 고매한 근원과 더 고귀한 목표를 가지고 있었지. 내가 무슨 말을 하려 해도 그는 그 처형이라는 의식을 거치려고 단단히 마음먹고 있다는 걸 알게 되었거든.(제13장)

여기서 말로는 짐의 이기주의가 "고매한 근본"과 "고귀한 목표"를 가지고 있음을 강조하고 있지만 이 이기주의는 어디까지나 자기중심적 이기주의에 불과하며 사회적으로 그를 지켜주는 방패 역할을 전혀 하지 못한다. 즉 그는 아무리 이기주의의 성을 높이 쌓고 그 속에서 안주하려 해도 자기가 저지른 죄의 망령으로부터 자유로울 수 없으며 결국은 그 망령에게 쫓겨 파투산까지 가게 된다. 이런 의미에서 볼 때, 짐이 해난 심판소에서 도망치기를 거부하고 "처단의 의식"을 감수하려 한 것도 오직 자기의 로맨틱한 자아관에 충실하려는 제스처에 불과할 뿐, 그를 굳건한 인간이 되게 지켜주는 데는 아무 도움이 되지 못한다.

파투산에서 짐은 한 사회인으로서의 굳건한 모습을 보이며 우리 앞에 재등장한다. 아무도 그의 과거를 들추지 않는 벽지의 원주민 지역에서 그는 분명히 성공한 인물이 되었으며 그가 바라던 '재출발'은 이루어졌다. 그러나 그는 본연의 도덕적 취약성을 극복하지는 못하며 이 점은 그가 젠틀맨 브라운과 대결하는 대목에서 적나라하게 드러난다. 궁지에 몰린 브라운이 짐에게 아픈 과거를 상기시키는 질문을 던짐으로써 상호 간의 "공통된 경험"과 "공통된 죄"를 들추었을 때, 짐은 정신적으로 철저히 무장해제당한 나머지 독 안에 든 쥐와 같은 브라운 일당을 살려 주기로 마음먹는다. 이리하여 파투산에 처음 도착했을 때의 그 다치기 쉬운 영혼의 소유자는 이곳에서 외관상 큰 성공을 거둔 것처럼 보였음에도 불구하고 실은 그 취약성을 조금도 씻어 내지 못했음이 판명된다.

짐이 도라민 추장의 아들 다인 와리스의 피살에 대한 책임을 지고 도라민의 총구 앞에 설 때에 우리는 해난 심판소에서 심문을 당하고 있는 짐의 모습이 재현되고 있음을 본다. 그가 자기 여인 주얼로부터 도망치자는 권유를 받고서 이를 완강히 무시할 때에도 우리는 심판을 받지 말고 도망치라고 하는 말로의 권유를 물리치던 장면의 재현을 볼 수 있다. 말하자면, 파투산에서의 새로운 삶이 짐의 로맨틱한 자아관을 조금도 바꾸지 못했고 그의 선천적 이기주의는 여전히 그의 사고방식과 행태를 좌우하고 있었던 셈이다. 그가 도라민의 총구 앞에서 쓰러지기 전에 주변 사람들에게 "자랑스럽고도 굽힘 없는 눈초리"를 보낼 수 있었던 것도 그가 끝까지 로맨틱한 자아상에 충실할 수 있었기 때문에 가능했다. 말로도 짐이 스스로의 "고양된 이기주의"의 부름을 받았기 때문에 살아 있는 여인 주얼을 버리고 "한 허깨비 같은 이상적 행위와의 무자비한 혼례"를 올릴 수 있었다고 단언한다.

3

　지금까지 살펴본 대로 짐은 재래의 소설에 등장하곤 하던 주인공들과는 판이한 성격적 특징들을 보이고 있으므로 그의 이야기를 담을 소설이 재래의 소설과는 다른 서술 형식을 요하는 것도 당연하다. 그 새로운 형식을 간단히 정의하기는 어렵지만 여기서는 앞서 잠시 거론한 바 있는 '열린' 소설 형식이라 불러볼까 한다. 짐 같은 인물은 자아 정체감의 상실, 신념의 흔들림, 파멸적 자기탐닉과 같은 불확정성 상태에 빠져 있기 때문에 소설의 구조면에서도 '닫힌' 구조보다는 '열린' 구조 속에 더 잘 수용될 수 있을 것이라는 뜻이다.

　말로는 짐에 대한 관찰 내용과 견해를 길게 서술하면서 한 번도 짐의 정체에 대해 단정적으로 발언하지 못한다. 이는 짐이 그 어떤 안이한 형용도 허용하지 않는 복잡한 성격의 인물일 뿐더러 말로 스스로도 확고한 관점에서의 자신 있고 단정적인 서술을 처음부터 포기하고 있기 때문이다. 뿐만 아니라, 이른바 '전지적(全知的)' 작가의 시각에서 서술되고 있는『로드 짐』의 처음 네 장에서도 작가는, 재래의 소설가들과는 달리, 자신 없는 태도로 서술하고 있기 때문에 우리의 주목을 끈다. 가령, 제1장의 첫 문장은 "그는 키가 6피트에서 1인치 혹은 아마도 2인치쯤 모자랐고……."라고 시작되고 있는데 이 첫 문장 속의 "아마도(perhaps)" 같은 부사는 도대체 종래의 자신만만한 전지적 소설가의 어조와 콘래드의 어조가 얼마나 다른가를 말해주는 한 예에 불과하다. 그러므로 콘래드가 말로의 이야기를 듣고 옮긴 것으로 되어 있는 이 소설에서는 이 두 서술자의 자신 없는 유보(留保)적 자세가 독자들에게까지 영향을 미친다.

오늘날 우리는 현대 소설의 이런 특이성에 익숙한 편이지만, 이런 기법에 대한 초기 독자들의 반응이 반드시 호의적이었던 것은 아니다. 가령『로드 짐』이 처음 간행되었을 때 한 서평자는 "이 이야기의 구성은 기이하고, 그 속에는 공박받을 만한 서술 관행이 포함되어 있다."라고 지적했고, 평자들의 일반적 경향도 이 작품의 "서술 방법상의 결함"을 지적하는 쪽으로 치우쳐 있었다. 그러나『로드 짐』의 서술 기법은 자기 시대를 앞서가는 한 작가의 현대적 창작 감각이 작품 속에 구현된 것일 뿐, 결코 "결함"은 아니었다. 왜냐하면, 20세기 초엽을 기준으로 생각할 때는 콘래드의 기법이 "비정통적 방법"이요 또 "특이한 구성"일 수 있었겠지만, 이런 방법도 훗날 다른 작가들에 의해서 널리 채택됨에 따라 차츰 현대 소설의 특징적 관행으로 받아들여졌기 때문이다.

『로드 짐』에서 문제가 되는 서술 기법은 크게 두 가지로 나누어 생각할 수 있는데, 그 첫째는 서술 관점의 다양함이요, 둘째는 시간 순서의 빈번한 뒤집힘이다. 서술 관점의 문제부터 살펴보면, 우선 이 소설은 크게 세 가지의 다른 관점에서 서술되고 있다. 모두 45개 장(章)으로 나뉜 소설에서 처음 네 개 장은 외관상 '전지적'임이 분명한 작가 콘래드에 의해 서술되고 있으므로 재래의 3인칭 소설의 서술 관행에서 크게 벗어나지 않는다. 다음 서른한 개 장(제5장~제35장)은 짐을 직접 만나 대화했을 뿐만 아니라 스스로 짐의 행적을 목격하기도 했던 이야기꾼 말로의 입을 통해 서술되며 작가 콘래드를 비롯한 몇몇 사람이 장시간에 걸쳐 그의 이야기를 들은 것으로 되어 있으므로 이 부분은 거의 모두 인용부호 속에 담겨 있다. 마지막 열 개 장(제36장~제45장)은 말로가 직접 참여하거나 목격하지 못한 파투산에서의 사건들에 대한 기록이며, 그가 여러 증인들의 단편적 증언 내용을 뜯어 맞추어 일관된 이야기가 되게 편집·기록한 것이다. 이 토막은 말로의 이야기를 들었던 사람들 중에서도 "특전을 누린 사람"인 작가가 2년 후에 말로로부터 우송받은 기록 뭉치 속에 수록되어 있다.

콘래드는 짐이라는 한 복잡한 현대인의 정체를 파악해서 독자들에게 성공적으로 부각하기 위해서는 재래의 전지적 관점의 기법으로는 부족하다는 것을 알고 있었고, 따라서 짐의 행적을 직접 목격하고 청취할 뿐만 아니라 스스로 사건 속에 개입하기까지 하는 기능을 서술자 말로에게 부여했다. 뿐만 아니라, 1인칭 이야기의 서술적 한계를 인식하고 있는 말로는 자기 이야기 속에 여러 관점을 도입하여 스스로 이 관점들을 종합해서 편집함으로써 그 한계를 극복하고 있다.

『로드 짐』 속에서 콘래드와 말로가 당면하는 서술상의 어려움은 대체로 짐의 행위와 그 도덕적 의미가 불명확하다는 데서 연유한다. 가령 짐이 파트나호에서 바다로 뛰어내린 일만 해도, 일반 사회나 해난 심판소에서 추궁하는 것은 짐이 어떤 경위에서 어떤 심리적 갈등을 겪고 뛰어내렸는가가 아니고 800명의 승객들을 무책임하게 버리고 자신의 목숨을 구하기 위해 바다로 뛰어내렸다는 사실뿐이다. 그러나 문제는 우리가 짐을 다른 파렴치한 동료 선원들과 한 무리로 쉽게 몰아버릴 수 없다는 데 있다. 우선 짐 자신은, 앞서 살펴본 대로, 비록 배를 버렸을망정 심판을 기피하지는 않겠다는 식의 미묘한 자존심과 책임감을 가지고 있다. 그리고 그의 일에 깊이 개입하게 되는 말로 또한 이 젊은이의 행위를 단순한 비행으로만 단정하지 않고 그의 행동의 근원적 동기와 그것의 궁극적 의미를 알아내기 위해서 고심한다. 이런 의미에서 우리는 말로가 이 소설에서 짐의 정체를 찾아내려고 노력하는 과정 자체가 곧 짐에 대한 이야기에 비해 못지않게 중요한 주제를 구성한다고 볼 수도 있다.

말로의 구술된 이야기는 거의 모두 스스로 목격했거나 청취한 내용으로 되어 있지만 그의 이야기가 단순하지 않은 것은 첫째 그 구술 부분이 시간 순서에 있어서 상당한 혼란을 보이고 있기 때문이고, 둘째 말로가 만난 많은 사람들의 관점과 견해들이 이 부분에서 편집되고 있기 때문이다. 시간 전도의 문제는 뒤에서 살피기고 하고 여기서는 우선 다양한 관점에 대해서만 살펴보자. 구술된 이야기 속에 등장하는 순서대로 나열해 보면, 이 관점들은 대충 브라이얼리 선장(제6장), 프랑스 해군 장교(제12~13장), 체스터(제14장), 미곡 도정업자 덴버(제18장), 선구상(船具商) 에그스트룀 및 블레이크(제18장), 스위스인 유커 및 호텔업자 숌버그(제19장), 스타인(제20장), 파투산의 코넬리우스 및 주얼(제29~30장) 등으로 되어 있다. 한편 말로의 서면 기록 속에도 몇몇 중요 관점이 나오는데 그중의 중요 인물은 젠틀맨 브라운(제37장), 주얼(제37장 등) 및 탐 이탐(제42장)이다. 이 모든 인물들은 말로가 직접 목격하지 못한 짐의 행적에 대해 유용한 정보를 제공해 줌으로써, 또 많은 경우 도덕적 논평까지 함으로써, 그가 추구하는 짐의 정체를 독자들에게 부각시키는 데 각각 제 나름의 기여를 한다.

이 관점들 중에서 특히 중요한 것은 브라이얼리 선장, 스타인, 젠틀맨 브라운 등의 견해이다. 브라이얼리 선장은 해난 심판소에서 짐을 심판한 사람으로서 짐에게 연민과 분격을 동시에 느꼈고 짐이 도망칠 수 있게 도와주려 하지만 거절당한다. 한 선원으로서 선장 직에 오르기까지 아무 부끄럼 없는 탁월한 경력만 쌓아왔던 브라이얼리가 심판을 끝낸 후 며칠 만에 바다에 뛰어들어 자살했다는 사실은, 그 동기가 짐의 행위에 대한 도덕적 격분에 있든 아니면 자기 자신의 마음속에 도사리고 있었을지도 모르는 짐과의 은밀한 정신적 공범 의식에 있든, 우리가 짐의 선원 정신 위반 행위의 도덕적 함의를 이해하는 일을 단순화시키기도 하고 동시에 어렵게 한다. 이는 브라이얼리가 짐에 대해서 느끼는 연민과 분격이 단순한 감정의 표출이 아니고 짐이 선원으로서의 "직업적 존엄성"을 지키지 못한 데 대한 연대적인 책임감을 포함한 심리적 자기 동일시(self-identification) 과정까지 암시하기 때문이다. 우리는 브라이얼리와 짐의 관계에서 『암흑의 핵심』에서의 말로와 커츠와의 관계라든가, 「비밀 동숙자」 속의 선장과 도망자 리개트 사이의 관계에 비교될 만한, 성격적 상반자(相反者)와의 만남 혹은 '더블(double)' 관계를 유추할 수도 있기 때문에, 브라이얼리의 자살은 짐의 문제를 이해하는 데 중요한 시사를 던진다.

브라이얼리 이외에도 스타인과 젠틀맨 브라운 같은 중요 인물들의 견해가 있지만 앞서 간단하게나마 거론한 일이 있으므로 여기서는 거론하지 않기로 한다. 다만, 다른 정보 제공자들과는 달리, 이 세 사람은 제각기 짐의 정체에 대해서 자기 나름의 식견을 가지고 있되 그것도 모두 정곡을 찌르는 것이기 때문에 우리가 짐의 성격과 행적을 이해하는 데에 결정적인 도움을 준다.

이렇게 말로에게 중요한 정보를 제공하는 인물들만을 생각하다 보면 우리는 말로 자신이 사실 가장 중요한 관점을 제공한다는 점을 간과하게 될지 모른다. 사실, 이 소설의 가운데 토막을 이루는 제5~35장과 마지막 토막을 이루는 제36~45장은 각각 말로의 목소리와 그의 필치로 제공되므로 이 서술자야말로 독자들에게는 최대의 정보원(情報源)이 되는 셈이다. 따라서 한 서술자로서의 말로 역시 각별한 주목을 끈다. 그리고 그가 자기의 역할로 인해 겪는 고민과 고통은 이 소설 속에 여실히 나타나 있고 바로 이 점이 한 현대적 서술자의 특징적 모습을 드러내주기도 한다.

말로와 브라이얼리가 짐을 보는 시각은 처음부터 다른 심판관들과 상반된다. 다른 심판관들은 마치 "사실"만이 모든 것을 설명해 줄 수 있다고 믿기 때문에 짐으로부터 파트나호 사건의 내막에 대한 사실만을 치밀하게 캐내려 하고, 이 사건의 "근원적인 '왜?'가 아니라 피상적인 '어떻게?'"만을 밝혀내려 한다. 이와 반대로, 말로와 브라이얼리는 짐이라는 "한 인간의 영혼의 상태를 탐색하는 일"이 무엇보다도 중요하다고 여기기 때문에 처음부터 심판정이 할 수 있는 역할에 대해 별로 기대하지 않는다. 바로 이 점에 대해 말로는 다음과 같이 말한다.

그런 것들은 해난 심판소에서 다루기에는 적절치 못한 문제들이었어. 그것은 삶의 진정한 본질에 관한 미묘하고도 중대한 시빗거리이므로 심판관이 필요하지는 않은 법이야. 그는 동맹자나 협조자나 연루자가 될 사람을 찾고 있었어.(제8장)

짐의 편이 되어, 그를 도우며, 그의 "공범자"가 될 용의를 가진 사람들은 브라이얼리와 말로밖에 없었지만 브라이얼리는, 앞서 살펴본 대로, 자살 하므로 말로만이 외로이 남아서 짐을 도우며 그에 관한 진실을 밝혀내려고 노력한다. 그러나 "침묵과 정적으로 된 신비의 바닷물 속에 반쯤 잠긴 채 손에 잡히지 않고 떠도는 정체불명의 절대적 진실"에는 좀처럼 접근하기가 힘들기 때문에, 말로는 그의 이야기를 통해서 한번도 짐의 정체에 대해 단정적인 발언을 하지 못한다. 오히려 그는 여러 대목에서 짐의 참모습을 보기가 참으로 어렵다는 푸념을 늘어놓을 뿐이다.

그는 안개 속에 짐을 지고 헐떡이는 사내처럼 그 참담한 고민거리며 허깨비 같은 주장을 내세우며 날 찾아왔던 거야. 나는 그의 정체를 명확하게 본 적이 없다고 말해야겠어. 내가 그를 마지막으로 본 후 오늘에 이르기까지도 그를 분명하게 본 적이 없거든. 하지만 내가 그를 이해하지 못하면 못할수록 나는, 인간의 앎에서 불가분의 일부를 이루고 있는 의혹의 이름으로, 그에게 더더욱 매이고 있었던 거야.(제21장)

이 구절 속에 암시되어 있듯이 『로드 짐』은 선원 정신의 가치를 신봉하면서도 악과 인간의 취약성 및 숙명적 고립에 대한 비관론을 탈피하지 못하고 있는 말로가 천성적으로 자기와 동류(同類)라고 할 수 있는 짐과의 만남을 통해 삶의 본질을 탐구하는 이야기라 할 수도 있다.

여기서 서술 기법상의 문제와 관련해서 우리의 관심을 끄는 것은 말로의 이런 철학적 탐구 자체가 아니고 그 탐구가 불가피하게 필요로 하는 무수한 서술 관점의 활용이다. 사실, 말로는(혹은 좀 더 넓은 의미에서의 콘래드는) 다원적인 서술 관점의 활용을 통해서 이 소설을 아주 읽기 어려울 정도의 복잡한 작품으로 만들면서도 짐의 행위 속에 개재된 도덕적 의미의 불확실성에 대해 독자들을 부단히 일깨우는 효과를 거두고 있다. 그러나 말로의 서술자로서의 기능은 이처럼 인식을 촉구하는 데 그칠 뿐, 짐의 정체에 대해서는 그 어떤 단정적인 주장도 하지 않는다. 다시 말해, 그는 짐의 행위가 지닌 도덕적 의미를 명쾌하게 드러내거나 평가하지 못하고 오직 그 의미를 청중이나 독자의 판단력 앞에 열어 놓고 있을 뿐이다. 바로 이런 점에서, 말로는 재래의 전통적 서술자들과는 엄연히 구별되는 한 '현대적' 서술자의 모습으로 우리에게 다가온다.

『로드 짐』에서 다양한 서술 관점 및 다원적 정보의 활용이라는 서술 기법 이외에 우리가 주목해야 할 또 하나의 기법은 시간 순서의 부단한 뒤집기이다. 콘래드는 이 소설에 이어 잇달아 『노스트로모』, 『비밀 정보원』, 『서구인의 눈으로』 등의 주요 장편소설에서도 시간 전도의 기법을 이용하고 있거니와, 『로드 짐』이 우리의 특별한 주목을 끄는 것은 이 소설이 이 일련의 작품 중에서 가장 먼저 쓰였을 뿐만 아니라 현대 영국소설에서도 시간 전도의 기법을 보여 주는 주요 사례로 여겨지기 때문이다.

포드 매독스 포드의 회고에 따르면, 콘래드는 포드와 합작소설을 쓰던 초기부터 소설이 시간 순서에 따라 선형적으로만 서술되는 데는 문제가 있으며 시간의 단속(斷續)에 구애됨이 없이 이야기 속을 자유로이 오가며 서술할 필요가 있음을 절감했다고 한다. 콘래드가 이처럼 소설 속의 시간 문제에 대해 자기 시대보다 크게 앞서서 깊은 인식을 하고 있음에도 불구하고 그 자신이 이 문제에 대해 의견을 피력한 적은 별로 없다. 군이 찾아본다면 그가 만년에 이르러 피력한 몇몇 의견이 있을 뿐이다. 그는 1923년에, 그러니까 세상을 떠나기 한 해 전에 친구에게 보낸 편지 속에서 자기 기법의 특징이 "비인습적 구성 및 시점"에 있다고 했는데 이 구절이 부단한 시간 순서의 전도와 관점의 변화를 가리키고 있음은 말할 필요조차 없다. 또 콘래드는 역시 만년에 쓴 「작가와 영화」라는 연설문에서도 소설 속에서 사건의 결과를 미리 알고 있으면 여러 가지 관련된 사실들이 더욱 의미 있게 보일 것이며 발언된 내용도 더 깊은 의미를 띨 것이라고 하며 시간 전도 기법의 필요성을 정당화하기도 했다.

『로드 짐』 속에서 시간 전도가 실제로 어떻게 일어나고 있으며 또 그 효과가 어떠한가에 대해서는 여러 비평가들이 다방면으로 해석하고 있다. 그리고 이 문제에 대한 여하한 본격적 관심도 별도의 논문을 써야 할 정도로 복잡한 문제들을 새로이 제기할 것이므로 여기서는 깊은 거론을 피하기로 한다. 다만, 파트나호가 침몰을 모면했다는 사실(제7장)을 짐이 심판정에 섰다는 사실(제4장) 보다 뒤에 밝힌다든지, 브라이얼리선장의 자살(제6장)을 짐이 배에서 뛰어내린 상세한 경위(제9장)보다 앞세움으로써 콘래드는 이 소설을 처음 읽는 사람들을 상당히 당황케 한다는 사실만은 짚고 넘어가야 한다. 그러나 콘래드가 이처럼 고의적으로 이야기 순서를 뒤집음으로써 거두는 효과가 전통적으로 시간 예술로 여겨져 오던 소설을 "공간화(spatialization)"하자는 데 있느냐, 아니면 소설 속에서 인상주의적 효과를 빚어내자는 데 있느냐, 그것도 아니면 그 밖의 어떤 다른 목표를 노리고 있느냐 하는 것들은 모두 중요한 물음들임에 틀림없지만 이런 자리서 섣불리 거론될 수 없다.

그러므로 여기서 우리는 시간 전도라고 하는 당대까지만 해도 보기 드물던 기법이 서술 관점의 다원화라는 역시 희귀한 기법과 동시에 쓰이고 있다는 점에 주목하고자 할 뿐이다. 짐의 행위가 지닌 심층적 의미를 캐기 위해서 콘래드가 다양한 관점을 통한 도덕적 논평을 가하지 않을 수 없었다고 한다면, 바로 이와 꼭 같은 예술적 요구가 시간 전도 기법에의 의존을 불가피하게 한 것이 아닐까 하는 추측을 할 수 있다. 즉 시간 전도의 기법도 관점의 다양화라는 기법과 마찬가지로 짐이라는 한 현대적 주인공의 종잡기 어려운 정체를 파악하고 그의 행적이 지닌 도덕적 함의를 드러내기 위한 방편으로 이용되고 있을 것이라는 추측이 바로 그것이다.

오늘날 우리가 현대 소설을 개관해 볼 때 관점과 시간 순서의 다양한 변동이라는 기법은 이제 별로 낯설지 않다. 그러나 조이스의 『율리시스 *Ulysses*』와 울프의 『댈러웨이 부인 *Mrs. Dalloway*』이 단행본으로 간행된 것이 각각 1922년과 1925년이었고 심지어 포드의 『훌륭한 군인 *The Good Soldier*』까지도 1915년이 되어서야 발간되었다는 사실을 감안할 때, 콘래드의 중요 작품들이 모두 이들보다 십여 년 내지 이십여 년이나 앞서서 발간되었다는 사실은 주목할 만하다. 콘래드는 아직 현대 소설의 원형들이 작가들에 의해 본격적으로 실험되기 전에 훗날 현대소설의 본보기로 여겨지게 된 일련의 작품들을 쏟아 놓고 있었던 것이다. 그러므로 『로드 짐』(1900)에서 시작하여 『서구인의 눈으로』(1911)에 이르는 소설들이 콘래드의 한창 시절이었던 20세기의 처음 십여 년에 쓰였으므로 이 작품들은 모두 현대 소설의 실험적 원형이라 할 수 있고, 특히 그중에서도 『로드 짐』은 원형 중의 원형이라고 불러도 별로 지나치지 않을 것이다. 또 바로 이 점은 우리가 넓게는 모더니즘 좁게는 현대 소설의 역사 속에서 콘래드가 차지하는 위치를 가늠하는 데에도 중요한 단서를 제공해 줄 것이다.

『로드 짐』의 번역 초고는 2000년에 완성되었다. 마침 그해 가을 학기에 나는 서울대학교의 학사 과정 과목 '현대영미소설'을 맡았는데, 그때 함께 『로드 짐』을 읽었던 수강생들 중 세 사람이 번역 텍스트를 읽어 주었다. 김의영 양, 김성미 양, 그리고 정은지 양이 바로 그들이다. 그들이 읽고 지적해 준 점들은 거의 모두 최종 원고를 만들 때 반영되었다. 이 자리를 빌려 세 분께 고맙다는 말씀을 전하고 싶다.

2005년 3월
이상옥

작가 연보

1856년   폴란드 국민이었던 아버지 아폴로 코르체니오프스키
        와 어머니 에바 보브로프스카가 결혼했다.

1857년   12월 3일에 조지프 콘래드가 태어났다. '조지프 콘래드'
        는 필명이고, 본명은 요셉 테오도르 콘라드 코르체니
        오프스키(Józef Teodor Konrad Korzeniowski)이다.

1861년   아버지가 조국 폴란드를 위한 정치 활동을 한 죄명으
        로 제정 러시아 관헌에 체포당했다.

1862년   가족 전원이 북부 러시아의 볼로그다로 유배되었다.

1865년   어머니 별세. 콘래드는 이 무렵에 가정교사에게 프랑스
        어를 배웠다.

1866년   외삼촌 타데우스 보브로프스키의 집에서 여름을 보
        냈다.

1868년	콘래드 부자 르보프로 이주.
1869년	아버지 별세. 콘래드는 외삼촌의 후견 아래 크라쿠프에서 김나지움에 다녔다.
1873년	가정교사와 함께 스위스 여행.
1874년	선객 자격으로 몽블랑 호에서 첫 항해를 체험했다.
1875년	몽블랑 호의 견습 선원이 되어 서인도제도를 항해했다.
1876년	생앙트완 호에 취사 담당으로 취업해서 서인도제도를 항해했다. 훗날 『노스트로모(Nostromo)』의 무대가 된 남미의 일부 지역으로 무기를 밀수한 것으로 알려져 있다.
1877년	서류 미비로 마르세유에서 프랑스 선박 취업을 금지당하고 빚을 지게 되었다.
1878년	권총 자살 미수. 외삼촌이 콘래드가 진 빚을 청산해 주었다. 영국으로 건너가서 호주행 영국 범선에 평선원으로 취업했다. 처음으로 영어를 익히기 시작했다.
1880년	이등항해사 자격시험 합격. 시드니행 범선의 간부선원으로 취업했다.
1881년	기선 팔레스타인호의 이등 항해사로 취업했다.
1883년	훗날 『청춘(Youth)』에 묘사된 화재 사건을 팔레스타인호에서 체험했다.
1884년	나르시서스호로 봄베이 항해. 일등 항해사 자격 시험에 합격했다.
1886년	영국 시민으로 귀화. 선장 자격 시험에 합격했다. 영어로 단편 소설 집필을 시도했다.

1887년	동남아 항해. 훗날 작품의 모델이 된 인물들을 만났다.
1888년	오타고호의 선장으로 임명되어 싱가포르, 시드니, 모리셔스 등지를 항해했다.
1889년	영국으로 귀환. 첫 작품『올마이어의 어리석음(Almayer's Folly)』집필을 시작했다.
1890년	폴란드의 외삼촌을 방문한 후 브뤼셀로 가서 벨기에령 콩고강을 왕래하는 기선의 선장으로 임명받고,『암흑의 핵심(Heart of Darkness)』에 그려진 상황을 체험했다.
1891년	콩고에서 병을 얻어 연초에 귀국, 런던과 제네바 등지에서 요양했다.
1892년	기선 토런스호의 일등 항해사로 호주에서 귀항하던 도중에 선상에서 영국 소설가 존 골스워디를 만났다.
1895년	장편『올마이어의 어리석음』을 출간했다.
1896년	제시 조지와 결혼했다.
1897년	미국 소설가 스티븐 크레인을 만났다.『나르시서스호의 검둥이(The Nigger of the 'Narcissus')』를 출간했다.
1898년	맏아들 보리스 출생.
1899년	『암흑의 핵심』을 발표했다.
1900년	『로드 짐』을 출간했다.
1904년	『노스트로모』를 출간했다.
1906년	산문집『바다의 거울(The Mirror of the Sea)』을 출간했다. 차남 존 출생.
1907년	『비밀 정보원(The Secret Agent)』을 출간했다.

1908년 신경쇠약 증세가 나타나기 시작했다.

1910년 중편 소설 「비밀 동숙자(The Secret Sharer)」를 발표했다.

1911년 『서구인의 눈으로(Under Western Eyes)』를 출간했다.

1912년 『사사로운 기록(A Personal Record)』을 출간했다.

1913년 장편 소설 『기연(Chance)』이 미국에서 성공을 거두었다.

1915년 『승리(Victory)』를 출간했다.

1917년 『그림자 선(The Shadow Line)』을 출간했다.

1921년 『삶과 문학에 대한 노트(Notes on Life and Letters)』를 출간했다.

1924년 조각가 제이콥 엡스틴이 콘래드의 흉상을 제작했다. 현재 런던 국립초상화미술관에 소장 중이다. 8월 7일 향년 67세에 심장마비로 별세하여 캔터베리에 묻혔다.

세계문학전집 117

로드 짐 2

1판 1쇄 펴냄   2005년 3월 15일
1판 21쇄 펴냄   2023년 11월 24일

지은이   조셉 콘래드
옮긴이   이상옥
발행인   박근섭, 박상준
펴낸곳   (주)민음사

출판등록   1966. 5. 19. (제 16-490호)
서울특별시 강남구 도산대로1길 62(신사동) 강남출판문화센터 5층 (우편번호 06027)
대표전화 02-515-2000   팩시밀리 02-515-2007
www.minumsa.com

ISBN 978-89-374-6117-0 04800
ISBN 978-89-374-6000-5 (세트)

* 잘못 만들어진 책은 구입처에서 교환해 드립니다.

세계문학전집 목록

세계문학전집은 계속 간행됩니다.